NOVELISTAS ESPAÑOLES DE POSTGUERRA

PERSILES - 96

SERIE *EL ESCRITOR Y LA CRITICA*

EL ESCRITOR Y LA CRITICA

Director: RICARDO GULLON

TITULOS DE LA SERIE

Benito Pérez Galdós, edición de Douglas M. Rogers.
Antonio Machado, edición de Ricardo Gullón y Allen W. Phillips.
Federico García Lorca, edición de Ildefonso-Manuel Gil (2.ª edición).
Miguel de Unamuno, edición de Antonio Sánchez-Barbudo.
Pío Baroja, edición de Javier Martínez Palacio.
César Vallejo, edición de René de Costa.
Jorge Guillén, edición de Biruté Ciplijauskairé.
El Modernismo, edición de Lily Litvak.
Rafael Alberti, edición de Manuel Durán.
Miguel Hernández, edición de María de Gracia Ifach.
Jorge Luis Borges, edición de Jaime Alazraki.
Novelistas hispanoamericanos de hoy, edición de Juan Loveluck.
Pedro Salinas, edición de Andrew P. Debicki.
Novelistas españoles de postguerra, edición de Rodolfo Cardona.
Vicente Aleixandre, edición de José Luis Cano.

TITULOS PROXIMOS

Juan Ramón Jiménez, edición de Aurora de Albornoz.
José Ortega y Gasset, edición de Antonio Rodríguez Huéscar.
Ramón del Valle-Inclán, edición de Francisco Ynduráin y Pablo Beltrán de Heredia.
El Romanticismo, edición de Jorge Campos.
Octavio Paz, edición de Pedro Gimferrer.
La novela picaresca, edición de Fernando Lázaro Carreter y Juan Manuel Rozas.
Francisco de Quevedo, edición de Gonzalo Sobejano.
El Surrealismo, edición de Víctor G. de la Concha.
Pablo Neruda, edición de Emir Rodríguez Monegal.
Teatro español contemporáneo, edición de Ricardo Doménech.
El Naturalismo, edición de José María Martínez Cachero.
El simbolismo, edición de José Olivio Jiménez.
Leopoldo Alas, edición de José María Martínez Cachero.
Mariano José de Larra, edición de Rubén Benítez.
Manuel Azaña, edición de José Luis Abellán y Manuel Aragón.

NOVELISTAS ESPAÑOLES DE POSTGUERRA

EDICION DE
RODOLFO CARDONA

taurus

Cubierta de AL-ANDALUS

INDICE

Nota preliminar   9

Manuel Alvar: *Noventayocho y novela de postguerra* 13
Gonzalo Sobejano: *Direcciones de novela española de postguerra* ... 47
Mary Ann Beck: *Nuevo encuentro con «La familia de Pascual Duarte».* 65
David William Foster: *«Nada», de Carmen Laforet* 89
Víctor Fuentes: *Notas sobre el mundo novelesco de Ana María Matute.* 105
Robert C. Spires: *Lenguaje-técnica-tema y la experiencia de lector en
«Fiesta al Noroeste»* 111
Edward C. Riley: *Sobre el arte de Sánchez Ferlosio: aspectos de «El
Jarama»* 123
Ricardo Senabre: *La obra narrativa de Ignacio Aldecoa* 143
Jorge Rodríguez Padrón: *Jesús Fernández Santos y la novela española
de hoy* 155
Julián Palley: *El periplo de Don Pedro: «Tiempo de silencio»* 167
Alberto Oliart: *Viaje a Región* 185
Ricardo Gullón: *El naufragio como metáfora* 195
Gemma Roberts: *La culpa y la busca de la autenticidad en «San Ca-
milo, 1936»* 205
Manuel Durán: *El lenguaje de Juan Goytisolo* 219
Pere Gimferrer: *Círculos y metamorfosis* 231
Carmen Martín Gaite: *«La saga/fuga de J. B.»* 237
Robert C. Spires: *El papel del lector implícito en la novela española
de postguerra* 241

Bibliografía 253

NOTA PRELIMINAR

La muerte del General Franco marca el final de un período bien definido en la historia de España que comienza con la Guerra Civil de los años 1936 a 1939. De una forma u otra toda la novela seria que se ha escrito durante el período que hemos dado en llamar de postguerra, y que debiéramos rebautizar como el período de la dominación franquista, ha estado afectada por esta era que acaba de terminar. Es, pues, lógico que la colección «El escritor y la crítica» dedique un volumen de ensayos al grupo más destacado de autores cuya carrera literaria se inicia con la llegada de Franco al Poder. Estos novelistas, desde un primer momento, tuvieron que afrontar ciertos problemas en común, el más serio de los cuales fue el de la censura. De hecho, algunas de las obras que se comentan en estos ensayos se publicaron por primera vez fuera de España. En general podemos decir que la Guerra Civil, implícita o explícitamente, aparece en la mayor parte de las narraciones que nos ocupan ya sea como experiencia directa, como recuerdo, como efecto, o como causa de situaciones que de alguna manera afectan a los personajes. Es curioso notar que novelas como San Camilo, 1936 y Reivindicación del Conde Don Julián, de aparición relativamente reciente, parecen ya anunciar el final de una etapa en la que el fantasma de la guerra se exorcizará de una vez por todas. Estamos convencidos de que la etapa que se inicia este año de 1976 traerá a la novelística española una nueva temática y, sobre todo, una nueva actitud. Es hora, pues, de hacer un recuento crítico.

Los títulos de dos artículos que aparecen en nuestra bibliografía podrían servir para apuntar dos de las características que se destacan más en la novelística española del período que nos ocupa: «Le roman espagnol: entre la frustration et la censure» se refiere a la situación ya mencionada en nuestro párrafo anterior, situación que ha sido a la vez frustrante e incitante, como saben quienes hayan leído una *buena porción de novelas publicadas entre 1942 y 1975. En la novela, como en el teatro, se han encontrado medios de aludir a situaciones prohibidas o, por lo menos, marginadas, con lo cual, en los casos de mayor éxito, se han enriquecido enormemente las técnicas narrativas. El otro título significativo es «Los premios o treinta años de falsa fecundidad». La enorme proliferación que el género novela ha tenido en España durante la era franquista, fecundidad debida en parte a los falsos estímulos de los premios literarios, ha sido fuente de frustración también, pero en este caso para el crítico que aspira a estudiar y comentar la novelística de esta época. Aun si nos limitamos, como en nuestro caso, a novelas publicadas por autores importantes cuya obra literaria se inicia en la década de los cuarenta, podemos contar por lo menos 175 títulos que merecerían ser comentados en un libro como éste. Es, pues, obvio que nuestra selección de novelas y de autores ha tenido que ser muy restringida. Aun así, la limitación de espacio nos ha obligado a dejar fuera obras y autores de mucha importancia.*

Nuestra selección de textos críticos se ha guiado, además, por el interés intrínseco del artículo en cuestión dando, sí, preferencia, en lo posible, a textos de críticos extranjeros poco conocidos en España, o a textos de críticos españoles publicados fuera de España. Creemos que esta selección será de mucho mayor interés para el estudioso español.

Nos ha parecido de muchísima importancia iniciar la colección con dos artículos de carácter general: El primero se ocupa de apuntar y analizar las conexiones entre los novelistas de la postguerra y los hombres del noventayocho. El autor busca en esos escritores de principios de siglo las raíces por las que «aquella gente se alimentaba para hacer lo que hicieron». Este excelente ensayo tiene la ventaja de discutir, aunque en términos generales, autores y obras que no nos fue posible destacar individualmente en nuestra colección. El segundo artículo es un intento de clasificación de la novelística española de postguerra. En nuestra opinión, el más completo y lógico. La inclusión de este ensayo permitió también la presentación panorámica de la narrativa de la postguerra española. A partir de este punto nuestra colección se ocupa en orden estrictamente cronológico, por fecha de publicación, de una serie de novelas aisladas. Sólo en unos pocos casos, como el de Aldecoa, hemos incluido un ensayo de valoración general.

Dadas las limitaciones de espacio que nos han impedido ser todo lo inclusivos que hubiésemos deseado, nos ha parecido que era necesaria una compensación en la preparación de la «Bibliografía». Así hemos procurado ser exhaustivos al enumerar los trabajos críticos que se han dedicado a la novelística del período en cuestión, y dar noticia del mayor número posible de artículos y ensayos sobre las novelas y los autores de que se ocupa este libro. La Bibliografía está dividida en dos grandes secciones: la primera dedicada a libros y artículos que estudian la novela de postguerra en términos generales: la segunda presenta, por orden alfabético de autores, artículos sobre las novelas y los autores aquí incluidos y en el mismo orden en que aparecen.

Deseamos expresar nuestro agradecimiento a los autores de los artículos incluidos en este volumen por el permiso de publicación que tan generosamente nos han concedido. La lista de revistas de las cuales sacamos los ensayos incluye, por orden de aparición: Revista de estudios hispánicos, *Universidad de Puerto Rico;* Boletín de la Asociación Europea de Profesores de Español, *Madrid;* Revista Hispánica Moderna, *Nueva York;* Revista nacional de cultura, *Caracas;* Papeles de Son Armadans, *Palma de Mallorca;* Filosofía, *Buenos Aires;* Cuadernos hispanoamericanos, *Madrid;* Bulletin of Hispanic Studies, *Liverpool;* Revista de Occidente, *Madrid,* Homenaje a la memoria de Don Antonio Rodríguez-Moñino 1910-1970, *Madrid;* Journal of Spanish Studies Twentieth Century, *Colorado y Kansas;* Cuadernos americanos, *París;* Plural, *México.*

Por último, nuestro agradecimiento a Ricardo Gullón y a Pablo Beltrán de Heredia por su ayuda en la preparación de este tomo.

R. C.

NOVENTA Y OCHO Y NOVELA DE POSGUERRA

I

Las páginas que siguen pretenden asomarse a la historia. Pero es una historia demasiado próxima para poder ver con claridad. Por eso es necesario limitar el campo para conseguir un poco de perspectiva, y coherencia con lo que se quiere decir. La novela española de la posguerra se enfrentó con una serie de problemas pavorosos: ruptura con un pasado inmediato, dispersión de los valores literarios, aislamiento. Hubo que intentar rehacer las cosas. Habían desaparecido de la escena española los grandes maestros: unos fuera, nunca llegarían a contar con su prestigio anterior; otros —indiscutidos siempre— habían quedado marginados del mundo oficial. La guerra mundial obligaba al aislamiento y el país tenía que autoabastecerse, pero los problemas no se resolvían así: no se noveló la guerra civil y apenas —Pombo Angulo, Giménez Arnau— si nos asomamos a la otra; el aprovincianamiento cultural era el tributo que constreñía. Sin embargo, los novelistas españoles no podían limitarse a estas perspectivas. El futuro no era previsible para vivirlo desde el presente: bastante era con sufrir al día. Y sin posibilidad de esquivarlo, ese presente se iba convirtiendo en futuro: eran unos hombres que padecieron lo que no habían sufrido los de antes de la guerra ni los que hemos llegado después. Gracias a ellos, hoy podemos ver de una manera distinta e incluso nos sentimos dentro de una continuidad. Sin ellos, sin su comportamiento, las cosas hubieran sido de otro modo. Cuando nos enfrentamos con el quehacer literario, tenemos que buscar las raíces por las que aquellas gentes se alimentaban para hacer lo que hicieron, para que nosotros podamos ser de una determinada manera. Y resulta que en las fraguas oscuras de la creación individual siguió operando un determinado tipo de tradición, que permitió anudar los hilos rotos. Quisiera ver —sencillamente— qué pasado actuó sobre los novelistas que advinieron en los años inmediatos a nuestra guerra y cómo se denuncian esas presencias.

Por eso pienso en los hombres del 98 —y en ese antecedente que fue Galdós— y pienso cómo se iban trasvasando los vinos añejos para dar cuerpo a los nuevos. Después, las cosas ya no podrían ser del mismo modo. Por eso el límite de mis comentarios se queda interrumpido por 1955, cuando surgen ya otro tipo de preocupaciones y la novela española comienza una andadura bastante distinta de la que ahora intento comentar.

II

Hace años, al comenzar un ensayo teórico, el novelista Gironella escribió: «Siempre he creído que lo primero que hace falta para ser un novelista es ser un hombre. Si el hombre falla, falla la obra»[1]. Estas afirmaciones se pueden aceptar, pero sin limitación: detrás de cada logro anda la humanidad que le da aliento. Al poema, al lienzo o al bulto. Incluso en los momentos de mayor «deshumanización», no hay otra cosa que problemática, medida con los alcances del «inventor» o del «creador»[2] hombre, también él, en los treinta y seis rumbos de la palabra.

Con un solo ejemplo quisiera aseverar. Cuando Erik Satie escribe sus ironías musicales (*Morceaux en forme de poire*), trata a toda costa de burlar al hombre, pero éste, el hombre, palpita en cada una de sus piruetas con la misma ansiedad con que agoniza lenta, lentísimamente en los sostenidos del *Socrate*. Detrás de cada obra, hay un Eolo mofletudo que le va dando su poco o mucho aliento, pero sin el hombre —de una u otra calaña— no sería posible botar la nave.

Tampoco es mucho más cierta la afirmación, si lo que Gironella quiere decir es un tipo determinado de hombre con unos contenidos que pudieron llamarse positivos. Entonces, a cercén, quedaría ignorada una zona, tenebrosa desde la faz que nosotros iluminamos[3].

---

[1] *El novelista ante el mundo*, Madrid, 1953, pág. 7.

[2] Para el sentido de estas palabras, vid. ORTEGA, *Tiempo, distancia y forma en el arte de Proust*, apud. *Obras*, 1936, pág. 716.

[3] En general, todas las afirmaciones de Gironella son excesivamente limitativas. Exactas en el fondo y en la forma, pero válidas para el poeta lírico con la misma licitud que para el autor de novelas.

Sin embargo, a pesar de las reservas, buena es esta presencia del hombre como motivo de preocupación tan pronto como nos asomamos a la ventana abierta de unas cuartillas.

Lo que adivino tras las líneas del novelista no es la particularidad de un determinado género literario, ni tampoco la condición específica de un autor, sino algo que participando de ambas cuestiones es mucho más hondo: la preocupación del hombre por sus semejantes en tanto éstos pueden ser materia literaria. O si se quiere de otro modo: en la actual novelística, la preocupación por el hombre es tema cardinal; por ello el narrador debe participar del dolor o de la alegría de sus contemporáneos y vivir con ellos la andadura literaria que crea y en la que se introduce. Bien es verdad que estos presupuestos adulteran en muchos lo que pudiéramos llamar contenidos estéticos de la novela: hay como una voluntaria limitación de pasibilidades novelables y aun de elementos a considerar. Lo fundamental es el hombre, aunque saber cuáles son las condiciones inequívocas de la hombría sea cuestión difícilmente reducible a síntesis y sometida en todo momento a la arbitrariedad del subjetivismo.

Nos encontramos ya ante algo que debemos considerar tan pronto como nos acercamos a nuestras novelas de la posguerra: de una parte, el hombre vivo como elemento activo, para la posibilidad de la creación literaria; de otra, la distintiva valoración de esas condiciones humanas, según los deseos del autor. Tanto en el común denominador como en cada una de sus especificaciones, los caminos no son de absoluta novedad. Acaso se nos ofrezca esto como innovación frente a un tipo de literatura floreciente en otro tiempo. Novelas de positivos méritos como *Locura y muerte de nadie* de Jarnés (1929), *Los terribles amores de Agliberto y Celedonia* de Bacarisse (1931) o *Crimen* de Espinosa (1934) hoy quedan perdidas en algo que podría llamarse «voluntad de estilo» a pesar de la humanidad palpitante que en ella se encierra. Pero es que la preocupación estrictamente «literaria» anegaba cualquier otra posibilidad por trascendente que fuera, sin excluir el unamunesco motivo de la novela de Jarnés.

Frente a este quehacer entreverado de vida y de ficción deshumanada, la novela de posguerra saltó hacia tiempos que latían con preocupaciones parejas a las suyas y en los que al ser español se jugaba —siempre el caracruz de nuestra vida— sus más hondas razones de existir. No hay que forzar las cosas. Basta ver serenamente. Y dos guerras, por muy distintas que entre sí sean, dejan un poco demasiado afín en los hombres que las presenciaron. Por eso, en nuestra limitación española, vemos como prójimos a los hombres del 98 y no a los que cronológicamente anduvieron más cerca, y por eso el novelista posterior a 1940 se aproximó a las preocupaciones del abuelo, preñadas de insatisfacción y dolor por el hombre español, y no a las puramente literarias del predecesor. Así creo que se pueden explicar coincidencias de temas, e incluso de estilo, y es que en esas formas de novelar, acaso mejor que en ningún otro sitio, se vislumbra un claro sentido tradicional de arte. Con la guerra del 36 vinieron a quebrarse aquellas tendencias que podríamos llamar con lenguaje unamunesco «paisajes del intelecto» y se volvió a buscar —como en la evolución literaria de don Miguel— al hombre de carne y hueso para emprender, con él y por él, la nueva singladura que ahora vamos a surcar.

III

Todas las anteriores consideraciones han surgido en torno a la postura teórica de un novelista, que, como los de siempre, ha querido definirse claramente. Estamos con otro hombre. Ahora el entenebrecido Diógenes que, candileja en mano, va a llevar su lucecilla hacia los recónditos semejantes. La dualidad vital ha surgido: el creador y la criatura. Pero el creador literario necesita justificarse ante un juez —el lector— que le tomará buena cuenta del trato que dé a sus criaturas. Por eso, en seguida, la cura, aunque sea en salud. El novelista, se sintió más lleno de responsabilidad, más necesitado de aclarar las cosas y por ello la advertencia previa —con los móviles, el alcance, la peculiaridad— de tantos libros de ficción[4], o la glosa socrática de la propia obra[5].

Pero si hace un instante la preocupación humana era algo que nos situaba ante la creación del escritor, es preciso ahora cerrar un momento este postigo para ver con qué medios iremos a caminar por la tiniebla, pues cualesquiera que sean los hallazgos de nuestra novela actual no se podrá negar su entronque con nuestra tradición histórica.

Nos llamará la atención ver la falta de interés que nuestra novela manifiesta hacia temas que pudiéramos llamar épicos —la guerra civil, la guerra mundial—, con independencia de cualquier condicionamiento marginal, y, sin embargo, su preocupación por el estudio individualizado de los seres; entonces tendremos que evocar —inme-

---

[4] CELA, *Pascual Duarte,* quinta edición, Barcelona, 1951, y *Mrs. Caldwell habla con su hijo,* Barcelona, 1953; DARÍO FERNÁNDEZ FLÓREZ, *Lola, espejo oscuro,* Madrid, 1950; JOSÉ PLÁ, *La calle estrecha,* Barcelona, 1952; JOSÉ MARÍA GIRONELLA, *Los cipreses creen en Dios,* Barcelona, 1953, y la conferencia que cito en la nota 1; J. A. GIMÉNEZ ARNAU, *El canto del gallo,* Barcelona, 1954; etcétera, etc.

[5] Limitándome a unas fechas que ya son historia: Cela, Ateneo de Madrid, etcétera; Laforet, Universidad de Salamanca; Delibes, diversas conferencias, etcétera.

diatamente— a los novelistas del 98. Reiteradamente nos ha hablado Unamuno de la necesidad sentida de encontrar libros que hablen como hombres, contra hombres que tradicionalmente hablan como libros. Unos versos suyos encerraban, en 1907, algo que había de evolucionar más tarde en función de la novela:

> Y si ello así no fuera
> si estos mis cantos —¡pobres cantos míos!—
> jamás han de decir a mis hermanos
> si no esto que me dicen a mí mismo,
> entonces con justicia
> irán a dar rodando en el olvido [6].

Para salvar, y salvarse con ellos, a sus entes de ficción ideó don Miguel un tipo de novelas esquemáticas en la que no hubiera otra cosa que procesos espirituales, como en *Abel Sánchez*. Suyas son estas palabras:

> El que siguiendo mi producción literaria se haya fijado en mis novelas, excepción hecha de la primera de ellas en el tiempo, de *Paz en la guerra,* habrá podido observar que rehuyo en ellas las descripciones de paisajes y hasta el situarlas en épocas y lugar determinados, en darles color temporal y local [7].

Justamente éste es un camino abierto a la nueva novelística, y, por poco que pensemos, *Nada menos que todo un hombre* nos asaltará en todas las encrucijadas. Es sintomático que alguna narración se titule, simplemente, *Un hombre,* como la novela de Gironella [8] que se llegue a la exaltación de *San hombre* [9].

Un hombre es la primera novela de José María Gironella. La segunda edición del libro [10] es realmente una nueva versión —Otro hombre, como confiesa el propio autor— [11]. Esta reelaboración de su propia obra habla del concepto en que Gironella tiene la misión

---

[6] *Poesías,* Madrid, 1907, pág. 16.

[7] *Andanzas y visiones españolas.* Col. «Austral», núm. 160, pág. 9.

[8] Se publicó en Barcelona, 1947 (había sido «Premio Nadal» el año anterior). Darío Fernández Flórez, al hacer la crítica de la novela, facilitó las siguientes líneas biográficas: «La personalidad del autor, de José María Gironella, es francamente curiosa. Desde los doce años, edad en que abandonó el seminario, no ha hecho estudio oficial alguno. Después ha sido aprendiz en una fábrica de licores de San Feliú de Guixols, botones en la sucursal de una Banca de Gerona, soldado en un batallón de esquiadores durante la guerra, marchante en cuadros, almacenista trapero y, finalmente, librero de lance y editor en Gerona.» (*Crítica al viento,* Madrid, 1948), pág. 103.

[9] Novela de Manuel Iribarren, Madrid, 1943, muy discutible en todos sus ,lanteamientos.

[10] «Colección Ancora y Delfín», Barcelona, 1954.

[11] Cito por la tercera edición, pág. 7.

2

del escritor. Sin embargo, queda viejo lastre en la nueva variante: era inevitable, porque la novela estaba pensada y escrita con todas las deficiencias de la obra primeriza [12]. Por más que el desarrollo de la novela se apoye en el fino análisis espiritual del alma de Miguel y sus barquinazos tras la muerte de Eva, pienso no tanto en las novelas cuanto en desarrollos menos fáciles de encontrar. La primera parte de la obra me ha hecho pensar siempre en *El último puritano* de Santayana. Me inclinaría a pensar en una influencia menos que difusa [13]: el desencanto ante la vida, los sentimientos paralelos de madre e hijo, el carácter (irresolución, excepticismo, amor al recuerdo, y perestesia), la falta de concreción, la animadversión a las convenciones sociales. Otros detalles son también significativos: el hijo sometido a la sombra del padre o de la madre, que condiciona su actuar; la situación económica, los viajes, el sentimiento del mar, etcétera, son elementos a considerar en ambas narraciones. La posible influencia acaso haya que llevarla también a un terreno estrictamente técnico: los pequeños detalles que sirven —con igual eficacia en los dos narradores— para definir apuradamente la personalidad de sus protagonistas.

Una obra —entre varias posibles— nos ha servido para caracterizar la presencia unamunesca en el proceso espiritual de un hombre. La inducción —paladinamente— se expresaba desde fuera, bajo el cobijo de los títulos. En función de ellos, la conducta que los motiva.

[12] En la nota 8 he cuidado de copiar el testimonio de DARÍO FERNÁNDEZ FLÓREZ que nos es de valor decisivo en este momento: una vez más se confirma la vieja sentencia de que el novelista en agraz escribe autobiografía. En verdad Miguel, el protagonista, fue novicio jesuita —seminarista también el Ignacio Alvear en *Los cipreses*—, librero de lance, su madre era marchante en cuadros... Toda una experiencia personal vertida en el quehacer del escritor. Con esto no quiero decir que la novela sea autobiográfica. Tan sólo indicar la posibilidad de que en ocasiones no sea demasiado gruesa la sutura que une una vida y fantasía. O, si de otro modo se quiere, diré que el mundo novelesco aquí narrado depende de la realidad mucho más directamente que de la ficción. Así veo las novelas de apariencia más acusadamente autobiográfica: por ejemplo, *La moneda en el suelo,* de ILDEFONSO MANUEL GIL, Barcelona, 1950. Gracias al conocimiento directo de unas cuantas realidades, Gironella hace que las páginas que les dedica sean de lo más bello de la novela. Sin embargo, en contrapartida, son flojas —páginas insulsas de *Baedecker* o de *Guide bleu*— las peregrinaciones del «Circo Sansón» a través de una geografía entrañable: Coblenza, Maguncia, Munich, Salzburgo, Viena.

En la segunda versión quedan todavía algunos absurdos: que la esposa ignore los nombres de su marido, que el hijo desconozca las cosas de su madre (página 108), decir que Miguel no conocía la montaña sino de oídas (pág. 115, aunque había estudiado varios años en Lecároz), amén de los esfuerzos didácticos de la madre para explicar historia al hijo, etc., etc. Hay algún lapsus geográfico: Veruela está en la provincia de Zaragoza y no en Navarra, como se dice en la página 82.

[13] Los dos tomos de la obra del filósofo se publicaron en Buenos Aires en 1940 (con reediciones en 1945 y 1951). Cronológicamente no hay, por tanto, ninguna dificultad.

Más difícil es enfrentarse con estos nexos desde dentro. Cuando hablo de relación o enlace no pretendo menoscabar valores ni quitar originalidad, cosas —ambas— que a mi modo de ver no tienen mucho sentido, y que conducen a desairados yerros. Busco ahora establecer esa continuidad histórica que tuvo la novela española de la postguerra con unos autores que, oficialmente marginados, condicionaron, en unos, su manera de escribir; en otros, su propia condición de ser. Cada uno tiene su manera de interpretar el hecho literario, peor nadie inventa todo, sino que perfecciona lo que le dan y levanta la talla del escritor. Ni más ni menos a como Bernard Shaw intentaba explicar a Shakespeare.

La dificultad de interpretar estas vinculaciones desde dentro está en lo sutil de las ataduras. No resulta difícil caer en exageraciones que nos priven de luz. El crítico no siempre ve con claridad, buscando lo que pueda ser exótico o prestigioso. Entonces es el propio novelista quien nos hace ser precavidos. Cuando hace casi treinta años se publicó *Pabellón de reposo* surgieron parangones extraños, aunque, pregunto, ¿quienes los echaban sobre el tapete habían leído aquello de que hablaban? Y fue el propio Cela quien nos vino a decir paladinamente:

> *Pabellón de reposo* es un intento —no nuevo en las modernas letras españolas; ya don Miguel de Unamuno se lo propuso— de desenmarcación de la circunstancia del tiempo que la constriñe y del espacio que la atenaza [14].

Pienso que estas palabras de Cela —tan honradas— no se han tenido en cuenta. Ellas aclaran —mejor que *La montaña mágica,* de Mann, mejor que *La cura en los Alpes,* de Morgan— un estilo de novelar. *Pabellón de reposo* es una novela poemática, fundamentalmente lírica. Entendiendo por lírica el primitivo sentido musical que tuvo este tipo de poesía. Novela en la que una primera parte nos ofrece una serie de tipos que marchan —dulcemente enfermos, pero vertiginosamente vulnerados— hacia una muerte que espera siempre remansada. En ambas partes, hay, sólo una serie de variaciones hacia el auténtico motivo capital: el enterrador. La carreta del tétrico personaje —de esta Muerte disfrazada de rudo aldeano— va reiterando el *leit motiv,* que, como en una sinfonía, se conserva ininterrumpido hasta la recapitulación final.

Si el nombre de Unamuno se ha invocado a propósito de tal arte de novelar, no puede prescindirse en este momento de *El canto del gallo* [15]. Giménez Arnau se sitúa en una línea en la que figuran

---

[14] Nota preliminar a *Pabellón de reposo,* pág. 9 de la edición de Barcelona, 1952; véase también *Mrs. Caldwell,* págs. 10-11.
[15] Barcelona, 1954.

— 19 —

—ni más ni menos— el *San Manuel Bueno, mártir* de don Miguel, *El poder y la gloria* de G. Greene y, remotamente, *El diario de un cura de aldea* de Bernanos o *Los santos van al infierno* de Cesbron. Creo que cada una de estas novelas podría ofrecer una presunta aportación al quehacer del novelista español, pero a mi modo de ver, el tema dramáticamente humano del sacerdote perjuro y arrepentido es secundario. Lo principal, como en *San Manuel* es el proceso espiritual de un alma, la descarnada «historia de pasión» del corazón cerrado a Cristo, mientras las gentes santifican al párroco endurecido. Estas dos vidas —la íntima y la pública— angustiosamente encontradas son, en definitiva, lo que acerca y sustenta a las dos narraciones. En Unamuno para morir con la lucha perdida; en Giménez Arnau [16] con el acuerdo encontrado al llamar de la muerte. Dos finales distintos, aunque también en la disparidad se pudiera aducir el testimonio de don Miguel:

> Y lo que más le une a cada uno consigo mismo, la que hace la unidad íntima de nuestra vida, son nuestras discordias íntimas, las contradicciones interiores de nuestras discordias. Sólo se pone uno en paz consigo mismo, como don Quijote, para morir [17].

La novela es la exaltación de la caridad [18]. Ella sostiene al Padre Muller cuando la desesperanza acosa; ella hace volver la fe cuando los ojos han olvidado el llanto. Caridad cuando tanta voz, y tanta letra, sólo habla del odio de los hombres. También esta virtud lleva al heroísmo al protagonista de *El poder y la gloria*. Estas dos vidas paralelas de sacerdotes apóstatas tienen su mundo de común, pero el problema es más hondo en la extraordinaria novela de Greene: allí no se trata de un caso aislado, no; es la vida entera de la Iglesia quien padece la brutal percusión del gobierno. Hasta el exterminio unas veces; otras —las más codiciadas— hasta la refinada protección

---

[16] Ténganse en cuenta las palabras previas: «Esta novela fue escrita por un católico y escrita creyendo prestar un servicio a quienes piensan que la religión puede sufrir de la conducta de sus ministros» (pág. 7).

[17] *La agonía del Cristianismo*, pág. 27, y otros muchos casos de este libro o *Del Sentimiento trágico*, donde se insiste en motivos afines.

[18] Sobre el valor de esta virtud teologal en la novelística moderna, se puede ver el libro de Ch. Moeller, *Literatura del siglo XX y Cristianismo*, Madrid, 1955, págs. 154-155. Siempre que se trate de este tema, aunque sea con fines estrictamente literarios, habrá que partir de San Pablo:
Si hablando lenguas de hombres y de ángeles, no tengo caridad, soy como bronce que suena o címbalo que retañe. Y si teniendo el don de profecía y conociendo todos los misterios y toda la ciencia tuviere tan gran fe que trasladase los montes, si no tengo caridad, no soy nada. Y si repartiere mi hacienda y entregare mi cuerpo al fuego; no teniendo caridad, nada me aprovecha... Ahora permanecen estas tres cosas: la fe, la esperanza, la caridad; pero la más excelente de ellas es la caridad» (*1 Corintios*, 13, 1-13).

estatal al relapso. El protagonista, un pobre pelele destrozado, va sufriendo las terribles dentelladas de la angustia en cada minuto que su existencia dura, pero más desgraciado que el padre Muller, sin una voz de sosiego que llegue a los entresijos de su alma. Sin comprender, en tanta andanza de infortunio, que *Dieu a besoin des hommes* para que cumplan sus inescrutables designios. Por eso, en un supremo arranque de caridad, decide salvar un alma que agonizaba, sin acertar a ver que el alma salvada a costa de su propia sangre, escribía las últimas palabras de su propia redención [19]. En ambos casos, el infierno vivía dentro de la propia sangre, «corría por sus venas como el paludismo» [20], y negaba luz a los ojos que, con las pupilas desgarradas, querían ver en las tinieblas. Porque la pobre inteligencia del hombre, de la soberbia del hombre, no acierta a saber que Dios está presente en la tribulación y en el pecado de los hombres. El Apóstol había transcrito palabras del Señor: «La fortaleza del cielo en la debilidad del hombre se perfecciona» [23].

En *La canción del jilguero* [22], Giménez Arnau había iniciado su procedimiento de novelar. La narración apenas si es otra cosa que la historia desnuda de un alma. A veces otros tipos episódicos, se derraman con idénticas manifestaciones; sin embargo, hay mucho de literario en la descripción, falta con frecuencia de brío vital y sobrada de especulaciones. La filiación unamuniana del libro se justificaría, si no hubiera otras razones, por las teorías del protagonista:

> No sólo pretendo, sino que afirmo [23] que el escritor no manda sobre sus personajes, y que apenas se celebra el matrimonio de la tinta con el papel, sus hijos tienen una independencia que desconcierta y sorprende constantemente al creador. ¿Cuántas veces un personaje secundario se nos come un capítulo o una obra entera? ¿Cuántas veces ya en el camino de la acción, un intérprete se niega a obedecernos porque su naturaleza se lo impide? (p. 131).

---

[19] Recuérdense las hermosas palabras de GRAHAM GREENE en *Las paradojas del Cristianismo:*
«Donde Dios está más presente, ahí también se encuentra su enemigo; y, al contrario, en los lugares donde el enemigo está ausente a veces perdemos la esperanza de encontrar a Dios. Uno estaría tentado a creer que el mal no es sino la sombra que lleva el bien dentro de su perfección, y que un día alcanzaremos a comprender también la sombra» (apud. *Ensayos católicos,* traduc. María Luisa Carril, Buenos Aires, 1955, pág. 30).
[20] *El poder y la gloria,* traducción de G. Villalonga, Barcelona, edit. Caralt,, 1957, pág. 223. (La novela de Greene se publicó en español por vez primera en 1952.)
[21] SAN PABLO, 2, *Corintios,* 12, 9.
[22] La novela, escrita en Buenos Aires en 1946, se publicó en Madrid un año después. El título procede de una cita de Gracián aducida como lema.
[23] Lázaro Fonseca, de quien son estas palabras, es el novelista cuya vida ocupa la mayor parte de la narración.

En el capítulo XXXI de *Niebla,* don Miguel expuso con toda claridad idénticos principios. Augusto Pérez, el «ente de ficción» va a Salamanca a platicar con su creador y se celebra el trascendental diálogo: las criaturas son independientes de su creador; el novelista es el pretexto para que la historia de los personajes «llegue al mundo»; la lógica interna de los entes de ficción exige de ellos una vida propia... [24]. Todo esto estaba presupuesto en la *Vida de Don Quijote y Sancho* (1905), aunque no alcanzó granazón hasta las «nivolas» [25]. El entronque literario de estas cuestiones es —se ha dicho— calderoniano [26].

IV

Pero si en *Pabellón de reposo* el hombre —la mariposilla que es su espíritu— descansa en la inmovilidad de su dolencia, tipos vitalmente incontenidos e incontenibles van a ser los temas que preocupen al novelista de postguerra. Desde Pascual Duarte hasta Lola, espejo oscuro. Poco importa su forma de ser; interesa —tan sólo— su valor humano y éste se ama tanto en el místico que nos alza hasta cumbres de radiante esplendor, como en el pobre hermano caído en el fangal más abyecto.

No es este hombre —frecuentemente vil— la única posibilidad novelable. Pero no deja de ser sintomática la predilección que el escritor siente por los ambientes menos limpios. El Baroja de *La lucha por la vida* es el punto de partida de toda la novelística posterior. Esta afición por gentes bajas y ambientes impuros la veo como un arrastre —otro más— de la época romántica, donde lo anormal, por el solo hecho de serlo, tenía ya categoría literaria. En definitiva, la justificación de estas posturas se encuentra en unas palabras que Ortega escribió hace ya bastantes años:

> Es un error representarse la novela —y me refiero sobre todo a la moderna— como un orbe infinito del cual pueden extraerse siempre nuevas formas. Mejor fuera imaginarla como una cantera de vientre enorme pero finito. Existe en la novela un número definido de temas posibles. Los obreros de la hora prima encontraron con facilidad nuevos

[24] Conviene tener en cuenta también los *Prólogo* y *Postprólogo* de la misma novela.

[25] Véanse entre otros textos su prólogo a la *Tres novelas ejemplares* y la reelaboración (1928) de la *Vida de don Quijote y Sancho.* A mi modo de ver, es de gran significado la confesión que se hace en la página 20 de esta obra (edición 1928; falta en la de 1905).

[26] Vid. *La tía Tula,* Madrid, 1921, págs. 8-9.

bloques, nuevas figuras, nuevos temas. Los obreros de hoy se encuentran, en cambio, con que sólo quedan pequeñas y profundas vetas de piedra [27].

En efecto, a una tradición de narraciones idealizantes o ejemplares, la novelística de nuestra postguerra opuso la otra veta, la del realismo y las gentes sin moral. Ambas posturas son igualmente válidas e incluso es recomendable su coexistencia. De todas ellas se pueden obtener destellos de belleza y —he hablado de ello ya y aduzco a Cervantes y Gracián en mi ayuda— lo malo puede servir, también, como piedra de toque de lo bueno. No se trata de incitar al cultivo de lo malo como posibilidad mejor. No. Únicamente ser hombre y conocer todo lo que en nosotros hay del ángel o del barro. Adoptar posturas unilaterales es tanto como imitar al avestruz, cuyo destino —cabeza bajo el ala— es ser herido por el cazador. Saber que en el mundo hay hombres que cada día luchan —alzándose en las caídas— por su perfección y hombres que se dejan arrastrar por sus bajas inclinaciones sin resistir ya, barcas desarboladas y con el aparejo perdido.

Esta doble consideración del hombre crea novelas en las que cada una de las vertientes domina sobre la otra. El color de rosa —dignamente trabajado— de *La vida nueva de Pedrito de Andía*, de Sánchez Mazas, o el color negro en *La colmena*, de Cela o en el *Tino Costa*, de Arbó.

Ahora bien, la descripción del hombre sobre la tierra lleva o a la felicidad o a la tragedia. Será lícito que el novelista se fije en aquellas historias cuyas vidas se salvan de la vulgar monotonía. Surgiría así la narración en que el desajuste venga a determinar una actuación condicionada por elementos imponderables. De la sumisión del hombre a estos factores o de su denuedo contra ellos, nacerá el claudicante o el luchador. Un camino llega a la conformidad y el otro a la tragedia. Esta senda es la que los dioses disponen para *Tino Costa*, en la violenta novela de Sebastián Arbó. Desde el principio los hados juegan a enmarañar los hilos de su vida. Ni una sola vez la justicia o la brutalidad del ambiente retroceden ante las ansias insatisfechas de perfección o ante el heroísmo reiterado. Ni una sola vez, el postigo que permitiera la luz sobre el alma que va a caer en la sombra. Ni una sola vez, la estrella que iluminara la vida —los altibajos— de Tino Costa: sin someterse al destino aciago y arrastrado siempre por él; hasta que, vencido, su caída precipita en el torbellino a las almas más limpias, a las que el pobre héroe más amó. Novela escueta, de sólo el alma, para cargar más las tintas de esta tragedia en la que no cabe el menor asomo de perdón para ningún horror, porque los dioses se lo negaron al que intentó luchar contra ellos. Como corriente

---

[27] *Ideas sobre la novela*, pág. 1013.

serena para el lector, un lenguaje transparente, lleno de emoción lírica, que endulza todo el negro destino de los héroes escogidos.

Si esta tragedia de Arbó como otra suya, *Tierras del Ebro; Nasa,* de Pedro Alvarez, o *Los hijos de Máximo Judas,* de Luis Landínez, nos llevan a violentas historias de tema rústico convendría no olvidar un buen antecedente: *Marcos Villarí,* de Bartolomé Soler. La tragedia urbana no ha tenido un cultivo semejante pues ni *El barco de la muerte,* de Zunzunegui, ni algún episodio de *Nada* de Carmen Laforet, son comparables a ella. Acaso lo más parecido a la tragedia rústica dentro de un ambiente no absolutamente ciudadano es *Los Abel,* la primera novela de Ana María Matute.

V

Hasta ahora he considerado al hombre ante los demás y ante la historia. Esto es con relación al pequeño mundo que le circunda y en función de unos acontecimientos que condicionan su quehacer. Me voy a fijar ahora en su posición ante sí mismo. Es decir, el ente de ficción como criatura viva que tiene su actuar fuera de la mente de su creador. Aunque para muchas novelas con personajes sensibles a su mundo interior se puedan aducir títulos extranjeros bastante próximos, no hay que olvidar que entre nosotros fue Unamuno quien —hace muchos años— dotó a sus entes de ficción de una vida fuera de la imaginación de su creador y —como en el caso de don Quijote— con vitalidad superior a la del propio autor. Creo que sin *Niebla* (1914) no se explicaría buena parte del arte de novelar más reciente; no tanto por una imitación más o menos próxima, que esto sería secundario, sino por la presencia activa del muñeco literario en la creación novelesca; en esa aparente separación entre el autor y personajes. Gracias a esto, el narrador es independiente de su criatura; la novela se convierte en un producto científico en el que el novelista no hace otra cosa que narrar objetivamente —todo lo objetivamente que puede— una vida ajena. Y —por ello— sin que sea paradoja, al ganar el género en objetividad, por la postura del artista, se enriquece con todo el mundo subjetivo —mucho más variado— de sus criaturas. No trato de intentar un juego de ingeniosidades, sino algo mucho más real. Habitualmente, las novelas nos ofrecían un mundo visto a través de los ojos del autor; con *Niebla* se lleva hasta las últimas consecuencias, un nuevo planteamiento: el mundo novelesco debe verse a través de los personajes que en él viven, no del novelista que lo inventa. Y aunque el narrador sea uno, el distinto enfoque de las cuestiones producirá efectos también variables. No es lo mismo ver las cosas —igualadas— desde la altura del Olimpo, que descender —acercándose— a la Tierra y encontrar en ella que los objetos, ante los ojos, tienen relieve y tamaño. De este modo se logra aquel ideal de Ortega:

> La verdad del hombre estriba en la correspondencia exacta entre el gesto y el espíritu, en la perfecta adecuación entre lo externo y lo íntimo [28].

No habrá mejor equilibrio entre la mano erguida y el alma que la alza que introducirse en tal espíritu. Así cobra realidad el desdoblamiento del autor, según preconizaba Unamuno, no en una serie de personalidades iguales en las que si varía algo apenas es el collar o la tarjeta, sino en individuos independientes del autor, cada uno —desde su punto de enfoque— con una realidad diferente, puesto que ésta, en sí, es una y, en cuanto a los observadores, múltiple.

Lo que Unamuno había intentado en sus novelas era independizar de sí mismo a las criaturas que inventaba. En el atrevimiento iba implícito el riesgo. Porque no es difícil caer en el polo opuesto de lo que se pretende: que las criaturas —con su lenguaje personal— no digan otra cosa que lo que el demiurgo quiere. Algo de esto fue señalado por Juan Goytisolo [29] y no vamos a insistir; sin embargo, sí quiero decir que en la técnica de Unamuno como en la de sus imitadores hay un presupuesto inicial: el autor cree haber comprendido el proceso espiritual de los personajes y lo interpreta desde dentro. Se trata de una ruptura con una técnica tradicional: la psicología conduce al relato novelesco; en tanto que las novelas de cursivas hacían brotar la psicología del caminar de un propio desarrollo. Son dos posibilidades distintas y que —antes de la guerra— estaban encarnadas por nuestros dos grandes novelistas. El riesgo de Baroja estaba en perderse en muchos motivos ajenos al relato, como de hecho ocurrió; el de Unamuno, en darnos unos tipos como en esquema, con una verdad revelada desde la segura comprensión del novelista, que viene a cortar la comunicación entre el lector y el personaje. En esencia, «hombres de acción» y «hombres de pasión», novelas y nivolas.

La novela de postguerra siguió este doble camino y aún emprendió otros, pero la presencia de las gentes del 98 resultó insoslayable, aunque ninguno de los novelistas se alistara bajo una bandera y tratara de cohonestar ambas posibilidades. De esta fórmula surgió una narrativa mezcla de psicologismo y teoría ambiental, retorno a

---

[28] *Ideas sobre Pío Baroja,* apud. *Obras,* pág. 181.
[29] *Problemas de la novela,* Barcelona, 1959, pág. 11.

unos procedimientos antiguos que ahora intentaban superarse con la interpretación del personaje a través de su propio pensamiento o, con otras palabras, la aparición de la técnica del monólogo anterior y el *behaviorismo* de las criaturas, como arquetipos de conductas [30].

Evidentemente, Unamuno tenía que perder en el cotejo. Una novela esquemática obliga al sacrificio de muchos elementos marginales para presentar la economía del relato, pero —y esto es fundamental— el lector ve a la criatura en su más parva desnudez, desde el principio hasta el fin. En un mundo racionalista no es fácil hacer creer que el narrador posea todos los elementos del relato y sólo aquéllos que él utiliza. Es decir, el creador se arroga, frente al lector, la misma superioridad que el «viejo» novelista ante sus criaturas. Con una diferencia, el lector ejerce su crítica y reclama su propia independencia: es injusto que el lector pueda saber menos que el narrador, cuando de vidas ajenas se trata. O ahondando más, que ignore la psicología de una criatura que le es tan extraña como al narrador de las secuencias. Por eso esta narrativa desde dentro —si no se maneja genialmente— se convierte en una especie de guiñol en el que el novelista juega como el maestre del retablo: dios de las criaturas que se mueven según unos hilos que alguien tensa o relaja desde el techo del teatrillo. Por mucho que concedamos a la objetividad del novelista será, en el mejor de los casos, el espectador que ya sabe lo que pasa, mientras sus vecinos viven en la incertidumbre. De ahí que las «novelas de pasión» denuncien demasiado la propia voluntad del narrador, su postura omnisciente o su compromiso íntimo con una psicología que denuncia a la suya propia. Entonces se intenta huir del callejón sin salida jugando a una técnica más compleja: justificar la existencia de un mundo en el cual la criatura se mueve libremente —lo que no quiere decir que se libre— y fraguar unos caracteres diferenciados de esa circunstancia en la que viven. Entonces, cada criatura está individualizada en su marco, pero la historia y el paisaje la recogen como la sombra que se proyecta sobre un telón blanco.

No es difícil —por ello— encontrar tradicional al novelista de hoy, aunque ejemplos extraños se aduzcan, y aun sean válidos. Si no lo sabemos de muy buena tinta, será preferible ver con nuestra propia luz a fijarnos en candilejas remotas.

Influencias variadas —ajenas y propias— nos ayudarían a comprender el «monólogo interior» de *La noria;* cada figura —cangi-

---

[30] Presentar así al protagonista es hacernos ver en imagen, esto es, «a través del sentimiento que otro siente por él, captando como correlato de ese sentimiento» (Cfr. Jean Pouillon, *Tiempo y novela,* trad. de Irene Cousien, Buenos Aires, 1970).

lón que diariamente voltea para sacar unas gotas de agua— tiene su vida íntima, hecha a retazos, nerviosa o remansada, pero allá, en lo más hondo de su conciencia, en coloquio, sola, consigo misma. El acierto ha acompañado, casi siempre, al autor —pensamiento y léxico—, aunque no siempre mantenga una severa rigidez en su estilo; creo que se podrían señalar diferencias entre el arte de los primeros y los últimos capítulos, pero esto no hace el caso.

Es difícil separar muchas veces el llamado monólogo interior de la autobiografía. No es raro que este último modo de proceder no sea otra cosa que un íntimo coloquio reflejado en el papel.

Tratando de poner orden en un mundo que se nos presenta exuberante, he considerado aparte aquellas novelas que responden a la tradición picaresca de nuestra literatura. En ocasiones, la tal separación se basa —más que en el quehacer novelesco— en hechos externos: el estrato social al que pertenecen los personajes, su modo de vida, o el uso de un determinado lenguaje. Prescindiendo, pues, de las «novelas picarescas», he llamado la atención hacia las que sustentan su estructura sobre el monólogo interior. En seguida me fijaré en las autobiográficas. Sin embargo, antes de entrar en ellas, quisiera completar el panorama que aquí presento con la consideración de dos narraciones de tipo muy semejante.

Fernández de la Reguera nos dio, en *Cuando voy a morir* [31], una de las novelas más logradas de la postguerra. Muy bellamente escrita, con emoción de lirismo adensado, con cuadros que podrían ser aguafuertes goyescos o hispánicas tragedias pueblerinas (Lucas, Zuloaga, Solana). El español en la pluma de Fernández de la Reguera es casi siempre terso, hasta convertirse en turgencia de fruta madura; utensilio dúctil para modelar barrocos bodegones o para entregarnos la sazón del campo [32]. Otras veces esta lengua le sirve de instrumento a la emoción más adelgazada, hasta reducirla —tan tenue— a un levísimo cendal ya impalpable; no lirismo, poesía lírica con toda su emoción, su ternura, su desamparo [33].

Como tantas veces, el amor y el color se identifican en una feroz

---

[31] Barcelona, 1951.

[32] Véase, por ejemplo, la descripción de una vendimia en las págs. 145-146.

[33] Vid. Págs. 50, 77, 118, *passim*. Nada de esto cae en otra vertiente distinta de lo que es la novela. Hay una exacta adecuación entre el tema y el utensilio: la autobiografía, mejor, la confesión sincerísima (cuando voy a morir), necesita de estas evocaciones. Y el recuerdo se va deteniendo en esos pocos remansos de luz que salpicaron una vida mecida siempre en sombras. La técnica se ha valido de esas escapadas hacia un mundo de pureza (el recuerdo poetizado, la emoción enmudecedora y, como apoyo, un lenguaje de nitidez y de vibraciones) para darnos el mejor contraste de la vida llevada en el dolor. La sombra en la zozobra de cada día o en la congoja asfixiante de un pueblo achicharrado por el sol o por las malas heces. Entonces este médico que agoniza es, lo dice alguien, «un buen muchacho destrozado por el dolor».

ansia de aniquilamiento; mientras la pobre criatura no es más que desgarros sangrantes que se van perdiendo en cada dentellada. Por eso el acierto en la luz cegadora de unos cuantos espíritus puros, y en la sombra espesa del cansado vivir. El acierto en esos fondos de tragedia donde la sangre puntúa con su espeso goterón la riña feroz o la capea pueblerina. Ante el telón embetunado (la escuela, el campo infantil, la galerna, la plaza) la vida pasó y el recuerdo, esa limosna que Dios da a los pordioseros de eternidad, ennegrece la sombra y aviva la luz con la esperanza del definitivo descanso.

Muy parecida a ésta es la segunda novela de Luis Romero. Ambas son la despedida signada por dos hombres autocondenados a morir. Dos intelectuales fracasados en el mismo suelo. Los dos parados a contemplar unos días de felicidad anegados en la mayor desilusión. Aquí, dos libros que nos confiesan el mismo pecado de amor.

Carta de ayer (1952) es la narración autobiográfica de unos pocos años de la vida de un joven escritor. La vinculación de esta novela a las que considero representativas de la tradición unamunesca me parece es evidente: estamos ante una descarnada historia de pasión. Ni un elemento secundario, ni una referencia discursiva, ni la presencia sedante del paisaje; únicamente, el proceso sicológico de dos almas desentrañado hasta sus últimos matices y hecho patente por los eficaces cortes del escalpelo. Volvemos —una vez más— a la novela de sólo el alma, como quería Unamuno, y para ello, el monólogo íntimo sirve de acuciante momento, ya que no de lustral confesión. La novela está narrada limpiamente, sin retórica, en un estilo sencillo, con algún desmayo, con ciertos giros vulgares o familiares; es decir, con los recursos que pueden reflejar mejor el humilde confiteor del protagonista. Igual que todas las narraciones de este tipo, *Carta de ayer* tiene su mucho de pública confesión e, igual que cualquier confesión, valdrá por la sinceridad con que el reo se acuse. Esta sinceridad en literatura es, no ya verosimilitud, sino desnuda verdad; en última instancia, saber observar para poder decir. Creo que mucho se ha logrado. Desde la actualización del recuerdo —unas veces remoto, cercanísimo otras— hasta el crimen consumado contra toda voluntad. Entre medio, la «historia de pasión» en dos almas que luchan; contra el tiempo, contra sí mismas, contra el previsto fracaso de su amor. Entonces, por miedo a desertar de la batalla que se libra, la aberración obsesiva que conduce a la más cobarde de las deserciones: a la muerte de la criatura amada. Destrucción nacida en la plenitud del amor, porque cada fosfeno del recuerdo, cada paso que pretende «escalar el monte en vano», va configurando el desenlace y llevando su haz de leña a la fogarada de la tragedia. En el texto —no se olvide que el protagonista es un escritor novel— aparece de vez en cuando algún nombre literario. Aunque Sartre sea aducido, no hay que padecer espejismos.

No se trata de una novela existencial, sino de una narración esencial. Las existencias aniquiladas en el *néant* —real o deseado— son esquemas de pasión y de fracaso.

VI

La tradición barojiana —en temas, en su especial pesimismo— aflora en Zunzunegui. En alguna de sus novelas, el escritor de hoy exalta el tipo humano —tan norteño— del indiano. Mezcla de hombre de presa y sentimentalismo que da a su arte de novelar una peculiaridad muy específica. Al tropezarnos con gentes dotadas de capacidades tan heterogéneas como son la codicia y la generosidad, se produce un desajuste en la soldadura espiritual de los personajes: un poco en el Alfredo Martínez de *El barco de la muerte;* un mucho en el don Lucas de *La úlcera.* El autor sabe sacar todo el provecho posible de estos desajustes, aunque —como en el fondo de todos los ironistas— los amargos desenlaces vienen a acentuar más el pesimismo ante la vida y ante el juego de azar a que están sometidas sus criaturas, verdaderos monigotes traídos y llevados por el destino que acaba arrojándolos —guiñapos inservibles— a un vacío moral o a la nada material. No es necesario insistir mucho: en el fondo está Baroja. Tanto en historias tétricas como la del barco holandés, cuyo antecedente más remoto son *Las aventuras de Gordon Pym,* de Poe; *El barco fantasma,* de Wagner, o *La isla perdida,* de Priestley, y cuyo antecedente próximo está en el *Shanti Andía* o en el *Capitán Chimista* barojianos, como en un pesimismo que a veces se adensa en tragedia grotesca que deja el poso amargo de un carnaval de carátulas. Veamos el final de *El barco de la muerte*:

> Se movió como una fiera acorralada:
> ¡Morir, nunca, nunca!
> Abrió el balcón, y se arrojó al aire. Y huyendo de la muerte fue a la muerte.
> Cayó sobre la muchedumbre enfurecida. Pasó de unas manos a otras; de unos pies a otros; de unas bocas a otras, como un pelele fúnebre.
> —¡A tirarlo a la ría! —gritó alguien.
> Pero conforme pasaba de unas garras a otras, de unos pies a otros, de unas bocas a otras, iba perdiendo volumen su rota y desgarrada figura... Fueron machacándole, triturándole, repartiéndoselo en pedazos...
> Frente a la ría sólo se encontró un hombrecillo. Llevaba una boina en la mano; la boina de Martínez que era lo único que había quedado con vida. Fue a tirarla al agua, pero antes se la probó, y viendo que le quedaba bien, se volvió contento con ella a su casa.

Más amargo todavía es el humor —y la realidad— de *La úlcera*. Ironía y tragedia van en ella sueltas, independientes, hasta que confluyen en el fin. Un final que puede tener, sí, «un lúgubre y pringoso aire goyesco»; pero que tiene también toda la tristeza y el pesimismo del don Javier de *Vidas sombrías*.

> Y es que mientras el mundo sea mundo, serán negativos, brutales, desagradecidos, rencorosos y envidiosos los corazones de los hombres [34].

Darío Fernández Flórez, al reseñar *El barco de la muerte* [35], trata de desvincular las relaciones de Zunzunegui con Baroja. Insisto en algo ya dicho: el conectar dos novelistas escasamente separados en el tiempo por el quehacer y por su propia responsabilidad de escritores, no menoscaba a nadie; creo que Zunzunegui tiene un puesto en la novelística española ganado por méritos propios, pero no se puede negar a Baroja una clara posibilidad de humor —con muy diversos grados y matices— y, en otros muchos casos, una honda ternura. No podemos ignorar que el propio Baroja nos legó una novela completa para tratar de glosar sus ideas sobre el humor. Es bien significativo que en *La caverna del humorismo* sirva para plantear toda una doctrina de lo que don Pío entendía por él: poco importan los papeles del doctor Guezurtegui o el Museo de Humour-Point, lo importante es ver cómo Baroja ve esa trilogía que conforma el sentido moderno del humor: Inglaterra, España, Rusia, países cuyas literaturas no muestran unos géneros literarios precisamente definidos, sino más bien en estado de promiscuidad, antítesis la más clara del humorismo. En la segunda parte de la novela hay una serie de principios generales que no desdeñaría Zunzunegui: en la obra de arte, la técnica suele matar al espíritu, y sólo se salvan de ella los grandes creadores que dominan el oficio de manera desembarazada; por otra parte, Baroja rechaza la posibilidad de modificar el fondo por la forma (la amargura no se atempera por la visión grotesca de las cosas) y este planteamiento técnico le lleva a presupuestos muy lejanos de los iniciales. Nos interesan —sólo— unas palabras suyas sobre el estilo, que pueden servir de colofón a sus devaneos teóricos:

> Para mí, el ideal de un autor sería que su estilo fuera siempre inesperado; un estilo que no pudiera imitarse a fuerza de personal. No cabe duda que esto sería admirable. Admirable y también imposible.

La tercera parte de la novela tiene en Zunzunegui una buena aplicación: cuando Baroja indaga los resultados y sustento del hu-

---

[34] Palabras finales de *La úlcera*.
[35] *Crítica al viento*, pág. 48.

mor, los apoya en una serie de «casos prácticos», que lo vinculan con el rencor, la fantasía, la voluntad, la antropología, la etnografía, etcétera. Ni más ni menos que el impresionismo de lentes desorbitadas que, en *Las horas solitarias* (1918), nos llevaba al descubrimiento de la esencia de las cosas, aflorándola, en tanto empequeñecía o destruía lo subsidiario y nos dejaba el testimonio de su pesimismo vital.

Incluso al pensar en Baroja, las lecturas de Zunzunegui nos llevan —también— a Galdós. Por ejemplo, en *El supremo bien* (1951), novela que es —a la vez— la historia de una familia y la exaltación de un ejemplar humano —don Pedro— dotado de singulares cualidades para la «acción». La venerable figura del gran maestro canario es evocada en la primera página y ello nos evita insistir en lo mismo de galdosiano que hay en esta narración, sobre todo en su primera mitad: tipos, tiendas, ambientes, por más que la amargura, el desencanto, el torbellino vial que es don Pedro, se puedan filiar mucho mejor como barojianos.

Esos tipos humanos, que en Baroja evocan siempre los pretendidos influjos de Nietzsche, con los que Bartolomé Soler hace vivir en sus novelas de gran aliento como *Karú-Kinká*[36], *La vida encadenada*[37] o *La llanura muerta*. Descarnadas historias de pasión en que

[36] Barcelona, s. a., terminada de escribir en enero de 1946, *Karú-Kinká* es la historia, riquísima en tipos y accidentes de la colonización de la Tierra de Fuego. Allí, acaballados siempre sobre dos fronteras (la del bien y la del mal, la de la generosidad y la de la codicia, la del amor y la del odio) viven buscadores y estancieros, comerciantes o marinos, blancos de todas las sangres o indios patagones. La novela responde al criterio clásico, con su argumento sin quiebra y con la unidad central a la que se someten todos los episodios. Sin embargo, la narración es el canto ambicioso de una empresa gigantesca en la que los hombres —como trigo en sembradura— van dejando su sangre en los eriazos o sus carnes entre los troncos de las araucarias. Canto épico en el que los colonizadores van ganando palmo a palmo la tierra de conquista y en el que los indios —a fuerza de sangre— hacen amar el terruño que adquieren. Como en una tragedia antigua, la voz de la estirpe resuena en los lamentos del coro, la india Yompsen, superviviente de un crimen atroz, cuyo destino es inculcar a Onson, su nietecito, el odio a los ladrones de tierra, y como en una tragedia antigua, en camino la venganza, la vida sobra a quien sólo vivió con la espera del tibio fulgor de la sangre. Estos son los dos elementos que componen la novela: la historia de Mackenzie y MacLennan, narrada en su plenitud humana, con enmarañamientos y vinculaciones; la codicia de la venganza, ensordinada la voz, de una tragedia que bordoñea el fondo de una abigarrada multitud de gentes. Todo ensartado por la maestría del narrador que —desde los tiempos de *Marcos Villarí*— acredita a Bartolomé Soler. En el fondo, pienso en Frank Norris (*The Wave*) o Jack London (*The Sea-Wolf*), entre muchas novelas.

[37] Barcelona, 1945. Con *La llanura muerta* volvemos a Sudamérica. Son ahora las salitreras de Chile. Y otra vez, sobre la dura tierra en que el hombre se aniquila.

(Yo vi el trabajo de los derripiadores, que dejan sumida, en el manejo de la madera de la pala, toda la huella de sus manos),

las almas son arquetipos de conductas o el pesimismo ante el hombre vuelve a ser el hilo que engarza —barojianamente— sus relatos. Si no tuviéramos el antecedente hispánico, pensaría en los hombres fuertes de la novela norteamericana: hombres dominadores del desierto, del hielo o del mar; novelas de Dreiser, de Norris y de Crane.

La vida encadenada nos adentra de nuevo, como *Patapalo,* en Castilla. Hay, sin embargo, una notable diferencia entre la Castilla literaria del 98 y esta otra descrita por el narrador catalán. Sus libros, unamunescas historias de pasión, no se deleitan en morosas descripciones de paisaje, sino que toman de él únicamente la nota ambientadora que caracteriza un modo de vivir o una estructura espiritual. La historia narrada en la novela es rica en tipos y en acontecimientos. Más de una vez se piensa, en cuanto a la estructura, en Baroja, pero un Baroja escasamente vertido hacia el mundo de la naturaleza o hacia divagaciones extrañas al tema. Sin embargo, creo que los dos novelistas están unidos por la grandeza de la obra que emprenden: en ambos, siempre riquísima en tipos; en ambos, mucho fuego humano para caldear el alma de sus creaciones [38].

---

la presencia viva de unas gentes o el recuerdo actualizado de seres y tierras muy distantes. De nuevo aquí la energía de un héroe —George Warkins—, pero trágicamente su vencimiento por pequeñas y grandes villanías. Toda la novela está ensartada por el amor o el odio a esta tierra que devora hombres, pero a la que el hombre domeña y, a zaga de este sentido telúrico —repetido siempre en nuestras novelas de ambiente americano— el canto épico a la misión del hombre sobre la tierra:

Todo empieza y todo fenece. Lo mismo el hombre que la madera. Pero el individuo y el árbol no han hallado aún el elemento que los extermine... El hombre le da un empellón a otro, a otro que antes había abierto sepulturas. Una azada, un hoyo de siete pies y una brazada de huesos. Los huesos y las astillas proceden de una misma cuna. Sólo difieren al concluir. El hombre acaba en polvo y el palo en llamas. Pero árbol y hombre se revuelven, se crispan y reniegan inútilmente. Ni el uno ni el otro burlarán su destino. Ni el uno ni el otro evitarán que los vientos y los años los devasten. Lo que importa, lo fundamental, es que haya siempre material de repuesto, que es lo único que justifica la eterna rotación de la tierra, el disco solar y el incesante flujo y reflujo de los mares (quinta edición, páginas 63-64).

Y de nuevo pienso en la novelística norteamericana: ese «místico amortemor de la tierra», que —como vendaval— pasa por las novelas que M. Roberts dedica a su Kentucky natal.

[38] *La vida encadenada* está narrada en primera persona. Guillermo Olivares cuenta su vida, pero ésta queda oscurecida por la luz vivísima que proyecta la presencia de su madre. En realidad, no es otra cosa que la vida —sostenida a golpes de rebenques contra todos los desmayos— de María Isabel de Alcaraz y Robledo. Más de seiscientas páginas nos narran su azacaneado vivir: desde el marido muerto en adulterio con la garganta segada por una hoz vengadora, hasta el día en que, acabadas todas las fuerzas, se abate la mano sobre la cabeza del hijo a quien quería bendecir. Entre los dos hitos, una vida de tensión continua y de vigilancia sin que la lograra vencer, ni una sola vez, la tempestad embrutecida o el huracán que contra ella hostigaba. Con dureza o con ternura, María Isabel defendió su honestidad y dejó rica siembra

La novela se adensa más —con tipos exóticos y acontecimientos históricos—: el atentado contra los reyes en mayo de 1906 da, por un momento, un nuevo sesgo y nuevas inquietudes a la novela. Sin embargo, esas páginas no se pueden comparar con las que Baroja dedica al mismo asunto en *La dama errante;* Bartolomé Soler ha visto las cosas desde fuera, con la belleza colorista de la fanfarria, con la alegría un poco frívola de tantas gentes. Su descripción completa la imagen —tan apasionante— que nos legó Baroja; entre las dos poseemos la visión íntegra de los hechos y ambas son legítimas y válidas, como las caras de una misma moneda.

La grandeza del hombre y su miseria están condicionadas, en la obra de Bartolomé Soler, por la amargura de su *Weltanschauung.* La misma ambición que lleva a levantar los grandes ideales está sofrenada por las antivirtudes (la envidia, la oquedad, el vicio) que de antemano condenan al fracaso. Como en gran parte de su obra, en *La llanura muerta,* una concepción dual de corte barojiano suscita la lucha de las antinomias bien-mal, y, como tantas veces, el mal se impone. Por eso esta novela, social en muchas de sus páginas, es un canto abortado a la libertad del hombre [39]. Uno de sus héroes, Bruno Massini, es linchado por creer demasiado en su propia libertad; otros Massinis innominados no serán nunca libres, porque aman demasiado la facilidad del grillete. La figura de Walkins está concebida quijotescamente: gracias a ésta no necesito insistir en la sublevación de los galeotes ni en la ruina del ensueño; hasta Olga Massini es una Dulcinea ideal que, en vez de entregarse vencida, se pierde en la noche sobre el mar, manteniendo puro su valor de símbolo. De ahí los dos planos en que se realiza la novela: el de Walkins —Olga—

de abnegaciones; cuando el cerco se apretó con artes innobles y en el asedio podían hundirse su virtud o la honra de su hijo, María Isabel, la hembra brava, mató. Esta figura es paralela de aquella otra Ana Paz Olmedo que aparee en *Patapalo,* pero más acabada, más ambiciosamente vista, figura que, como clave de bóveda, sostiene y condiciona el vivir de los demás. El entronque clásico de María Isabel no sería difícil de buscar; es, igual que otros muchos casos del romancero o del teatro de nuestro XVII, un caso egregio de algo que podríamos llamar «viragos espirituales»; ella, y no los hombres, encierra una serie de las nobles atribuciones y de la enérgica decisión que solemos llamar hombría. Sobre la línea inquebrantable de la vida de esta *Doña Urraca de Castilla* inciden las luces que proyectan tantos seres —desdichados o felices, buenos o malos— y a los que María Isabel conforma por medio de su vivísimo resplandor. Con razón pudo decir Guillermo Olivar, el hijo medroso y sin voluntad que le cupo en suerte:

«Mi madre fue como una especie de fortaleza acechada siempre. Sin embargo, ninguno de sus adversarios halló su punto vulnerable. Resistió impasible toda suerte de ataques y de sitios. A cada asedio reaparecía más erguida, más segura de sí misma, aceptando como acontecimiento lógico o inevitable el rodeo sensual de que era objeto. Si algo la envanecía no era el rastro de admiración y de deseo que levantaba a su paso, sino su mismo triunfo sobre su propia carne» (pág. 85).

[39] Vid. de modo especial la pág. 144.

3

y el de Ricci —Blanca—. Ensueño y las salitreras: el de la pureza y el del lodazal. Un flujo de lamas turbias y viscosas va subiendo hasta lograr la distensión de las fuerzas en lucha; entonces, el fracaso de los arbitrismos y de los soñadores. La novela así planteada es de una gran sencillez. Sin embargo, tipos marginales, síntesis históricas o religiosas, quiebran la rigurosa marcha que exigiríamos a una novela planteada con grandeza de tragedia griega.

VII

Si de esta interpretación de cada singularidad individual intentamos pasar a la vida colectiva, veremos cómo también la presencia del 98 aparece tanto en unos planteamientos generales cuanto en unas relaciones concretas.

En Unamuno está esa intuición del ambiente como posibilidad protagonista. Al mismo tiempo que don Miguel adensaba la historia espiritual de sus personajes, veía cómo el paisaje se podía convertir, al independizarse, en realizador de dramas. En la etimología está la razón y la precisión: ambiente es «lo que va alrededor», la circunstancia orteguiana, y el hombre no se ha podido desmarcar ni del lugar en que se mueve, ni de la cronología en que nace. Razones de todo tipo llevaron a unir la narrativa de postguerra con la de Baroja o Unamuno. La circunstancia del hombre español —por muy otra que sea— no se ha podido liberar de un pasado que sigue operante; por eso el novelista tampoco ha podido zafarse de unas maneras técnicas que desde la tradición —por lugar, por tiempo— le venían condicionando.

Siguiendo esta trayectoria y las adquisiciones de la novelística extranjera, se ha planteado una inversión de términos; en vez de ser el ambiente un silencioso deambular mecido a la voluntad del héroe, éste sirve apenas de hilo que fija y limita una atmósfera cargada de vida. Algo de esto es el infierno en la pintura del Greco: gentes convulsas como en eterno descomponerse, que —en su desintegración— sugieren cuanto de voraz, de angustioso y de horrible hay en unas fauces cuya única misión es la de aniquilar al hombre. Así también en la pintura de Solana, donde las cabezas humanas —lo único allí en apariencia vivo— están fosilizadas en el nicho concreto que les deja una atmósfera de agobio. La aplicación íntima de estos planteamientos —y no olvidemos el noventayochismo del Greco y de Solana— tiene su desarrollo más brillante en *La colmena*, de Cela. Pero *La colmena* es mucho más que esto y, técnicamente, su complejidad nos llevaría fuera del 98. Sin embargo, Baroja no está ausente de ese mundo en el que pululan oprimidos, arribistas, acomodaticios, todos juntos, entremezclados, zumbando su canción de severidad, de engañifa, de comodidad, como en la trilogía de *La lucha por la vida,* y, como en ella, vidas interferidas y encadenadas, visión en profundidad y no lineal; el ojo y no el tapiz. Madrid, de por 1940, harto parecido al de 1905, criatura estética en la pretensión del novelista:

> *La colmena* —dice el propio autor— es la novela de una ciudad, de una ciudad concreta y determinada, Madrid, en una época cierta y no imprecisa, 1942, y con casi todos sus personajes, sus muchos personajes, con nombres y dos apellidos, para que no haya dudas [40].

Bien que Cela —desde sus singulares propósitos— haya hecho una obra personal e incluso, literariamente, revolucionaria. Creo oportuno dejar constancia —con palabras del propio narrador— de cuáles han sido sus propósitos:

> En *La colmena* salto a la tercera persona. *La colmena* está escrita en lo que los gramáticos llaman presente histórico, que ya asomó, si bien tímidamente, en algún pasaje de mi obra anterior. *La colmena* es una novela reloj, una novela hecha de múltiples ruedas y piececitas que se precisan las unas a las otras para que aquello marche. En *La colmena* no presto atención sino a tres días de la vida de la ciudad, que es un poco la suma de todas las vidas que bullen en sus páginas, unas vidas grises, vulgares y cotidianas, sin demasiada grandeza, ésa es la verdad. *La colmena* es una novela sin héroe, en la que todos sus personajes, como el caracol, viven inmersos en su propia insignificancia [41].

Esta forma de aparecer los personajes y la discontinuidad de presencia ha hecho pensar a Yndurain [42], en Dos Passos (*Manhattan Transfer*) y en Sartre (*Le Sursis*); por mi parte quisiera insistir en el carácter fundamental de la novela: los ciento sesenta tipos que nos muestran sus buenas o malas cataduras forman una larga nómina para conocer ese Madrid de 1942. A pesar de su nombre y sus dos apellidos, se convierten en arquetipos, una especie de pobres símbolos de un vivir un poco heroico. No temo insistir en lo que de símbolo veo en esa multitud de personajillos; en mi ayuda invocaría gloriosos antecedentes: barcas de locos que en el Renacimiento llevaban a la abigarrada multitud, o carretas de heno en la que cada cual actúa según sus humores con un resultado que frisa muy cerca de la enajenación. Teatro del mundo muy en tono menor éste del Ma-

[40] *Mrs. Caldwell habla con su hijo.* Barcelona, 1953, pág. 12.
[41] *Ibid.,* pág. 14.
[42] «Novelas y novelistas españoles 1936-1952», en la *Rivista di Letterature Moderne,* X, 1952, pág. 281.

drid de 1942, teatro sin grandes tragedias, porque en cada minuto vivir era ya un drama menudo y también una trapacería grotesca [43].

Cada uno de estos ciento sesenta personajes es un logrado aguafuerte. Su independencia no hace otra cosa que acentuar el carácter objetivo —histórico— de la narración. Por eso Cela ha podido desdeñar alguna definición demasiado teórica de novela [44]. Por fortuna en la vida hay huecos y vacíos; cada uno de nosotros tiene una invisible membrana que nos va aislando de los demás, creando precisamente el hueco y el vacío que nos permite seguir siendo nosotros mismos, sin ajena intromisión. Por mucho que amemos el cuerpo que late a nuestro lado, nunca será posible borrar las fronteras. El novelista no ha hecho otra cosa que señalar más, como Rouault, el contorno negro de sus figuras. Cada una es un retazo de vida; por tanto, un fragmento de historia. Este es el valor de *La colmena,* ser historia, intrahistoria, menudo quehacer cotidiano y oscuras vidas. Como el historiador, el novelista, puede proyectar su mirada sobre unos tipos determinados. Ofrecer la visión de un fragmento de mundo colocado bajo su inspección [45]. No creo que Cela haya aspirado en *La colmena* las únicas posibilidades de vivir, ni creo que desdeñe todo lo que en ella no ha cabido. Acaso hubiera podido ofrecer un mundo menos limitado, pero ¿dónde entonces la coherencia? Es cierto que no es aquélla toda la vida del Madrid de 1942, pero es una buena parte de ella: la que ofrecía mejores posibilidades para el

---

[43] Las historias de tantos monigotes —y de algún hombre— están centradas por el café de Doña Rosa. Ella es —en la primera parte— como el gigantesco vástago de un tiovivo, a cuyo torno giran los caballitos. Después, la vida pasa a la calle, a la pequeña incertidumbre de cada quehacer, para volver sus pasos —un poco de Anteos— a tomar fuerza en el mismo o en otro cafetín para pasar la noche y esperar, de nuevo, la mañana, vieja ya, de cada día. Por allí —entre el bien y el mal; mucho más en el mal— pululan estas figurillas, tan auténticas, y casi siempre tan desgraciadas. Pobres gentes a las que la vida va arruinando poco a poco o al galope, pero sin esperanzas de que el tiempo deje algún día descansar sus dentelladas.

[44] Cuando E. Vela rechazaba la publicación de *Pascual Duarte,* decía en una carta: «Novela es la descripción de un círculo completo de vida, sin huecos ni vacíos, como es el que realmente rodea a cada uno de nosotros, el mundo propio de cada cual» (cit. en *Pascual Duarte,* quinta edición, pág. 9). En contra se puede argumentar con testimonios ajenos: «La grandeza de una novela está en la vida que se siente correr por ella, en lo profundo, detallado y justo del retrato de sus personajes» (A. Mizener, *El porqué de las grandes obras,* apud Brown, *Lit. Contemp.,* pág. 15). Y es lo cierto.

[45] No puedo por menos que transcribir unas palabras de Francis Brown en el prólogo a su compilación *Literatura contemporánea* (Buenos Aires, 1954): «Sólo la elección del asunto dice con elocuencia de las inquietudes literarias de nuestra generación, pero la elección del asunto es apenas el principio. La revelación surge al tratarlo: por lo que dice un autor nos enteramos no solamente de las fuerzas y los factores que operan en la literatura de nuestros días, sino también de cómo fue afectado él en su condición de escritor por esas mismas fuerzas y factores» (pág. 10).

narrador. ¿Quién duda de que el bien existe? Y el mal, un mal mayor que el de estas páginas, ¿acaso no? Al novelista hay que exigirle por lo que ha hecho; no por lo que dejó de hacer [46]. Y, por esta vez, en la visión que nos ofrece, el acierto le ha acompañado en el manejo de los personajes, en el lenguaje —vario y heterogéneo—, en el ambiente [47].

La colmena es tan sólo una determinada forma de hacer literatura, como pudiéramos creer si prendiéramos nuestra mirada tan sólo en los elementos externos. Es —substancialmente— el testimonio de una época visto con ojos de novelista e interpretado de forma artística. En tal sentido, Baroja es el hilo interno que va dando sentido a tanta cuenta dispersa. Cada una de las tres partes de La busca no es otra cosa que un pequeño mundo cerrado en una pensión, una zapatería o un puesto de pan y verduras. Orbes en los que giran una serie de tipos en torno a los negocios de doña Casiana, del señor Ignacio o del tío Patas. Si la fórmula de tratamiento nos muestra el proceso de degradación social de cada uno de esos ámbitos, Baroja va salvando la ternura de sus creaciones gracias a unos paisajes que las liberan de un medio cruel, y en las cosas —perdidas en la hondonada de las escombreras— la melancolía del hombre que las contempla. No creo que se pueda separar la interpretación que los dos novelistas hacen del mundo a través de sus propias criaturas: tipos tantas veces parecidos, idéntica miseria, gentes hundidas en su congoja, necesidad de evasión. Y, en Aurora roja, la problemática existencia de cada personaje, convertida —ya— en algo que pudiera ser un símbolo nacional (el anarquismo, que se extiende por burguesía, la teoría del socialismo); en el fondo, una hondísima tristeza y un amargo desencanto ante todo y ante todos.

---

[46] Creo oportuno recordar a Graham Greene, autor que se juzgará poco sospechoso. Con el tema ¿Por qué escribió? se cruzó una correspondencia (publicada luego en Londres por Percival Marshall) entre G. Greene, Elisabeth Brown y V. S. Pritchett. El creador de Scobie dijo: «La lealtad nos limita a las opiniones aceptadas; nos prohíbe entender con simpatía al prójimo que disiente; su cambio de deslealtad nos alienta a merodear con fines experimentales por toda mente humana y otorga a la novela la dimensión adicional de la simpatía»

[47] Por inverosímil que parezca, ninguna novela actual está, técnicamente, tan cerca de La colmena como La frontera de Dios, de José Luis Martín Descalzo. La manifestación formal de la narración son unos breves cuadros que por enlazadas superposiciones cobran sentido de hondura y de síntesis. También, como en La colmena, el resultado último es la captación de un ambiente que, en definitiva, viene a ser el protagonista de la novela. Las relaciones se reducen a esta doble realización técnica; el contenido es en ambos casos muy distinto.

Ya me parece de menor importancia encontrar influjos más limitados y concretos en alguna otra obra. Tal sería el caso de Las últimas horas, de Suárez Carreño, novela conformada por el Baroja de La lucha por la vida y adobada con recuerdos de Hitchcock y Faulkner (el motivo del accidente final es una representación onírica muy semejante a algunas secuencias de Recuerda; el lento morir de Carmen y Aguado hace pensar en Mientras yo agonizo).

Al considerar una serie de novelas en la que el ambiente, esto es, lo que no es personal e individualizador, vive con actuar de protagonista, nos encaramos con el problema de la colectividad, y a poco que pensemos nos daremos cuenta que todo esto nos lleva —o es ya— a un desarrollo más amplio todavía, a las narraciones en que se funden todos los factores que he considerado hasta ahora para obtener un tipo de descripción en la que el protagonista es uno o múltiple, personal o impersonal, y todas estas cosas a la vez. Novelas de tal ambición desarrollan sus propósitos —como la *Comédie humaine,* de Balzac; como los *Episodios Nacionales,* de Galdós; como la trilogía *U.S.A.,* de Dos Passos, como muchas de las obras de Valle Inclán o Baroja— en ciclos coherentes, dando a la narración un sentido señaladamente histórico, pues la literatura —aparte de su valor intrínseco— se convierte en testimonio para la posteridad y al novelista se le exige la misma formal investigación de los hechos que al historiador.

Como novelas cíclicas se anunciaron *Zarabanda* (1944), de Darío Fernández Flórez, que constituiría el primer tiempo de *El cauce logrado; La colmena* de Cela es, también, la primera parte de un presunto ciclo, los *Caminos inciertos;* forman ciclos las novelas de *La ceniza fue árbol,* de Ignacio Agustí, o la serie que José María Gironella inauguró con *Los cipreses creen en Dios.*

Quiero señalar cómo estas novelas-río vienen a entroncar —también— con la tradición española, sin negar —claro— cuantos antecedentes extraños se quieran aducir. Pero lo que interesa —aquí y ahora— es cómo el Galdós de los *Episodios,* el Valle-Inclán de *La guerra carlista,* el Baroja de *Aviraneta* o la historia contemporánea, se trasvasan al quehacer novelístico de la postguerra. Necesaria —y fatalmente— al enfrentarse con relatos de vidas superpuestas, la historia ha nacido. Así ocurre en *Mariona Rebull* y *El viudo Ríus* (creo que *Desiderio* y *18 de julio* no mantienen la línea de las dos primeras novelas) que —pensadas dentro de un ciclo coherente de cuatro relatos— venían a ser sendos «fragmentos de la vida del personaje Joaquín Ríus», dentro de la «vida de la ciudad». De ahí esa multiplicidad de elementos: uno o varios protagonistas, personajes humanos e impersonales y, por añadidura, la historia de una ciudad. Las dos primeras partes —las más logradas, las más coherentes— son entre sí bastante dispares: *Mariona Rebull* es, más, la vida de unos personajes y con ellos el recuerdo poetizado de Barcelona. Son años felices en los que el trabajo era también una especie de felicidad. Sólo al final —en la tragedia última— sentimos que alguna rueda ha dejado de marchar en este perfecto engranaje, algo que el maquinismo ha traído y que los jefes de industria recién surgidos no han sabido evitar. El viudo Ríus es ya la historia social reflejada en el esfuerzo heroico de un hombre. Con el colapso económico de los primeros años del siglo, llegan las bombas, los atentados, el anarquismo... Todo aquello que se levantó con tanto amor va hundiéndose y anuncia su aniquilamiento: los telares enmudecen, el colectivismo laboral se desintegra... Cuando la crisis se salva a cambio de tantos sacrificios, el héroe cansado quiere huir. Entonces —otra vez— la sangre tan ávidamente deseada en un hijo, lanza su postrera llamada de fidelidad.

Esta segunda parte, tiene muchos problemas que a la primera le faltaron. Incluso los tipos humanos son muy distintos y es que el tiempo exige ya una moral de combate y los hombres han de alistarse para comenzar la lucha. Faltan los Ernestos y las Marionas y salen Llobet o Pamias; el único que sigue fiel a sí mismo es Ríus, más desencantado, pero, por ello, más obsesivamente vital. Y como fondo —una vez más— los problemas de España: hacienda y gobernación [48], y a vueltas con ellos los arbitristas, los políticos, los pensadores: Morral, Lerroux, Cambó, Prat de la Riva, D'Ors, Maragall. Algo que hace pensar en Galdós y a la vez en el 98. Justamente esos años —definitivos— cuyas horas laten vivas aún hoy en nuestros pulsos.

Se ha dicho alguna vez que Agustí y Arbó son los novelistas de Barcelona. En ellos tendría la gran ciudad el Galdós que la convirtiera en literatura perdurable. Bien es verdad que entre los tres escritores hay grandes diferencias (en el tiempo, en la preocupación, en los tipos, en el estilo), pero, bien es verdad que en la novelística de Agustí, como en algunas obras de Arbó, tenemos historiados diversos momentos de la vida de la ciudad. *Sobre las piedras grises* y *María Molinari* son, hoy, las dos narraciones que Sebastián Juan Arbó ha centrado en Barcelona. La primera de ellas obtuvo en 1948 el premio Nadal. Es una novela de anchas pretensiones. La anécdota —bellísima, llena de humanas ternuras— nunca es rebasada por la historia dentro de la que aparece inserta. Como en el caso de Agustí estamos ahora ante una peripecia humana que es la trama de la narración y, como fondo, una concreta realidad histórica que, mantenida en una suave lejanía, avanza en ocasiones como el redoble de un tambor, suave en lontananza, estridente cuando es cercano [49]. Las figuras centrales de esta narración son gentes de carne y hueso, semejantes a tantas otras como la vida ofrece; pero su particular destino está condicionado por la historia grande. Sin embargo, no estamos ante una novela histórica ni siquiera ante una historia reflejada:

[48] *El viudo Ríus*, p. 29. A las obras de Baroja llegan las mismas pretensiones sobre nuestra patria. Recordemos —por no citar novelas ya aludidas o a las que tendré que aludir— *César o nada* (O. C., II, 636 a, 640 c, 680, 707 b, etc.), *La ciudad de la niebla* (ib., 360 a, 365 b, 366 b, etc.), *La dama errante* (ib., 231 a, 236 b, 238 b, etc.).

[49] Compárense estos procedimientos con el de Gironella de alcance y pretensiones muy diferentes.

disponemos de unos cuantos datos menudos con frecuencia, que inscriben todo lo que va a ocurrir. Esta «intrahistoria» surge en unos motivos de trivial apariencia pero decisivos y captados con cuidadoso estudio: desarrollo de la burguesía, zarzuelas, cupletistas de moda, comienzos del fútbol, faenas del *Gallo* cosas que se han convertido —tan por desgracia nuestra— en historia grande, desembocada más de una vez en tragedia [50]. Al lado de este incesante fluir del tiempo, unos paisajes urbanos, apenas si anotados, pero frecuentemente recogidos en unas notas de color [51].

Mariona Rebull y los Bausá viven en un mismo barrio barcelonés. Podría creerse en su proximidad literaria. Nada más lejos. Agustí lo describe en su período de opulencia, de buen vivir; Arbó, en su declive, en su envilecimiento. En unos pocos años, se ha perdido el sentido histórico de las gentes. Y mejor que en los hermosos portales convertidos en carbonerías o almacenes de papel, mejor que en los palacios degradados en casa de vecinos, mejor que en las amplias entradas recortadas en cuchitriles de menestrales, la narración de estos dos novelistas nos ha permitido captar el hondo sentido del proceso. Desde el colegio caro de Mariona hasta el cartelito («Planchadora en el 2.º») de Arbó hay una sima que ha engullido toda una estructura social. Creo que no es preciso insistir: he aquí en qué se acercan y en qué se alejan las narraciones de los dos novelistas. En ambos, una clara personalidad diferenciadora y en ambos el mismo servicio a una ciudad, convertida ya en sustancia literaria [52]. Y, a lo

---

[50] Son ilustrativas las pp. 15-17, 46 (de una singular agudeza), 47-48, 156-157, etcétera.

[51] Arbó, que había escrito espléndidas narraciones de ambiente rural, vuelve ahora hacia una tragedia acaso más honda que las que narra de su bajo Ebro; más honda, porque el ensañamiento del hombre se ceba en pobres gentes inofensivas o porque la monstruosidad de los niños da una imagen mucho más agria del vivir de los hombres. Posiblemente la ternura que emana esta novela procede del deliberado desajuste que Arbó ha hecho existir entre la desalmada realidad y la bondad de unos cuantos seres humildes; de cómo ha logrado su propósito podrían hablarnos las últimas páginas de su novela.

[52] *María Molinari* es una novela de grandes pretensiones. Los personajes que en ella vienen pertenecen a un mundo (burguesía, artistas, críticos) en el que es fácil la especulación intelectual o a través del cual nos podemos asomar, objetivamente, a miasmas sociales. Estos dos polos tan distantes permiten una rica gama de circunstancias y de tipos; gracias a ello, la vida de Barcelona queda prendida en sus variadas manifestaciones: exposiciones, representaciones teatrales, espectáculos, reuniones, cenáculos. Sin embargo, el procedimiento literario tiene su riesgo y coloca al autor en situaciones comprometidas, que, por otra parte, sirven para situar, directamente, el relato: críticas contra el existencialismo, referencias a películas. Naturalmente, todos estos elementos y otros que puedo aducir (censura de nuestra organización social, la evolución del maquinismo), la novela —una vez más— como espejo callejero (pp. 84, 144-150), ayudan a dar el íntimo retrato de la ciudad, finamente captado en su apariencia y en su paisaje. Es obvio decir que la novela no sería tal si en ella no encontráramos otras referencias que las señaladas. Hay una trama que vitaliza los cuadros;

lejos, la sombra de Baroja aducido por Arbó en una bellísima referencia [53].

Si Agustí nos hace vivir la historia acaballada entre dos siglos, Gironella en *Los cipreses creen en Dios* nos trae la vida de otra ciudad catalana, Gerona, en el lustro que va de 1931 a 1936.

> La empresa en que ando metido consiste en escribir una novela sobre España que abrace los últimos veinticinco años de su historia. Dividida en tres partes: anteguerra civil, guerra civil en los dos bandos, postguerra. En la postguerra incluyendo la odisea de los exiliados, odisea de altísimo interés humano (p. 9).

Esto, poco más o menos es lo que Baroja se propuso en buena parte de su obra:

> El que lea mis libros y esté enterado de la vida española actual, notará que casi todos los acontecimientos importantes de hace quince o veinte años a esta parte aparecen en mis novelas [54].

Y, todavía más, hechos políticos actuales (intentona de Vera, sublevación de Jaca, segunda república), aparecen descritos en la trilogía de *La selva oscura*.

Como en el caso de Agustí, la historia familiar de los Alvear, o la más concreta de Ignacio el primogénito, es lo menos importante. Lo que vale es la pugna entre dos «tempos», totalmente distintos: el lento, moroso, que pasa por las personas; el galopante que azota a la vida total. Creo que esto no se ha señalado en la obra de Gironella y, a mi ver, es el hallazgo, oculto, que más interesa en ella: el haber sabido encontrar el distinto valor que la misma circunstancia tiene para categorías diferentes [55].

Dominados por sus pasiones —buenas o malas— verbenean por esas novecientas páginas toda clase de tipos y entre ellos el novelista

---

un argumento que mantiene tenso nuestro interés a lo largo de las páginas y que lleva —como siempre en Arbó— a trágicos desenlaces.

[53] *María Molinari*, p. 317.

[54] *La dama errante*, apud. O. C., II, p. 231 a.

[55] También, como ocurría con Joaquín Ríus, la historia grande está en nosotros mismos. La guerra civil lo era —antes de las armas— en el espíritu de muchas gentes (el mismo paralelismo entre nación e individuo está en su novela *La marea*). Por eso, Ignacio Alvear ve y está ciego, camina y no sabe a dónde van sus pasos, cuando tiende la mano no encuentra sino humo. Una carta de Santiago, aducida por el autor, podría sernos clave:

> ¿Dónde nacen las riñas y pleitos entre vosotros? ¿No es de vuestras pasiones, las cuales hacen la guerra en vuestros miembros?

En la trilogía *Adventures of a Young Man, Number One, The Grand Desing*, Dos Passos había utilizado procedimientos semejantes a los de Agustí y Gironella: una familia —la Spotwood— centra el desarrollo de una evolución social y política.

acierta unas veces y otras no. Lo mejor es la novela, la ciudad, Gerona
—casual azar el Gironella del apellido—, varia, rica, en tipos y
paisajes. Amorosamente descrita. Circunstancias que traen *La familia
de Errotacho* (1932) hasta los gavilanes de la pluma. Baroja pretendía
captar y acentuar el color y el sabor de una época impregnándose
«lo más posible de la esencia del tiempo». Creo que ambos novelistas
no tratan de hacer obra histórica, sino más bien la biografía de gentes
oscuras, modeladas e inmoladas, por las circunstancias y el ambiente.
El sabor y el color de la época están más verazmente logrados por
el trasfondo histórico que poseen estas narraciones y que, a veces, se
impone como un primer plano. El propio Baroja justificó esta mezcla
de elementos —y quede su juicio por cuanto tenga de generalizable—
por su afición a la crónica que «quizá dependa de una gran curiosidad
por los hechos y cierta indiferencia por las palabras». Si la primera
parte de *La familia de Errotacho* es el reflejo de las sacudidas de
la guerra mundial en el sur de Francia (algún hilo suelto termina en
El cabo de las tormentas), la segunda es otro nuevo «documento del
tiempo»: actividad de exiliados y prófugos al otro lado del Pirineo,
sus proyectos de revolución y sus intentos armados. Pretendiendo la
comprensión de estas novelas —las de Baroja, las de Gironella—
encuentro muchas líneas de común, por más que el escritor vasco
adopte posturas más radicales ante los hechos que narra y se demore
en unas largas y tétricas páginas sobre la muerte de los cabecillas.
(Cierto es que no producen menos espanto que las del comienzo de
Un millón de muertos. Si Mina sirve a Baroja como antecedente de
la historia cumplida cien años después las novelas de don Pío son
anticipo de las que Gironella escribió un cuarto de siglo más tarde.)
    Queda una última, decisiva, cuestión: el acierto de narrar hechos
polémicos ante los cuales hay que decidirse. Es el mismo problema
que nos suscita Baroja, porque las dificultades de estas novelas son
harto comprometedoras y no permite zafarse de ellas. No hablo de
posturas, «comprometidas», sino de una creación que, por su naturaleza, suele fallar. Y así se ha visto en sitios donde el albur juega
monedas menos sangrantes que entre nosotros. Un Sperber podía
preguntar a los norteamericanos: «será mejor describir a la naturaleza humana mediante la crónica del hecho real y verdadero o mediante la obra de imaginación» [56]. Y Hoffman, bien que con muy otras
intenciones:

> ¿Cómo puede un novelista tratar el presente inmediato honestamente,
> realísticamente, y, sin embargo, conservar poderes discrecionarios sobre
> el juicio final que hay que pronunciar acerca de dicho presente? [57].

---

[56] *El mundo escondido del que escribe su propia biografía*, p. 202. Cfr. también I. BROWN, *¿Y por qué no escribir sobre los narcisos?* p. 46. Ambas referencias en la *op. cit.* de BROWN, *Literatura contemporánea*.
[57] *La novela moderna en Norteamérica (1900-1950)*, Barcelona, 1955, p. 36.

Cierto que hay que emitir un juicio sobre todo y la sociedad nos compele al compromiso, pero, no menos cierto también, difiere bastante la fórmula cuando lo que se valora es una manera de ver nuestra circunstancia y no de tasar la sangre derramada. En el primero de los supuestos, el juicio se hace desde fuera; en el segundo, desde dentro. Y esto nos obliga a cambiar mucho la perspectiva. Lo que en la crítica social es objetividad saludable sería frivolidad —o algo peor— cuando se cuentan los muertos o las lágrimas de los vivos. Y ésta es la diferencia fundamental que veo entre los planteamientos de Baroja y de Gironella: todo lo que Baroja narra —triste, amargo, premonitivo— no había llegado aún a la gran tragedia; la historia de Gironella es el espejo de cada uno. Para quienes vivieron la guerra, sus relatos son la imagen real o deformada —uno a uno elígirá según sus compromisos— de lo que fue o pudo haber sido; para quienes no fuimos sino oyentes de retazos discontinuos o contempladores de jirones al aire, el sentido de lo que carece de sentido. Pero es difícil que de ello pueda nacer el sentimiento generoso de contemplar una obra de arte. Baroja diría «que en una época cercana se puede suponer, imaginar o inventar la manera de ser psicológica de los hombres que vivieron en ella» [58], lo que es cierto. Pero no menos que Aviraneta o Zalacaín tienen muy otros abalorios que los personajes de Gironella.

VIII

He tratado de acercarme a la novela española de los años inmediatos a la postguerra. Y he querido ver en ella el motivo fundamental, casi único que la mueve, el hombre. Nos encontramos con una vuelta apasionada hacia el hombre. Bainville había dicho que:

> El error principal del estúpido siglo XIX, en literatura, es el haber hecho de la novela una obra de arte; es más: simplemente, el haber visto en ella obra de arte [59].

A estas alturas no podemos empezar a discutir —una vez más— esto. Pero la afirmación de Bainville es excesivamente arriesgada. Acaso sin pensar en ella, se escriben demasiadas novelas que no son obra de arte. La novela no es —disiento de Zunzunegui— un género fácil, hacen falta demasiadas cosas para que la maquinaria funcione sin roces y sin atascos. El propio Zunzunegui ha dicho que:

[58] *Divagaciones apasionadas* (O. C., V, 499 *b*).
[59] Citado por ZUNZUNEGUI en una reseña de *Zarabanda* de DARÍO FERNÁNDEZ FLÓREZ (vid. *Crítica al viento*, p. 451).

El artista, cuando no es más que artista, no sabe dialogar. En cambio, el verdadero novelista se le ve en esto, en que deviene su personaje y habla como el personaje debe hablar [60].

Porque la novela —como la epopeya— es un quehacer de elaboración colectiva, el novelista no puede sustraerse a su propia tradición; ni a su tiempo, ni a su pueblo. Entonces vemos cómo fielmente hay una continuidad —de técnica y, sobre todo, de espíritu— que vino a salvar los años difíciles de la postguerra. Esa fue la misión heroica de los novelistas —de tantos y tantos españoles—: salvar lo que el vendaval no había podido arrasar y asegurar la continuidad hacia el futuro.

En una conversación con Cela, Melchor Fernández Almagro dijo que «nuestra novela contemporánea se ha saltado una generación: tras la novela del noventa y ocho, la novela dijérase que salta sobre el vacío hasta los novelistas actuales» [61]. Sí, le falta una generación nuestra —la que se perdió en la guerra— y, probablemente, le faltan otras generaciones ajenas. Pero es el fruto que tuvieron que pagar aquellos hombres que dieron continuidad a la vida de España. Así les pasó a los demás: Vázquez Díaz gustaba de Azorín, de Baroja o de Unamuno y Eduardo Vicente leía a Baroja o a Machado [62]. Pintores de distinta generación que tuvieron que vivir la misma circunstancia histórica que los novelistas, y para quienes lo próximo, lo que movía su sensibilidad era —precisamente— la literatura del 98. Hay unas sabias palabras de Ciro Alegría que conviene no olvidar: «la vida del hombre no es independiente de la tierra» [63] o, si se prefiere, «¡Aquí la naturaleza es el destino!» [64]. La vida del hombre y su destino: no la de un hombre, sino la de la colectividad, la de todos. Novelistas y pintores como reflejo sutil de esa llamada ardiente que es la vida, la de cada uno y la del propio pueblo. Y es que la novela por mucho que refleje el tiempo en que va siendo escrita, no se puede entender sin las referencias al pasado; en última instancia, no se entenderá si no sabe dar sentido a los movimientos que han hecho tomar la pluma, algo que sólo puede vislumbrarse desde la continuidad de cada creación y de cada creador. Cuando la vida de un pueblo se detiene, hay que darle bríos para que continúe y no muera, aunque se conserve en hibernación. Y no hay más vida que la individual, ni más sangre que la que oímos en nuestros pulsos o la que sentimos en nuestras venas, cuando queremos oír y sentir.

---

[60] En la obra de la nota anterior, p. 455.
[61] *La rueda de los ocios,* Barcelona, 1962, p. 233.
[62] Los testimonios se encuentran en diversos apuntes que se recogen en la obra citada en la nota anterior.
[63] *El mundo es ancho y ajeno,* VIII, 169.
[64] *Los perros hambrientos,* XVI, 149.

No sería difícil que se me adujeran testimonios ajenos, porque en cada parte las cosas han sufrido procesos semejantes. El hastío por los esteticismos, la angustia de la guerra, la desazón de la paz, se hicieron sentir en todas partes de manera afín. En Norteamérica, Frank Norris diría con desprecio: «¡Qué importa el buen estilo!... No queremos literatura, queremos vida», y con ello sugería que el «grado de valor de un novelista podría ser medido por la cantidad de vida en bruto presente, y por la cantidad de 'buen estilo' ausente» [65]. Pero esta postura es sustancialmente literaria en tanto la de los novelistas españoles lleva implícita una problemática nacional (continuidad del quehacer sobre contingencias políticas), la persistencia de unas fórmulas retóricas (nivolas, independencia del ambiente, hombres de acción, ciclos históricos) y la afinidad espiritual con gentes que nos enseñaron a ver y sentir de unas determinadas maneras.

Entonces, lo ajeno a nosotros apenas si puede aducirse. Es el interior nuestro lo que trata de explicarse y en nosotros mismos la solución a los problemas que sólo nosotros nos hemos creado. Por eso la presencia del 98 en la novela de la postguerra era como una calina difusa que se tendía sobre toda clase de quehaceres, y era —también— como una luz fulgurante que hería a cada hombre con sus destellos. Presencia sentida e impalpable o referencia concreta para asir la tarea emprendida [66]. Los hombres del 98 como los de la postguerra se enfrentaron con una serie de realidades —históricas y literarias— a las que dieron sentido. Naturalmente, con muchas y grandes diferencias, pues de otro modo, no hubiera habido otra cosa que vacua repetición de las primeras experiencias, y lo que cada uno trató de entender fue la relación entre la postura artística y, como diría Gertrudis Stein, la «cosa vista».

Y, de nuevo, la vuelta al punto de partida. Ser hombres —cualquiera que sea su condición— y hablar como tales. En principio fue la palabra y por ella conocimos y acertamos a conocer. Por eso, cuando hablamos, de novela actual, hemos de pensar en Baroja o en Unamuno, los novelistas que hablaron como hombres en sus libros y cuyos entes de ficción, antes de ser fábula libresca, fueron —y sobre todo— personajes de carne y hueso.

Se ha cumplido en esta proyección del 98 sobre los novelistas de postguerra aquella aspiración que formuló un escritor de hoy,

---

[65] Apud. F. I. Hoffman, *Henry James W. D. Howells y el arte de la narración*, en *La novela moderna en Norteamérica, 1900-1950*, Barcelona, 1955, página 15.

[66] No deja de ser sintomático que Arbó escriba un libro sobre Baroja, ni que Cela manifieste una continua y fervorosa devoción hacia el gran novelista vasco.

y en la que se han hermanado las pretensiones de unos hombres que acertaron a salvar su propia contingencia:

> Mostrar que el destino del hombre es el hombre; transformar el destino en conciencia; tal es la misión del artista [67].

[*Revista de estudios hispánicos,* Universidad de Puerto Rico, Río Piedras, Año II, números 1-4 (enero-diciembre), 1972, pp. 101-128.]

[67] J. GOYLISOLO, *Problemas de la novela,* p. 106.

GONZALO SOBEJANO

DIRECCIONES DE LA NOVELA ESPAÑOLA DE POSTGUERRA

Ocuparse de literatura actual es una tarea que ofrece numerosos inconvenientes: por mucho que se desvele, uno no puede conocer todo aquello que se está produciendo; si no se contenta con la mera información, habrá de emitir interpretaciones y formular juicios de valor necesariamente provisionales, puesto que el propio dictamen habrá de irse modificando al paso de los años, conforme surjan realidades nuevas que alteren la visión que se había alcanzado de las anteriores. Pero, por otro lado, ocuparse de la literatura del presente es un ejercicio que, puesto en práctica con intención honesta, puede proporcionar un notable enriquecimiento de las experiencias intelectuales: aprendemos a conocer mejor a los hombres de nuestro tiempo y, a través de ellos, a nosotros mismos en las circunstancias que nos han formado y nos están formando; podemos arriesgar nuestro pensamiento y capacidad de compromiso, eligiendo entre las distintas ofertas que el espíritu de nuestra época nos hace; y acaso llegamos a prestar una contribución, por modesta que sea, al esclarecimiento de las aspiraciones e ideales, de las realidades básicas y de las formas expresivas de quienes escriben y de sus lectores. Yo, al menos, puedo decir que, componiendo el libro *Novela española de nuestro tiempo,* publicado hace menos de un año, jamás perdí de vista las limitaciones a que me obligaba, pero tampoco ignoré esa íntima recompensa de un más claro entendimiento para mí mismo y acaso para otros. Hago estas consideraciones porque inevitablemente habré de repetir aquí no pocos razonamientos contenidos en aquella publicación e introducir algunas modificaciones. El poder repetir puntos de vista, por enojoso que sea a quien tal vez los conozca, me satisface como comprobación de que no eran opiniones volanderas, sino resultado de largas lecturas y reflexiones. El poder modificar ciertas ideas me satisface aún más porque significa que ni la novela actual está en vía muerta ni yo tampoco.

Me referiré primero a lo que algunos críticos han opinado acerca de la evolución de la novela de postguerra, con el fin de poder delinear más claramente mi criterio. Expondré luego éste, abreviando mucho lo que en la publicación citada atañe a la novela existencial y a la social. Haré la apreciación de un tercer tipo de novela que provisionalmente llamo estructural y sobre el que apenas escribí en el libro mencionado porque aún no llegaba a verlo con la relativa precisión con que ahora lo estoy viendo (y en esto consistirá la más importante modificación). Por último, escogiendo un recurso técnico, la discontinuidad, intentaré mostrar, a través de este caso específico, uno entre tantos, el distinto sentido que adquiere una misma posibilidad formal según su correspondencia con cada uno de los tres tipos de novela señalados.

Antes de 1936 vivían y escribían novelas escritores insignes como Unamuno, Valle-Inclán, Baroja, Azorín, Pérez de Ayala, Miró y Gómez de la Serna. También escribían novelas otros autores menos insignes, como Benjamín Jarnés, Ramón Sender, etc. Reconociendo a todos su valor y la importancia y oportunidad de su obra, debe reconocerse igualmente una cualidad que les diferencia respecto a los novelistas posteriores a 1939, y es que casi todas sus novelas aspiraban a una autonomía artística absoluta, arraigada desde luego en la esencia humana universal, pero sin conexión suficiente con la existencia histórica y comunitaria de los españoles. Esta conexión es precisamente lo que buscan los más y los mejores novelistas después de la guerra civil, y a esto es a lo que podemos llamar realismo, entendiendo por tal la atención primaria a la realidad actual concreta, a las circunstancias reales del tiempo y del lugar en que se vive. Ser realistas significa tomar esa realidad como fin de la obra de arte y no como medio para llegar a ésta: sentirla, comprenderla, interpretarla con exactitud, elevarla a la imaginación sin desintegrar ni paralizar su verdad, y expresarla verídicamente a sabiendas de lo que ha sido, de lo que está siendo y de lo que puede ser.

Se discutirá cuanto se quiera acerca de la superioridad literaria de los novelistas de anteguerra, o, por ejemplo, sobre si cabe adjetivar de realista el estilo deformante de un Camilo José Cela; pero lo indiscutible es que ningún novelista de los mencionados hace un momento, ni siquiera Pío Baroja, había testimoniado el existir de la colectividad española, fechado y situado en su presente, con tanta concreción y veracidad como lo han hecho los autores de *La colmena, Los bravos, El Jarama, Las afueras, Tiempo de silencio, Cinco horas con Mario* y *Señas de identidad.*

No toda la novela de postguerra es realista en el sentido que acabo de apuntar, pero a mi juicio han seguido ese camino —repito— los más y los mejores, y creo que los críticos más sagaces no dejan de admitirlo. Poniendo a un lado clasificaciones minuciosas y prolijas que a nada conducen si no es al aburrimiento, a la confusión, y buscando ordenaciones verdaderamente aclaratorias, me referiré sólo a tres. Eugenio de Nora, luego de estudiar el impacto de la guerra civil en la novela, establece tres grandes grupos generacionales: 1) novelistas nacidos entre 1890 y 1905, que representan una recuperación más o menos neta del realismo frente a la narración intelectualista, destemporalizada o deshumanizada: Sender, Aub, Ayala, etc.; 2) novelistas nacidos entre 1905 y 1920, entre los cuales cabe distinguir: *a)* los que ya se acercan a un tipo de narración a grandes rasgos realista, ya conciben el relato de una manera más bien artística y «autónoma»: Cela, Agustí, Torrente, Laforet, Delibes, Quiroga; *b)* los que, dentro de una línea marcadamente realista, muestran un impulso de renovación formal o tienden al planteamiento de una problemática intelectual o moral que llega a dominar el relato: Núñez Alonso, Reguera, Castillo Puche, etc.; *c)* los que cultivan formas más o menos remozadas del realismo tradicional: Lera, Tomás Salvador, etcétera; *d)* los que se mueven por un imperativo de selección y tienden a una novela estética, de prosa refinada: Azcoaga, Gil, Lorenzo, etc., y, finalmente, 3) la «nueva oleada», entre el relato lírico y el testimonio objetivo: Matute, Ferlosio, Lacruz, Fernández Santos, Goytisolo, Aldecoa, y otros de edad parecida, todos nacidos a partir de 1922. Como se verá, esta clasificación de Eugenio de Nora respeta escrupulosamente la cronología y atiende a las orientaciones diversas que pueden darse en el seno de una misma generación, haciendo notar el predominio de la dirección realista.

Ramón Buckley, seis años después de Eugenio de Nora, analiza una parcela mucho más reducida de la novela actual para encontrar que en ella resaltan tres soluciones a los problemas formales: el objetivismo de Rafael Sánchez Ferlosio y de Juan García Hortelano, el subjetivismo de Juan Goytisolo y Luis Martín Santos, y, como vía intermedia, preñada de futuro, el selectivismo de Miguel Delibes, caracterizado entre otras cosas por las intervenciones irónicas, la cronología subjetiva, la dinámica y funcional selección de los elementos, y la reiteración melódica. A Buckley no le preocupa mucho la evolución histórica. Su clasificación sencilla, clara, sugerente destaca tres posibilidades formales en sus ejemplos mejor logrados y más representativos. Se trata de poner de relieve una dialéctica virtual: tesis, el objetivismo; antítesis, el subjetivismo; síntesis, el selectivismo. Históricamente los miembros de la tríada no se han sucedido así: el incubado subjetivismo de Goytisolo (*Duelo en el Paraíso*) es anterior al objetivismo de Ferlosio y Hortelano, y posterior y coetáneo al selectivismo de Delibes.

En 1970, por las mismas fechas en que corregía yo las pruebas del mío, apareció en París el libro de Juan Ignacio Ferreras *Tendencias de la novela española actual, 1931-1969*. Lástima que la clasi-

4

ficación que él propone (período del realismo restaurador, del realismo renovador y del realismo novador), aunque en apariencia clara y justa, derive hacia una equiparación a todas luces abusiva de la «novación» con la problemática de la lucha de clases tal como se ofrece en las novelas de López Pacheco, Ferres, López Salinas, Grosso y Lera. Digo que esa clasificación parece al principio clara y justa, porque a mi entender después de la guerra se hizo sentir primero la voluntad de restaurar la tradición realista, más tarde la voluntad de efectuar profundas renovaciones y, últimamente, la voluntad de innovar con extremada audacia experimental.

Como muestras, basten las opiniones aducidas. Procuraré ahora desenvolver la que yo he podido deducir de mis lecturas y observaciones, en la forma menos prolija que me sea posible.

A la altura de 1971 considero que en el nuevo realismo de postguerra pueden señalarse tres direcciones: hacia la existencia del hombre contemporáneo en aquellas situaciones extremas que ponen a prueba la condición humana (novela existencial), hacia el vivir de la colectividad en estados y conflictos que revelan la presencia de una crisis y la urgencia de una solución (novela social) y, finalmente, hacia el conocimiento de la persona mediante la exploración de la estructura de su conciencia y de la estructura de todo su contexto social (novela estructural). La primera dirección predomina en los narradores que se dieron a conocer en los años 1940, años de infradesarrollo, y en algunos exiliados que por entonces incrementaron y modificaron profundamente su labor. La segunda dirección predomina en los narradores que se dieron a conocer en los años 1950, años de afianzamiento político y desarrollo incipiente. La tercera dirección predomina en los narradores que se han dado a conocer en los años 1960, años de expansión económica y dificultosa liberalización, y en algunos de los que ya habían consolidado su renombre en las décadas anteriores.

Si la guerra, con sus efectos tajantes, sacudidores y dispersivos, ha generado en la novela española un nuevo realismo, éste ha tendido, pues, hacia tres objetos principales: la existencia del hombre español actual, transida de incertidumbre; el estado de la sociedad española actual, partida en soledades; y la exploración de la conciencia de la persona a través de su inserción o deserción respecto a la estructura toda de la sociedad española actual. Describir la existencia incierta, la soledad social y la identidad personal dentro del conjunto colectivo, han sido para los novelistas españoles de este tiempo tres modos distintos y convergentes de descubrir la realidad española del presente, tomando como misión de su viaje (toda novela es un viaje) la busca de su pueblo perdido.

1. NOVELA EXISTENCIAL

Los representantes de la *novela existencial* vivieron la guerra como adultos y, en su actitud, no se han distinguido precisamente por su solidaridad generacional o ideológica, sino por una errante independencia. Autores principales: dentro de España, Camilo José Cela, Carmen Laforet y Miguel Delibes, cuya temática se centra respectivamente en la enajenación, el desencanto y la busca de la autenticidad. Otros prolongan con ánimo restaurador formas de realismo ya convencionalizadas, como Agustí o Zunzunegui; plantean situaciones conflictivas (incerteza, urgencia de decidirse, pugna entre ideal y conducta, choque de conciencias, desgarramientos íntimos), como Torrente Ballester, Elena Quiroga o Castillo Puche; o dan expresión a la inercia de la vida cotidiana y a la distancia entre la aspiración y la realidad que tiene por resultado el fracaso, como Luis Romero o Dolores Medio. Fuera de España: Ramón Sender, Max Aub, Francisco Ayala. Sender, proclive a inyectar simbolismo y mágico encantamiento a los fantasmas de la memoria. Max Aub, entregado a la revivicción hablada de los desastres de la guerra. Ayala, atento a la sustanciación del sentido de nuestro mundo por medio de parábolas y alegorías alusivas al poder corrupto y al naufragio del humanismo. Estos y otros narradores buscan el pueblo perdido a causa de la guerra, y vienen a encontrarlo en angustiosa situación de incertidumbre. O lo buscan en el punto de roce entre la persona y los otros, y hallan a la persona en individual soledad y a los otros en enajenación masiva comprobando una imposible o muy difícil comunicación.

Sus temas podrían reducirse a dos: la incertidumbre de los destinos humanos y la ausencia o dificultad de comunicación personal; temas de signo negativo cuyo significado último es la perplejidad. *Caminos inciertos,* título general del ciclo iniciado por Cela con *La colmena,* podría servir como denominación común del sentido de estas novelas: expresar un existir desorientado e intrascendente. Las acciones en que van concretándose sus personajes no suelen formar pasos enderezados a una meta, sino traspiés, vueltas, equivocaciones, desviaciones, deslices, caídas. Cometen esas acciones personajes apresados en un laberinto, encerrados en las celdillas de la estéril colmena, atados a la noria, expuestos a seguir el falso sendero, colocados ante un espejo turbio, aislados frente a los demonios de las pasiones, asomados a la oquedad de la nada, lanzados a la deriva, puestos sobre la pendiente, desarraigados. Lo característico de este tipo de novela es que, reflejando la busca de valores auténticos como toda novela moderna que no sea de mero entretenimiento, pierde de vista el fin, a causa del efectivo dolor del camino. A un nivel metafórico, la incomunicación y la incertidumbre dan por resultado sendas imágenes de la inmanencia: la isla y el camino que no lleva a ninguna parte. El aislamiento de la persona y su andadura incierta se delatan, no sólo como circunstancias del hombre español en un tiempo preciso, sino como condiciones de todo hombre en cualquier tiempo. Pero la motivación básica de ambos temas mayores es bien concreta: la guerra española, que estos novelistas tienden a interpretar en su porqué y en su cómo: el desconcierto que a ella condujo, su arrasador estallido, la prolongada repercusión del espíritu de hostilidad.

Los personajes que ocupan el primer plano en estas novelas, agrupables en la categoría de los violentos, en la de los oprimidos, o en la de los indecisos, son presentados en situaciones de máxima tensión y extremo límite: en el vacío, la repetición y la náusea, en la culpa, el sufrimiento y el combate, o ante la inminencia de la muerte. Y son las situaciones, más que el temperamento o el carácter, lo que conduce a esos seres a la violencia (para descargarse de la incertidumbre), a la rutina de las ocupaciones menudas sin finalidad colectiva estimulante, y al ensimismamiento en el alma deshabitada que sólo visitan los espectros de un pasado nefasto. La violencia lleva al tremendismo (desde *La familia de Pascual Duarte);* la rutina, al neorrealismo de *Nada* y al conductismo de *La colmena;* el ensimismamiento, al empleo del monólogo, cauce del recuerdo y de la espera solitaria. O las gentes que habitan el mundo de estas novelas claman, destruyen, violan, asesinan; o asisten, yerran, matan el tiempo; o recuerdan y aguardan, abismadas. Entre los vencedores o entre los vencidos, los autores de estas novelas habían de ver su propia vida quebrada en dos vertientes, como la vida de su pueblo: revolución, contrarrevolución. Tenían que novelar destinos inciertos, exponer acciones nacidas de un ímpetu sin soporte ni meta y mostrar el desvarío de las ciudades o el desamparo de los campos.

En el orden técnico se pueden registrar algunas notas definitorias. En primer término, el signo individual, situacional y negativo de los relatos: protagonistas singulares como Pascual Duarte, el prieto Trinidad, Lazarillo, Lola, un rebelde, un campesino español, Mrs Caldwell, la Catira, el vengador, la mujer nueva, el cazador Lorenzo; en situaciones de estrechez y clausura, de agonía y ultimidad *(Campo cerrado, Pabellón de reposo, Cuando voy a morir, Con la muerte al hombro, Cuerpo a tierra, Las últimas horas, La última corrida, Las últimas banderas...).* El anhelo de bucear en los orígenes y en el proceso de la guerra conduce a una nueva vitalidad de las formas memoriales e históricas, como la evocación *(Crónica del alba, Requiem por un campesino español, Pascual Duarte),* el «episodio nacional» más o menos fecundado por la gesta *(El laberinto mágico),* y el ciclo. Pero acaso lo más notable sea la reducción de espacio y tiempo y el predominio de la primera persona y del monólogo. El lugar de acción (celda, pabellón, casa, taberna, café, una simple habitación) suele ser constantemente estrecho, como corresponde a situaciones de incerteza y soledad individual, y el curso temporal tiende a condensarse en un breve fragmento de vida (unas horas, un día, unos pocos días), mientras de las distintas técnicas de la «literatura sin autor» (relato en primera persona, monólogo interior y narración objetiva) los novelistas existenciales hacen profuso empleo, pero más de las dos primeras que de la última. El relato en primera persona es estrictamente autobiográfico en la trilogía de Arturo Barea; es un vehículo apto para trasponer a escala de ficción, experiencias observadas o vividas por el yo del autor en *Pascual Duarte, Nada* o *El vengador,* y un cauce «lírico» de expansión imaginativa o de desahogo vital en *Mrs. Caldwell* o en *Diario de un cazador.* Pero, además, estos autores parecen necesitar la forma del «yo», incluso para la manifestación de almas muy diferentes de la suya, y de aquí el frecuente empleo que hacen del monólogo: *Pabellón de reposo, Algo pasa en la calle, El fondo del vaso, Cinco horas con Mario,* etc. La técnica objetivista, que presenta el habla y el movimiento de los hombres y el aspecto externo de la realidad impasiblemente, sólo se da, y con ciertas limitaciones, en *La colmena,* no sólo excepcional en esto, sino también por su protagonización colectiva.

Junto a la novela existencial se produce, indudablemente, otro tipo de novela de marcado carácter *formal:* es aquélla que pone de relieve los valores retóricos y poéticos del lenguaje literario y, secundariamente, aquella que se pliega a ciertos patrones genéricos celosamente respetados. Las exquisiteces de Pedro de Lorenzo, los caprichos de Alvaro Cunqueiro, el humorismo de Zunzunegui o de Miguel Villalonga, la erótica y la picaresca de Darío Fernández Flórez, pueden servir de ejemplo.

2. Novela social

Pero fue de la novela existencial, y concretamente de *La colmena* de Cela, de donde partió el principal impulso que fecundó el segundo tipo de novela, dominante en los años 1950: la *novela social.* Los representantes de ella, niños durante la guerra y educados en una España monocroma y uniforme, se revelan más solidarios que sus antecesores: solidarios entre sí y ante el problema de su pueblo. Autores principales: Rafael Sánchez Ferlosio, Jesús Fernández Santos y Juan Goytisolo, cuya temática se centra respectivamente en la invariabilidad, el apartamiento y la busca de la pertenencia. La producción de otros novelistas sociales puede agruparse en tres sectores, según el predominio que en ellos ofrece la actitud de defensa del pueblo (Ignacio Aldecoa, López Pacheco, Luis Goytisolo, Grosso, etcétera), ataque a la burguesía (Juan García Hortelano, Juan Marsé, entre otros) o reconocimiento de la problemática social desde el punto de vista de la persona (Ana María Matute, Carmen Martín Gaite, más otros que, por su especial significación, vienen a constituir lo que he llamado novela estructural). Estos y otros narradores buscan el pueblo perdido y lo encuentran encadenado a un trabajo sin fruto, en soledad respecto al todo de la patria. O van a buscarlo en los distintos niveles económico-sociales y hallan muy acusados la desconexión y el conflicto.

Temas capitales de las obras de estos novelistas son: la infructuosidad y la soledad social. Movidos por su inconformidad y su anhelo de resolver, salen a la España de los caminos, campos y pequeños lugares en busca del pueblo perdido en el esfuerzo inútil y en el aislamiento, y algunos vuelven a las ciudades para reconocer otra parte de pueblo perdido en el apartamiento de grupos y clases.

Los guardias, gitanos y pescadores de Aldecoa, los jóvenes empleados y dependientes de *El Jarama,* los campesinos que pueblan *Los bravos* y *En la hoguera,* de Fernández Santos, están solos, como solos están los niños soñadores de Ana María Matute o los ilusionistas de Juan Goytisolo, los colonos de *Las afueras,* mineros de López Salinas, viñadores de Caballero Bonald o picapedreros de Grosso. Distinta soledad, pero también soledad, soportan los burgueses en los compartimientos estancos de su material bienestar, como es perceptible en las novelas de Hortelano. Pero no se trata ya de una soledad individual, sino social: por círculos, colonias, barrios, sectores, clases. El trabajo de estos grupos solitarios es estéril porque se produce fuera de todo proyecto estimulante, y el ocio de otros es criminal porque supone un estado permanente de marasmo que corrompe. La última razón de esa soledad e infructuosidad está en la división de los españoles, no mitigada, sino al contrario, por la guerra. De ahí que, como tercer tema fundamental, o más bien como elemento temático nutricio, o sustrato de innúmeras motivaciones, aparezca la guerra, no en sí misma, sino como memoria ineludible y a través de sus repercusiones.

La acción de la mayoría de estas novelas sociales es una «acción pasiva». Los personajes (pacientes todos, esforzados muchos, comprometidos algunos) más que obrar, lo que hacen es moverse y normalmente ni eso, se limitan a estar, a seguir estando. Y no porque no conozcan una meta, sino a causa de la obstrucción y del silencio. *Los bravos* (o sea, los sufridos) sería el título que mejor podría compendiar ese sentido general de acción pasiva o movimiento obstaculizado que encierran las novelas de esos años. «No pasa nada», «Aquí nunca pasa nada», es el *leit motiv* de casi todas ellas. Sus personajes se dibujan en la penumbra de estados conflictivos y decisiones vacilantes en tiempo durativo o habitual. Trátase de estados de pobreza impotente, inocencia atacada o estragada, aburrimiento e indolencia, sujeción, descaecimiento paulatino, progresiva enajenación. Y las decisiones, que se saben condenadas a un esfuerzo inútil, avanzan con más voluntad que fe y a menudo se agostan en la tibieza anonadadora del ambiente. No hay en estas novelas violencia, sino sufrimiento; no rutina, sino dura labor o amarga fiesta; no ensimismamiento, sino un aislamiento del que pocos alcanzan a salir.

En el orden técnico, es evidente en primer lugar el signo colectivo, estacionario y, en pequeña proporción, combativo de estas novelas. Ya los títulos en plural (*Los bravos, Los hijos muertos, Nuevas amistades*) o alusivos a un lugar de encuentro, cruce o recorrido para muchos (*El Jarama, Las afueras, La mina, La isla, La zanja*) anuncian la protagonización colectiva, como algunos de esos mismos y otros revelan lo estacionario de las circunstancias (*Entre visillos, Vía muerta, Hombres varados, Las mismas palabras*) o un impulso afirmador que se abre paso (*Hay una juventud que aguarda, Central eléctrica*). En muchas novelas el mundo rural y obrero es explorado en los más diversos oficios y contrastado con su opuesto, y este contraste se desenvuelve de tres modos: o la ciudad va al campo, o el campo viene a la ciudad, o ambos se cruzan en las afueras. Es característico el emplazamiento de la acción en los suburbios, área intermedia donde los desposeídos entran en busca del pan y los poseedores en busca del aire y del espacio.

La época anterior a la guerra no ocupa apenas a estos escritores que no la vivieron: les importa el presente y el mañana. Mientras los ciclos novelescos de la generación mayor abarcaban la preguerra y la guerra, los de ésta son socialmente descriptivos (*La España inmóvil* de Aldecoa, *El mañana efímero* de Juan Goytisolo). Pero cuando estos autores sienten necesidad de volver los ojos al pasado, lo hacen también recurriendo a retrospecciones y monólogos, que abren la trama de la actualidad hacia aquella infancia o adolescencia ensombrecidas por la guerra. Esta generación extrema, a partir de *Los bravos* y *El Jarama,* el incipiente objetivismo de *La colmena,* prefiriendo el relato en tercera persona inaparente: perspectiva de cámara cinematográfica en eso y en el relieve de los valores visuales y la eliminación de las transiciones. Incrementa el uso del monólogo, prodiga la discontinuidad temporal, comprime la duración y reduce el espacio físico inmediato, logrando máxima objetividad en la trascripción del habla común, ya se trate de giros triviales y populares (*El Jarama, Entre visillos*), o bien de la insulsa charla de unos burgueses aburridos (*Tormenta de verano*). La novela queda así enteramente abierta a la vida actual y comunitaria bajo la inspiración de una actitud social comprometida con la causa de la justicia; y las inhibiciones de la censura contribuyen a conformar esa modalidad testimonial del enunciado, que presenta y no dice, que sugiere y no explica.

Junto a la *novela social* cuyos caracteres esenciales acabo de esbozar, retiene cierta vigencia, sobre todo en los comienzos de aquélla, la *novela existencial,* dominante en la década anterior, y así no es raro que las primeras obras de Aldecoa *(El fulgor y la sangre, Con el viento solano)* y de Juan Goytisolo *(Juegos de manos)* se encuentren todavía muy próximas a ese primer tipo de novela de postguerra.

3. NOVELA ESTRUCTURAL

Hasta ahora he venido creyendo que novelas tan importantes del decenio 1960 como *Tiempo de silencio,* de Luis Martín-Santos, *Señas de identidad,* de Juan Goytisolo, *Parábola del náufrago,* de Miguel Delibes, *San Camilo, 1936,* de Camilo José Cela, *Reivindicación del conde don Julián,* de Juan Goytisolo, así como las dos novelas de Juan Benet, *Volverás a Región* y *Una meditación,* más otras de valor no tan alto, constituían una modalidad de la novela social que, en vez de preocuparse de defender a la menesterosa colectividad trabajadora, o reprochar indirectamente la desarticulada existencia de las clases ociosas, subsumía aquella defensa y este ataque en la exploración de problemas personales que reclamaban una verificación del estado general de la sociedad. Sigo pensando lo mismo, pero veo que obras tan bien logradas y tan influyentes no quedan justamente apreciadas dentro de una mera modalidad o subclase: constituyen un nuevo tipo de novela, desprendido de aquél del que proceden. Y a este nuevo tipo de novela es al que propongo llamar, al menos provisionalmente, *novela estructural.* Lo llamo así porque considero que su cualidad constituyente es la intención de identificar a la persona por referencia funcional a su contexto social, y a la sociedad toda (no en una de sus clases, sino en su totalidad) por referencia funcional a la persona, o sea, a la parte mínima de esa totalidad. Para que exista un deseo de identificar a la persona es menester que la persona misma no se conozca bien, se sienta perdida, en peligro de confusión y aun de anulación, y efectivamente todos los protagonistas de las novelas que antes he mencionado coinciden en ser opacos para sí mismos, borrosos o casi invisibles para el lector, y su modo de procurar el perfil que no tienen consiste en un doble y continuo proceso de ensimismamiento y alteración. Por esta doble vía, sumergirse en sí mismos y salir de sí mismos para verificar el contexto que podría explicar su identidad, caminan, corren, vuelan estos seres sin ser suficiente, ya sumiéndose en un escepticismo suicida, ya desbordándose e inundándolo todo con anhelo delirante, con pasión, con ira. El espacio que indagan es amplio, integrador, panorámico, comprende todas las clases sociales y todas las relaciones individuosociedad, examinadas con celo comprobatorio y catalogador. Si es posible, llevan este afán totalista a los varios tiempos de una época o de una biografía personal o familiar, y reviven acontecimientos o procesos muy alejados en la historia para definir por analogía su presente problemático. Hasta en el uso de la segunda persona autorreflexiva (ese «yo» que se dirige a sí mismo como a un «tú» en *Señas de identidad, Parábola del náufrago, San Camilo* o *Don Julián*) se hace sentir la perdición o amenaza de anulación de la persona, quien a través de tal desdoblamiento imagina poder conocerse mejor y objetivar su «yo» ininteligible como ante un espejo. Cuando el personaje sale fuera de sí es para tender una mirada exploratoria hacia todo aquello que pueda orientarle. Otras veces, irritado por el desconocimiento que persiste a pesar de la extensa contemplación, vuelca su odio sobre el objeto impenetrable y lo invade con su sarcasmo, lo anega en su asco, lo siembra de sospechas y enigmas o lo viola en un torrente de insultos. A compás de esta actitud, el lenguaje se levanta por encima de los hábitos y adquiere una calidad neologista, paradójica, irónica, pedante, barbarizada, abusiva y en perpetuo desentono.

Inoportuno sería tratar de definir de manera más precisa un tipo de novela todavía tan reciente y que para muchos acaso resulte discutible en su misma existencia, si bien no faltan los que señalan su cualidad diferencial precisándola como un «realismo dialéctico, método de indagación mediante el cual se unifica y totaliza el problema de la aprehensión de la realidad histórica (sociedad española) con la actitud conflictiva del autor» (José Ortega: «Novela y realidad en España», en *Mundo Nuevo,* número 44, febrero, 1970. páginas 83-86). Creo que este tipo de novela, con el cual conviven otros de notoria voluntad *experimental* (ciencia-ficción, novela supuestamente metafísica, antinovela) puede explicarse en gran parte por influencias foráneas, en especial por el *nouveau roman,* tan exacto en la descripción de las cosas como nebulosa y flotante al trasmitir la sensación de la conciencia que las aprehende, y por la nueva novela de Hispanoamérica (Cortázar, Vargas Llosa y Fuentes, sobre todo). Pero no parece ser mera derivación de estos dictados de la moda, sino responder muy bien a las circunstancias españolas actuales, a un agudo malestar intelectual producido por el choque entre la prolongada cuaresma anterior y el tardío y explosivo carnaval del neocapitalismo y del alud turístico, del despegue económico sin despegues de otra índole. Podrán en algunos casos latir vestigios de intelectualismo burgués, de esteticismo o de nihilismo; pero, sea como sea, ni esta novela estructural ni otros experimentos a primera vista fútiles, como los de esa literatura novísima y subnormal de la última hornada, nada de eso es nadería, todo tiene su razón profunda. Y una de las más importantes misiones que esta reciente literatura narrativa se ha impuesto, es indudablemente la de criticar a fondo las estructuras tradicionales, desmitificándolas y depurándolas.

4. Reflexiones sobre la continuidad

A diferencia de la clasificación histórico-estética de Eugenio de Nora o de Ferreras, y de la puramente formal de Ramón Buckley, la aquí propuesta (novela existencial, social y estructural) se basa en un criterio que, sin olvidar la historia, atiende a actitudes y temas denotadores de relaciones interhumanas. Hay una tesis formalista que dice así: «La nueva forma no aparece para expresar un nuevo contenido, sino para reemplazar a la forma antigua que ha perdido ya su carácter estético» (V. Chklovski). Decisiva es, en efecto, esta voluntad de estilo que mueve al gran artista a afirmar su arte en sí y por oposición al antes vigente y ya caduco. Pero las nuevas relaciones interhumanas que en la realidad histórica van sucediéndose conforme a complejos de circunstancias de todo orden (desde las económicas a las más libremente espirituales) contribuyen también de manera decisiva a la determinación de formas nuevas y válidas, presentidas por todos, forjadas con lucidez por los mejores pensadores y artistas, los cuales nos hacen plenamente conscientes de aquellas relaciones. Tomo ahora un caso particular para ilustrar lo que digo.

El caso elegido es la discontinuidad. No me refiero a la discontinuidad histórica, o falta de conciencia del proceso histórico acumulativo, que signa a los novelistas de la postguerra, como han explicado cada uno por su parte, Francisco Ayala y Fernando Morán. Llamo aquí discontinuidad al cambio frecuente o inmediato de lugares, momentos, personajes, perspectivas, temas del pensamiento o formas del discurso.

En la novela anterior a nuestro siglo existe, claro está, ese cambio, pero no es frecuente ni inmediato, sino mediado por transiciones explícitas, por pasajes narrativos y descriptivos que aclaran dicho cambio.

Característico de la novela moderna, a partir de sus grandes promotores (Henry James, Proust, Joyce, Faulkner) es que ese cambio, antes moderado y mediado, se haga frecuente e inmediato, y conforme el siglo avanza parece que la discontinuidad se apodera cada vez más de la novela haciendo de ésta el género puro del desorden, mejor dicho, de un orden que no es el sucesivo y causal de la naturaleza y la historia, sino el instantáneo y libre orden de la conciencia, donde se juntan las lejanías y se apartan las proximidades; donde pasado, presente y futuro experimentan retardaciones, simultaneidades y anticipaciones; donde el sujeto puede multiplicarse y la multitud quedar unificada en un haz subjetivo; donde pueden relevarse innúmeras perspectivas, emerger y sumergirse los más varios pensamientos e intuiciones, y albergarse las voces más diversas, los estilos más diferentes.

Considerada a grandes rasgos, la discontinuidad típica de la novela moderna obedece a ese proceso tan comentado que va desde la marcada omnipotencia del autor, fruto del individualismo absoluto del siglo XIX, a las llamadas técnicas de la literatura sin autor, resultado de la relatividad y de la sociedad de masas de nuestro siglo.

Mirando en particular el desarrollo de la novela española, creo que el primer ejemplo importante de discontinuidad se encuentra en *El ruedo ibérico* de Valle-Inclán, quien utiliza ese recurso para *componer* abreviadamente un cuadro histórico de la España isabelina, cifra de alusiones críticas al presente, mostrando, en muy varios aspectos ejemplares, la época, la geografía, la humanidad de aquel pasado: Madrid y Cádiz, corte y cortijo, aristocracia y pueblo, burguesía, política, vida privada, etc. Esta discontinuidad poliédrica, componente, responde sin duda a inducciones artísticas a través de las cuales el autor manifiesta su conocimiento de las técnicas modernas (expresionismo deformante, cubismo integrador) y su empeño estilístico de diversidad en la unidad, visible ya en los anchos retablos galaicos de las *Comedias bárbaras* y en su contemplación estelar de la guerra europea. El gran artista nunca ignora las formas que en su época se ensayan y siempre las asimila y crea con propósito de diferenciar su obra de las anteriores y ajenas. Pero la creación o asimilación creativa de estas formas sería un vano experimentar si no correspondiese a un estado de las relaciones interhumanas que precisamente en aquellas formas se expresa y toma conciencia de sí. Y es evidente que *El ruedo ibérico,* al recomponer entrecortadamente el cuadro de la España isabelina, está trazando la figura de la España alfonsina, con sus tensiones típicas: la debilidad del trono, la fuerza bruta de los espadones, el señoritismo, la pobreza del pueblo, los presagios revolucionarios. Este estado general de la sociedad queda puesto de relieve óptimamente, en su problematicidad sobre todo política, mediante esa técnica de discontinuidad que selecciona ejemplos, a modo de diversas caras, para revelar así una amplia totalidad, la de la nación española en vísperas de transformación.

Muy distinto es el fundamento real de la discontinuidad en dos novelas de Camilo José Cela: *Pabellón de reposo* y *La colmena;* en ambas la discontinuidad expresa la *yuxtaposición* de existencias incomunicadas. *Pabellón de reposo,* «intento (...) de desenmarcación de la circunstancia del tiempo (...) y del espacio», según palabras del autor, está constituida por una serie de monólogos de los varios enfermos del pabellón, a través de los cuales se manifiestan sus nostalgias, temores, amores, angustias y preocupaciones. «Gritos de angustia en un doloroso estado del ser», así se ha definido, muy justamente, esta antología de experiencias solitarias y simultáneas. Pero también *La colmena,* a pesar del título que sugiere muchedumbre en movimiento, es obra de cuya lectura íntegra se obtiene más bien otra imagen: celdillas incomunicantes, de manera que estructuralmente la novela podría calificarse mejor de «celular» que de sinfónica.

La colmena instaura un paradigma de novela de reducidas proporciones, dividida en largos capítulos no titulados, y estos capítulos a su vez en numerosos y breves fragmentos separados por líneas en blanco. Tales fragmentos protagonizados por personajes diversos, representan cada vez lugares o ángulos distintos, captaciones más simultáneas que sucesivas del mismo momento, traslados de perspectivas, anécdotas o conversaciones con diferentes temas, variaciones idiomáticas a nivel popular, medio o intelectual. Pero estas rápidas y superficiales estampas (en cafés, tabernas, bares, burdeles, alcobas, calles, plazas) no tiene por objeto componer ejemplarmente una totalidad, sino desgranar la materia de la muchedumbre en sus células incomunicadas, mostrando la incertidumbre de los destinos humanos. En el seno de la masa, donde más agudamente se percibe la soledad (o no se percibe, pero se padece) los átomos sociales, los individuos, logran a lo sumo rozarse en conversación trivial, pero rara vez logran entablar verdadero diálogo. No conociendo su destino probable ni pudiendo intervenir en él con sensación de libertad, esas gentes viven ante el vacío y se agotan en la repetición. En la masa humana recorrida por la cámara del novelista se siente la alienación que la mina y la hace inconexa; pero también la alienación está en el novelista parcialmente. Cela mira la superficie de ese mundo y no aspira a adentrarse en su medula, pero parece claro que si así opera es porque se siente ajeno a esos individuos que contempla, distante, incapaz de convivir ni aun imaginariamente con ellos, y, por tanto, de infundirles más vida de la que por fuera, muy volatizada, presentan. Como testimonio de la enajenación desde un punto de vista que rechaza la compenetración con la colectividad en busca de su finalidad más fecunda, *La colmena* representa un documento de sensibilidad existencialista, pero abre camino hacia el realismo social porque no se trata ya de un individuo (Pascual Duarte o el nuevo Lazarillo) ni de una pluralidad de individuos insertos en la humana condición de la mortalidad (los enfermos de *Pabellón de reposo):* se trata de la sociedad española en una fase determinada de su historia y en una concreta situación.

Si aceptamos las tres etapas de la novela moderna señaladas por Lucien Goldmann (el individuo problemático, desaparición de la importancia del individuo en beneficio de la realidad colectiva, y ausencia del sujeto) reconoceremos que con *La colmena* se pasa de la primera etapa a la segunda. Y esta etapa segunda lo mismo diluye al individuo en la masa sometida al capitalismo o al régimen opresor de cualquier dictadura que en el pueblo solidario que lucha por sus reivindicaciones. En el caso de *La colmena* no hay sociedad solidaria, sino masa alienada; pero dar testimonio de ésta es ya señalar hacia aquélla. Por eso no tiene nada de sorprendente que los novelistas sociales viesen en *La colmena* un punto de partida y heredasen del modelo varias notas estructurales: la concentración del tiempo, la reducción del espacio, la protagonización colectiva y la discontinuidad. El principio unificador del individuo es sustituido por la relativa unificación de las coordenadas tiempo y espacio. En corto tiempo y en breve espacio, captados discontinuamente en momentos sueltos, en puntos diversos, se intensifica y evidencia mejor el leve roce de los átomos dispersos de la colectividad, su incapacidad de compenetración.

Si la discontinuidad sirve en la novela existencial como recurso técnico que traduce la yuxtaposición incomunicante de las células individuales, en la novela social ese mismo recurso funciona como signo de la *particularidad* de los grupos sociales. El procedimiento que sigue Jesús Fernández Santos en *Los bravos* para presentar la mezquina existencia del vecindario aldeano, sus apuros y fatigas, sus inútiles deseos, su esclavitud, sus recelos, consiste en una sucesión de momentos levemente protagonizados por éste, por aquél, por el de más allá. Estos momentos, que a veces son simultáneos, a veces sucesivos en contigüidad o separados por horas, días o cambios de lugar, quedan marcados por unos simples asteriscos. Las transiciones están eludidas; los huecos de silencio, lapsos de tiempo en blanco o mutaciones de la línea visual se suponen. Elévanse así las escenas sobre un fondo común determinado por la unidad espacial: el pueblo.

La soledad, no individual, sino en fracciones colectivas, es el fundamento real del que arranca la novela social, siempre más atenta a las lecciones de la vida en torno que a los modelos de arte. Esa soledad se transparenta en la estructura de *El Jarama* muy nítidamente: tres planos espaciales y humanos (orillas del Jarama, el interior de la venta de Mauricio, el jardín de la venta) que rara vez se penetran; cincuenta y seis apartados o segmentos, dispuestos por lo común en ritmo de alternativa simultaneidad; sustitución de la unidad «hombre» por las unidades «tiempo» (un día) y «lugar» (cerca del Jarama); revelación de la gente por medio de conversaciones, silencios y ademanes, sin sondeo psicológico. Los distintos planos marcan diferencias de actitud, experiencia o ambiente: en la venta los viejos fatigados glosan como desde un alto miradero el modo de ser de los jóvenes o entran en discusión con alguno; los que llegan de la ciudad no entienden a los que vegetan en los pueblos, ni éstos se explican muchas de las reacciones de aquéllos. Como dice Fernando Morán: «La tangencia entre el universo de los jóvenes excursionistas y el de los adultos que pasan el domingo en el merendero responde a una discontinuidad vital entre las generaciones, puesto que los jóvenes (...) no han engarzado con la situación de sus padres al carecer de conciencia de la continuidad histórica» (*Explicación de una limitación: La novela realista de los años cincuenta en España,* Madrid, «Cuadernos Taurus», 171, página 82).

Sobre la discontinuidad como expresión particularizadora dentro de la novela social podrían aducirse muchos y muy sintomáticos casos, uno de los más notables *La zanja* de Alfonso Grosso. Pero quizá pocos autores hayan llegado a resultados tan radicales como Luis Goytisolo en *Las afueras* y en *Las mismas palabras. Las afueras* no es un relato seguido, sino siete relatos independientes desde el punto de vista de la acción y que sólo coinciden en la localización (las afueras de Barcelona), la actualidad (1957) y la representativa semejanza de los personajes que, en relatos distintos, portan el mismo nombre. Con parecido cuarteamiento de la novela en unidades argumentales desvinculadas pero de sentido convergente están construidos otros libros: *Fin de fiesta,* de Juan Goytisolo, o *Cinco variaciones* y *Las tapias,* de Antonio Martínez Menchén. En *Las mismas palabras* se van relevando tres acciones distintas que, aunque próximas, no confluyen. Y muy semejante es la construcción de *La trampa,* de Ana María Matute, donde se barajan cuatro unidades protagónicas en secuencias tempoespaciales rotas.

Finalmente, en lo que he llamado novela estructural, la discontinuidad, que lejos de ceder, se acrece y prodiga, sirve como importante vehículo expresivo del temor a la *anulación* de la persona. El desasosiego que suscita sentirse perdido, sin consciencia suficiente de la identidad propia, arrebata a la persona de un lugar a otro, de un momento a otro, de un trato, de una indagación, de un problema, de una perspectiva a otros, y a otros, y a otros, en búsqueda incesante.

Tiempo de silencio, la novela que corona la dirección social y estrena esta nueva dirección, destaca a un protagonista individual pero tan confuso e impotente que su destino le obliga a un recorrido general de la sociedad concluido en el más irritante fracaso. La discontinuidad de esta novela no es tanto de tiempo y espacio, como de posición de la conciencia: el sujeto cambia constantemente de ánimo y de dirección por sí mismo y porque se ve arrastrado por aquellas circunstancias y gentes en quienes trata de encontrarse.

En *Señas de identidad* otra persona, Alvaro Mendiola, transparente doble de Juan Goytisolo, se inspecciona por el conducto polimorfo de unos heterogéneos materiales (fotografías, papeles, conversaciones, mapas, cartas, etc.), y esos materiales proporcionan al protagonista (que habla de sí como a una segunda persona), al relator objetivo (que habla en tercera) o a otros sujetos (que hablan en primera persona o de los cuales el narrador habla en tercera) una documentación que esclarece el tema primordial de cada capítulo. La variedad de «fuentes», las mutaciones de persona verbal, cambios de encuadre espacial (España, Francia, Cuba) y temporal (fin de siglo, anteguerra, guerra, postguerra, actualidad) cumplen funciones de considerable potencialidad sinfónica. Persona, familia, ciudad, generación, profesión, política, amor, trabajo, nación, todo entra en la ardua tarea de reconocimiento de un destino individual que, gracias a esas ondas concéntricas en que no acaba de verse centrado, asume la exploración de su sentido social e histórico. «La fragmentación es total, absoluta. Un tratamiento tradicional, lineal, no habría bastado para darnos el drama de Alvaro y España en toda su intensidad. Goytisolo así lo ha comprendido y el cataclismo estructural, el sismo que ha quebrado tiempos, personas, anécdotas, tipografía, situaciones, es reflejo cabal de la guerra que de 1936 a 1939 desplazó convulsivamente a seres y situaciones, a hombres e instituciones, a individuos y estructuras sociales y políticas, a Alvaro y a España. Y como marchan Alvaro y España recogiendo fragmentos, buscando raíces y asideros en la incoherencia, la estructura de la novela obliga al lector a igual experiencia, a un proceso semejante, y le penetra de la sensación de inestabilidad, absurdo y desconcierto» (Edenia Guillermo y Juana Amelia Hernández: *La novelística española de los 60,* Nueva York, Eliseo Torres, 1971, páginas 117-118). Pero no se trata tanto de componer con esos fragmentos el retrato de una época ni el tejido de una sociedad, como de probar a erigir la figura de la propia persona provista de un significado que detenga la amenaza de aniquilación. Y movidos por este mismo afán de conocerse para no sucumbir a la desintegración se conducen otros personajes de la novela del tiempo más reciente.

La extraña y fantasmal mujer que viene a recuperar su pasado en *Volverás a Región,* en su aparente diálogo con el doctor Sebastián, monologa por su parte, como el doctor por la suya, experimentando ambos monólogos las más enigmáticas interrupciones y confundentes desdibujamientos. En *Parábola del náufrago,* Jacinto San José, víctima de su imprudencia en preguntar por el sentido de su trabajo, repite el proceso de animalización de otro camarada y el ahogo del marinero en el sollado o del enemigo en la cámara de gas, y ante el espejo se desdobla y tutea, cada vez más lúcido. El ya enajenado, ya ensimismado Camilo José Cela de *San Camilio, 1936,* puesto ante el espejo sangriento de su pueblo en guerra, itera y reitera un pasado-presente a borbotones. Y el sádico *Conde Don Julián* asoma desde la costa africana su pasión vengativa en esa imaginaria invasión que Juan Goytisolo evoca por medio de los más diversos experimentos: introduciendo repeticiones simbólicas, pastiches, confusiones entre lo vivido y lo soñado, disolvencias de la realidad en la fantasía, citas literales de las más dispares autoridades desde Alfonso X el Sabio hasta Monseñor Tihámer Toth, tránsitos imperceptibles del presente al pretérito y, en fin, un obstinado gusto por la inconexión, el fragmentarismo y los juegos léxicos, semánticos y metafóricos.

A primera vista, algunas de las novelas que he mencionado *(Volverás a Región, Parábola del náufrago, San Camilo)* y todavía más *Una meditación,* de Juan Benet, parecen escritas en flujo continuo, pues las divisiones gráficas o son muy leves o no existen. Pero tal apariencia de continuidad es perfectamente engañosa. Aunque falten las separaciones capitulares, los apartes e incluso los signos de puntuación, la supuesta línea ininterrumpida es en realidad un hormiguero de avances, retrocesos y reiteraciones; el sujeto salta de «yo» a «él», de «él» a «tú»; a menudo es difícil precisar quién sea el referente de lo referido, y, como signos patentes de astillamiento y de esfumación, con frecuencia surgen preguntas, exclamaciones, versículos, frases inacabadas sin puntos suspensivos, y «etcéteras» que omiten lo consabido inútil. En *El mercurio* (1968) de José María Guelbenzu, novela que es puro deambular «en busca de», puede hallarse un acumulado y brillante florilegio de discontinuidades, desde las más sustantivas (cambios de personaje y personas gramaticales, de lugares, tiempos, asuntos, perspectivas y moldes) hasta lo que podríamos llamar señales idiomáticas de la tartamudez. «La idea incivilizada, digo, la que asume las buenas costumbres, claro es, no faltaba más cada cosa en su sitio dios nos coja acorazadas, bla, bla» (página 36); «Es terrible una pérdida, cosas queridas, seres humanos, pedazos de» (página 28). Tenemos aquí un precioso testimonio de discontinuidad sintáctica y semántica: la frase queda rota, no terminada, y, además de no terminar, significa fragmentación («pedazos»).

Una misma posibilidad formal responde, pues, de diversos modos a realidades históricas y sociales que la hacen necesaria; a las cuales esa forma nueva presta la expresión adecuada que nos permite adquirir plena conciencia de lo que sólo oscuramente intuíamos.

[*Boletín de la Asociación Europea de Profesores de Español,* Madrid, IV, 6 de marzo de 1972, páginas 55-73.]

MARY ANN BECK

NUEVO ENCUENTRO CON *LA FAMILIA DE PASCUAL DUARTE*

Pese a la mucha tinta derramada en torno al complejo mundo de *La familia de Pascual Duarte,* queda por estudiar con detenimiento un problema que si bien es característico de la novela contemporánea, los estudiosos de Camilo José Cela no han visto en toda su envergadura. Hace algunos años observó atinadamente el crítico irlandés Sean O'Faolain que «One of the more fascinating and tantalizing problems that face the reader of fiction is to see how, and how far, a novelist can or does convey his own attitude to life through characters for whose views it would be impertinent to hold him responsible, and for whose behavior he can, at most, be held only partly responsible» [1]. Este problema, ya delicado en sí, se hace aún más sutil en *Pascual Duarte* debido a la vigorosa ironía de Cela, y nos explica que la novela haya engendrado una crítica de tan diversos y encontrados juicios.

El éxito de la obra se debió en gran parte, bien sabido es, a la profunda conmoción que produjo en los lectores. Pero a este respecto cabe advertir que el choque fue provocado no sólo por lo truculento del tema sino también —y quizá aún más— por el hecho de que a Pascual no le condena ni critica el autor en ningún momento, pese a que mata a tres seres humanos —uno de ellos su propia madre— y a dos animales irracionales: su fiel perra y su yegua. Por primera vez desde la época de la picaresca, pues, se permite al malhechor, al anti-héroe pleno, narrar con amplia libertad su propia historia. El hecho cierto es que la novela hizo salir del anonimato a Cela. Se

---

[1] SEAN O'FAOLAIN, *The Vanishing Hero,* New York, Grosset and Dunlap, 1956, p. 3: «Uno de los problemas más fascinadores e inquietantes con que se topa el lector de obras de ficción es el ver cómo y hasta qué punto un novelista puede comunicar y en efecto comunica su propia actitud vital a través de personajes de cuyas opiniones sería impertinente considerarlo responsable a él, y de cuya conducta, en el mejor de los casos, sólo parcialmente se le puede hacer responsable.»

5

ganó una reputación no desdeñable y algunos años después, tras el éxito de novelas posteriores, pudo escribir, con evidente y quizá no injustificada socarronería, las bien conocidas palabras jactanciosas: «Me considero el más importante novelista desde el 98 y me espanta el considerar lo fácil que me resultó»[2]. Y, rezumando ironía, «Pido perdón por no haberlo podido evitar».

Aun cuando lo ha dicho burla burlando[3], Cela haría bien en espantarse. Si conseguir esa fama no le ha exigido gran esfuerzo ni trabajo, le facilitaron la tarea en parte los jóvenes literatos y ciertos comentaristas, quienes, a raíz de *Pascual Duarte* —se ha dicho que «en los primeros meses de su aparición tuvo mil críticas y trescientos compradores»—[4] reaccionaron de manera tan exagerada, entregándose al más exaltado ditirambo o a la más apasionada diatriba[5], que despertaron por el libro un interés quizá no enteramente merecido. Nos será útil cotejar aquí algunos pareceres en cuanto al aspecto moral de Pascual y a la intención estética del autor, pues veremos que cobra particular importancia el que haya tal diversidad de interpretaciones y juicios.

Entre aquellos críticos que han tenido a la obra en singular aprecio y por el anti-héroe un total respeto descuella Gregorio Marañón, cuyos juicios integran el prólogo de la novela misma. El doctor Marañón considera que ésta es una biografía «extraordinaria». A Pascual le equipara con los héroes griegos y asegura que «es una buena persona y que su tragedia es —y por eso es tragedia sobrehumana— la de un infeliz que casi no tiene más remedio que ser una vez y otra, criminal...»[6]. Aún más, no duda que estuviera «movido por la razón» y que «sus arrebatos criminosos representan una suerte de abstracta y bárbara pero innegable justicia»[7]. Eugenio de Nora, a su vez, se

---

[2] Camilo José Cela, *Baraja de invenciones,* Valencia, Editorial Castalia, 1953, p. 8.

[3] Unos años más tarde, en una entrevista concedida a Ignacio Iglesias, éste le preguntó a Cela qué lugar se atribuía en la literatura española. Cela respondió: «No creo en los escalafones. Cuando era más joven y jugaba a irritar, solía responder a esta pregunta diciendo que era el escritor más importante que había tenido España desde el 98. Ahora que estoy más sosegado ya no lo digo. Pero, claro es, lo sigo pensando. Perdóneme usted la broma.» Ignacio Iglesias, «Diálogo con Camilo José Cela», *Cuadernos,* núm. 43 (julio-agosto, 1960), pp. 73-76.

[4] Juan Luis Alborg, *Hora actual de la novela española,* Madrid, Taurus, 1958, p. 83.

[5] De ahí que irónicamente haya dedicado Cela a sus enemigos la edición de la Edición Espasa-Calpe Argentina, 1955. Dice: «Dedico esta edición a mis enemigos, que tanto me han ayudado en mi carrera.»

[6] Gregorio Marañón, prólogo a *La familia de Pascual Duarte,* Buenos Aires, Espasa-Calpe Argentina, 1955, p. 26.

[7] *Ibíd.,* p. 27. Además, Gregorio Marañón está firmemente persuadido de que esta autobiografía no es violenta sino en la apariencia, puesto que «lo

adhiere al sentir del doctor Marañón. Pascual —dice él— «posee un elemental pero auténtico sentido de lo justo y de lo humano» [8]. En contra de la opinión comúnmente sustentada del «primitivismo» de Pascual, Nora considera que «entre bromas y veras» Cela le ha atribuido «una compleja y honda sensibilidad, e incluso una penetrante y reflexiva inteligencia» (Op. cit., p. 115). Pérez Minik sostiene que la novela es «una rara invención» y que le caracterizan dos cosas: su peligrosidad y su sentido de contradicción. «La familia de Pascual Duarte adquirió su mayor prestigio —explica Pérez Minik— por la peligrosidad de su condición humana. Su sentido de contradicción se descubría a través de un peregrino suceso: su autor, en vez de ir a buscar la inspiración, los temas y los hombres en un territorio de heroísmo o de sacrificio o, incluso, en el campo lejano de la conciliación, se contentó con descubrir su tesoro novelesco en un universo agrio, negro y ajeno a toda ley» [9]. De ahí que concluya que la novela «se nos presentaba como la respuesta peligrosa y contradictoria que España daba a la literatura universal» (Op. cit., p. 262). En cambio, Gonzalo Torrente Ballester nos asegura que fueron fines humorísticos los que indujeron a Cela a crear un protagonista «en cuyas manos inocentes la caricia se hace agresión, mordisco el beso y crimen la respuesta...» [10]. La intención de Cela —dice— «era visiblemente humorística, y la materia tan fantástica como la de Peter Pan, aunque pintada —o mejor, estilizada— según las normas de un realismo grueso de cartel de feria» (Op. cit., p. 420). Para José María Castellet, Pascual es una víctima plena de sus circunstancias, pues al igual que a Mersault, de L'Etranger, de Camus, «le avasalla la vida, esa vida externa, esa sociedad que les rodea de un tejido de absurdos ante los cuales ellos no tienen otra defensa que la más elemental de todas: el asesinato en defensa propia» [11]. Por tanto, Pascual se ve «totalmente obligado a tomarse la justicia por su mano, en una sociedad que no repara automáticamente las injusticias que en ella se producen» [12]. Arturo Torres-Ríoseco, indeciso ante las ambiguas complejidades de la novela, si bien concede a Cela el primer lugar entre los novelistas españoles contemporáneos, se resigna ante el hecho de que «Pascual Duarte es una novela que no debería ser

atroz puede no ser violento si brota de esa profunda raíz vital por donde sube y baja la savia de todo lo existente» (Ibíd., p. 25).
[8] Eugenio de Nora, La novela española contemporánea, Madrid, Gredos, 1962, t. II, p. 114.
[9] Domingo Pérez Minik, Novelistas españoles de los siglos XIX y XX, Madrid, Ediciones Guadarrama, 1957, p. 262.
[10] Gonzalo Torrente Ballester, Panorama de la literatura española contemporánea, Madrid, Ediciones Guadarrama, 1961, p. 420.
[11] José María Castellet, «Iniciación a la obra narrativa de Camilo José Cela», en Revista Hispánica Moderna, XXVIII (abril-octubre, 1962), p. 128.
[12] José María Castellet, «La novela española, quince años después (1942-1957)», en Cuadernos, núm. 33 (noviembre-diciembre, 1958), p. 49.

analizada. Hay que aceptarla como es. Puede leerse por su rapidísima acción y por su desfachatez, como una novela detectivesca; o puede considerársela como la novela trágica del destino humano, o aún puede ser vista como una parodia de novela en la cual todo o cualquier cosa puede suceder»[13]. Alonso Zamora Vicente, a su vez, estima la obra como «una gran novela, quizá la gran novela española después de la Guerra Civil», por brindar «una mirada más, honda, de brillos insólitos, sobre la realidad española...»[14]. Condonando los actos atroces de Pascual, arguye Zamora Vicente que «hoy, leyendo sosegadamente y a distancia la corta biografía de Pascual Duarte, nos damos cuenta, ante todo, de que los crímenes no son lo más importante, y, lo que es peor, nos sentimos inmersos en una turbia complicidad justificadora de los hechos» (*Op. cit.,* p. 23). En cambio, el mayor detractor de la novela, Juan Luis Alborg, sostiene que Pascual no es más que un «bárbaro vulgar». Ensañándose con la novela, Alborg pone en tela de juicio la coherencia del concepto estético del autor. Aún más, le tacha de mala fe. *Pascual Duarte,* pretende él, ostenta una «fachada aparatosa», pero carece de contenido; es una novela irresponsable, pues su fórmula «consiste simplemente en dar gato por liebre: en servir picadillo de violencias —con vulgaridad de gacetilla en el fondo— como tajadas de transcendente realidad; en despachar como audacias sustantivas, como valentía de fondo, lo que no son otra cosa sino asperezas de superficie; en prodigar groserías, truculencias injustificadas, desplantes y efectismos... para, al final, nada entre dos platos»[15]. La novela, concluye este crítico, es «uno de los engaños más notorios de nuestra moderna literatura, no denunciado todavía —me parece—, pero del que la historia de nuestras letras le pedirá cuentas a Cela» (*Op. cit.,* p. 83).

No se trata —creemos— de «pedir cuentas». Pero si hubiera que hacerlo, más bien que a Cela se debiera pedirlas a la crítica misma porque no ha discernido, a juicio nuestro, la intención estética del autor. Nos parece incontrovertible que las apasionadas interpretaciones dispares, y aun opuestas de la novela, tanto como su «sentido de contradicción», se explican en gran parte por el hecho de que no se ha comprendido una sutileza fundamental de la obra: la función estructural que desempeña la ironía. Quiérase o no, Cela es *ironista,* entendiendo la palabra «ironía» en sus dos acepciones: burla fina y disimulada; y figura retórica que consiste en dar a entender lo contrario de lo que se dice o en ocultar su verdadero significado. La

[13] Arturo Torres-Ríoseco, «Camilo José Cela, Primer novelista español contemporáneo», en *Revista Hispánica Moderna,* XXVIII (abril-octubre, 1962), páginas 166-167.
[14] Alonso Zamora Vicente, *Camilo José Cela (Acercamiento a un escritor),* Madrid, Gredos, 1962, p. 50.
[15] Juan Luis Alborg, *Op. cit.,* p. 83.

ironía, rasgo distintivo de casi toda su novelística, no se limita a ser un artificio literario, pues obedece no sólo a una convicción estética, sino también a una postura mental. Con la desfachatez y vigor propios de él, elabora varias de sus novelas sobre un armazón extenso de ironías con el fin de conseguir efectos dramáticos y también mostrarnos una manera de ser de la que «habrá que escapar como del fuego» [16]. Por otra parte, la innegable génesis picaresca de *Pascual Duarte* nos grita que la ironía tiene función trascendental en Cela. La picaresca, ya que suele rebosar burla, sátira, caricatura, ineludiblemente encara al lector con el problema de distinguir entre lo que ha sido la intención irónica del autor y lo que realmente funciona irónicamente en la obra, problema quisquilloso, dicho sea de pasada, de esta novela que comentamos. Claro está que ignoramos si Cela tiene conocimiento pleno de la red de ironías que en ella se despliegan. Mas es significativo que él mismo se haya referido a menudo a la escondida «clave» de sus novelas, advirtiendo que si se quiere entender el significado que él ha querido darles, menester es leerlas «con agudeza».

Ahora bien, Paul Ilie, en su estudio del aspecto técnico de *Pascual Duarte*, juzga francamente desventajosa la técnica del relato en primera persona utilizada por Cela, la cual permite a Pascual narrar su propia historia. Refiriéndose al problema de enfoque narrativo con el que se enfrenta todo autor, explica que éste puede valerse de un «narrador-observador» que habla en tercera persona o de un «narrador-protagonista», que lo hace en primera. Pero este último, observa él, está sujeto a varias limitaciones técnicas, tal como sucede en *Pascual Duarte*. «Cela prefirió hacer actuar al protagonista como su propio narrador, imponiendo así toda una serie de limitaciones a la obra», arguye Ilie, y descuella como principal inconveniente el que podamos, en la obra de Cela, «localizar la situación del narrador, mientras que en la narración en tercera persona ignoramos la posición del que habla con respecto a la acción por él descrita» [17]. Esto es cierto. Pero Ilie hace caso omiso de otro hecho: que si bien la narración en primera persona expone abiertamente la posición del narrador, en cambio elimina la presencia del autor. No nos permite conocer, por tanto, el punto de vista del autor [Cela] respecto al narrador [Pascual]. Como veremos, muy significativo es este hecho, pues funcionará como una de las ironías capitales de la novela.

En contra de lo que opina Paul Ilie, consideramos un feliz acierto la elección de esta técnica, pues para las intenciones estéticas de Cela, le viene como anillo al dedo. Indudablemente la eligió porque le

[16] Camilo José Cela, *Pabellón de reposo* (en una nota del autor), Barcelona, Ediciones Destino, 1957, p. 194.

[17] Paul Ilie, *La novelística de Camilo José Cela*, Madrid, Gredos, 1963, páginas 36-37.

permitiría despegarse del relato y presentar al desnudo, sin orientar al lector con reflexiones interpretativas, el mundo íntimo de Pascual. De ahí que recurriera a todos los artificios posibles con el fin de enmascarar su punto de vista respecto al «narrador-protagonista» [18]. Mediante ciertas sutilezas —bien sean escenas en bosquejo, que no se pueden interpretar en términos precisos, bien sean situaciones ambiguas, abiertas a varias interpretaciones divergentes— se esfuerza por crear en el lector un clima de incertidumbre. Abandonado a sus propios recursos, éste se ve obligado a recrear los hechos no explicados, interpretar y juzgar él mismo la conducta de los personajes. Es evidente, pues, que a Cela no le interesó tanto hacer creer al lector una historia con sentido explícito como obligarle a ejercer sus prerrogativas de crítico y adoptar, respecto a Pascual y los sucesos que relata, una posición determinada. Acertadamente ha dicho José María Castellet de esta técnica que «no se trata de instruir o 'epater' al lector, sino de colaborar ambos en el hallazgo de una misma verdad», ya que con la autoeliminación del autor «acontece la simultánea aparición del lector en el ámbito creador de la obra» [19]. Pero a éste, tal como advierte Castellet, «a la vez que en satisfacción, se le convierte en exigencia: se le exige un doble esfuerzo de atención y humildad» *(Op. cit.,* p. 62).

Con este fin, a las memorias de Pascual adjuntó Cela seis documentos: tres que las anteceden y tres que las siguen. En el primer grupo, una «Nota del Transcriptor» nos previene que Pascual es «un modelo no para imitarlo sino para huirlo...» (p. 35). Una carta de Pascual a don Joaquín Barrera López (amigo del Conde de Torremejía, asesinado por Pascual) anuncia el envío de las cuartillas manuscritas y declara en seguida que «tal vez sea mejor que hagan conmigo lo que está dispuesto porque es más probable que si no lo hicieran volviera a las andadas» (p. 37). Asimismo, se recoge una cláusula del testamento de don Joaquín Barrera López, en la cual se lega el manuscrito a las monjas del servicio doméstico —una ironía en sí, pues se hace constar que el relato de Pascual es «disolvente y contrario a las buenas costumbres». Como apéndice de las memorias encontramos una segunda nota del transcriptor en la cual se alude, con ironía, a las «hazañas» de Pascual, más a ciertas pre-

---

[18] Es curioso que el señor Ilie no se haya dado cuenta de esto. Si bien ha discernido que la técnica usada por Cela le permite desentenderse del protagonista, no le ha dado la importancia que merece en cuanto al sentido total de la novela, pues lo ha visto sólo en su aspecto superficial. Dice: «... con ello, Cela puede desentenderse, como autor, de los defectos estilísticos, las incoherencias, y otras faltas, recordándonos que todo es obra del propio personaje; a lo que nada podemos objetar, simplemente porque ignoramos qué alteraciones fueron hechas, si es que las hubo» *(Op. cit.,* p. 38).

[19] José María Castellet, *La hora del lector,* Barcelona, Seix Barral, 1957, página 61.

cauciones tomadas por éste, que indican que no era «tan olvidadizo ni atontado como a primera vista pareciera» (p. 143). Y, por último, aparecen cartas de dos personas que presenciaron la ejecución de Pascual: el capellán de la cárcel y el cabo de la Guardia Civil. El capellán le retrata como «el hombre que quizá a la mayoría se les figure una hiena (como a mí se me figuró también cuando fui llamado a su celda), aunque al llegar al fondo de su alma se pudiese conocer que no otra cosa que un manso cordero, acorralado y asustado por la vida, pasara de ser» (p. 144). El cabo de la Guardia Civil, en cambio, pone en duda su salud mental «porque tales cosas hacía que a las claras atestiguaban su enfermedad» (p. 145). En la historia intervienen entonces, tal como ha señalado Paul Ilie, cuatro narradores: Pascual, el copista, el capellán y el guardia civil. El relato de Pascual se complementa, pues, con las convicciones de tres narradores que retratan al protagonista con diversos matices de hiena, cordero y loco. Pero ¿cuál o cuáles de los múltiples planos de este retrato cubista integran la personalidad de Pascual?

Para provocar en el lector un mayor desconcierto, a Pascual le dota Cela de autonomía completa para referir e interpretar su vida de acuerdo con su propio criterio. Le da, así, toda posibilidad de probar la validez de su postura. Por ser la autobiografía de un campesino que se convierte en criminal, el relato se enfoca desde *su* punto de vista; lo vemos dentro de su propia lógica... que a menudo resulta ser, como veremos, una falta de lógica. Si el lector no lee «con agudeza», se deja arrastrar por el persuasivo discurrir de Pascual sin examinar rigurosamente los hechos en sí. Se identifica con él y cae por tanto en la celada que le ha sido tendida por el autor. Equivocadamente se convence de que Pascual realmente ha sido movido o por la razón o por una influencia irresistible ya sea del destino, ya sea del instinto, de manera que es víctima y no tiene la culpa de sus atroces actos. No dudará, pues, que el punto de vista del «narrador-protagonista» tiene firme apoyatura en el propio autor: esto es, que Cela, pese a no intervenir en el relato, justifica, al fin y a la postre, sus actos. Claramente percibimos, por tanto, que nuestro autor se ha valido de un narrador «limitado». «Limitado» en el sentido de que el lector no puede tener confianza plena en él porque le conduce de vez en cuando a interpretaciones erróneas. Con esta técnica Cela exige mucho al lector; pero hay, claro es, ciertos recursos que le permitirán a éste discernir la veracidad de la interpretación de Pascual: juzgará la lógica de su discurrir, cotejará sus palabras con sus actos y verá los comentarios y las reacciones de los demás personajes.

No cabe poner en duda, desde luego, la sinceridad de Pascual. Pero si comparamos sus *actos* con las *palabras* que profiere como prueba, disculpa o defensa para traernos a favor de su propósito, repararemos en que existe una discrepancia; que si bien él no es maleante, sus actos —pese a su eficacia de persuadir y al empeño que hace de su bondad— son, a todas luces, delictuosos. El los ve como inevitables, consecuencia de la fuerza del destino, de la malicia de los demás que le incitan indebidamente o de instintos irreprimibles. Esta manera de raciocinar —errónea, ya que en vista de los hechos y circunstancias es contraria a la verdad— es propia del ambiente supersticioso, fatalista y bárbaro en donde vive Pascual —la España rural de Extremadura— y por tanto le satisface a *él*. De manera nebulosa, cree que no existe el libre albedrío; que sus actos dependen no tanto de su voluntad como de las determinaciones ineludibles del destino gracias al cual, dice, le tocó una vida miserable. Y asimismo, cree que dependen de la costumbre, pues «el mundo es como es», dice, «y el querer avanzar contra corriente no es sino un vano intento» (p. 115). De esta forma rechaza toda responsabilidad moral, pese a tener capacidad para distinguir entre lo bueno y lo malo y responder de su conducta.

El hecho cierto —y esto es lo más significativo— es que Pascual suele dejar al instinto normar sus actos. Sus impulsos, los que raras veces refrena, le conducen al delito porque generalmente supeditan el uso del intelecto. A la larga —y así puede llegar al matricidio— se nota en él una voluntad continua de destruir, pues adquiere fe ciega en la infalibilidad del instinto, convenciéndole de que éste «no miente» y lo justifica todo. Al elevarlo a la categoría de absoluto, invierte la escala normal de valores, lo cual le permite actuar sin remordimientos y caer, por tanto, en la soberbia de ser justiciero: juez y verdugo de los demás. Al fin y al cabo, la explicación que el ya viejo y «arrepentido» Pascual nos da por la vida excesivamente desordenada de sus padres, se aplica también a él, tal como reconoce: «... a su poca educación se unía su escasez de virtudes y su falta de conformidad con lo que Dios les mandaba —defectos todos ellos que para mi desgracia hube de heredar— y esto hacía que se cuidaran bien poco de pensar los principios y de refrenar los instintos, lo que daba lugar a que cualquier motivo, por pequeño que fuese, bastara para desencadenar la tormenta que se prolongaba después días y días sin que se viese el fin» (p. 47). Esta explicación nos proporciona la clave del comportamiento del mismo Pascual. Pese a ello, muchos críticos han reducido la novela a una simple concepción naturalista, pues en Pascual sólo han visto una víctima de seres más repugnantes que él y de una sociedad injusta. El destino del campesino extremeño, claro está, habría sido diferente si hubiera tenido otra familia y vivido en otra sociedad. Sin embargo, creemos que la novela, aun cuando refleja un mal entrañable del sistema social español, traspasa los límites estrechos del naturalismo. A Pascual no le roe la miseria, ni le atenaza el hambre. Cela tiene buen cuidado de hacernos ver que en él, al igual que en sus padres, la tragedia es tanto o más, del «yo» como de las «circunstancias». Ninguno está «atrapado». Pascual no es, como aseguran algunos críticos, «desamparado de Dios y de los hombres» [20]. No es víctima del destino, ni de instintos irrefrenables, ni de la malicia de los demás. No ha estado, como pretende, «indefenso ante todo lo malo». Su vida de desgracias —si bien favorecida por el medio ambiente— proviene, en últimas instancias, de él mismo. Tomarse la justicia por la mano, o lo que Pérez Minik ha llamado «hacer la realísima gana», constituye un acto volitivo. Para ello, forzosamente, se necesita elegir. Y si hay elección, no se es víctima.

Interpretada así, la novela confirma —y he aquí, desde luego, un principio del existencialismo— la creencia de que el individuo es, dentro de ciertos límites, lo que elige ser. Que el propio Cela, en su punto de vista personal frente a la vida y la sociedad, se adhiere a este sentir no puede cabernos la menor duda, pues ha dicho: «No creo que valgan las disculpas de que uno ha sido forzado a hacer lo que no quería. Un hombre medianamente normal es siempre responsable de sus actos» [21]. El problema fundamental planteado en *Pascual Duarte* es, a nuestro parecer, el de la responsabilidad humana frente a lo que se suele llamar el destino: «¿dónde empieza y dónde acaba la responsabilidad? ¿Hasta qué punto se es responsable del propio carácter y existencia, y hasta qué punto son responsables las circunstancias?» Si se lee con cuidado cada episodio en que Pascual se arrebata, se verá que hay otra alternativa; que al obrar, lo hace a menudo con imprudencia porque no le mueve ni la razón ni la inteligencia sino que, al contrario, se deja llevar de su condición instintiva y elemental. En fin, el lector debe discernir que Pascual no acepta para sí mismo ninguna responsabilidad moral; que transfiere indefectiblemente a otros o a causas externas la responsabilidad de sus actos. Ello nos induce a pensar que no están en lo cierto quienes, como Eugenio de Nora, opinan que los crímenes de Pascual «no tienen nada de 'gratuitos'; son siempre respuestas provocadas —y en cierto modo, castigos merecidos— por seres más repulsivos que el matador...» *(Op. cit.,* p. 115).

Dados estos hechos, sería incongruente suponer que Cela, aun cuando no interviene en el relato, justificara el proceder de Pascual. No nos parece ligereza afirmar, por tanto, que el doctor Gregorio Marañón padece error al asentar que «Lo que da aspecto de truculencia a este relato, y esto sí es puro truco, si bien legítimo y bien logrado, es el artificio con que el autor nos distrae para que no reparemos en que Duarte es mejor persona que sus víctimas y que

---

[20] José María Castellet, «Iniciación a la obra narrativa de Camilo José Cela», en *Revista Hispánica Moderna,* XXVIII (abril-octubre, 1962), p. 128.
[21] Marino Gómez-Santos, *Diálogos españoles,* Madrid, Ediciones Cid, 1958, página 136.

sus arrebatos criminosos representan una suerte de abstracta y bárbara pero innegable justicia» [22]. Por lo contrario, se nos distrae precisamente para que *creamos* que Duarte es mejor persona que sus víctimas y para que *pensemos* que sus actos criminales representan actos de justicia. Mas no es Cela quien lo hace, sino *Pascual*. El lector, sin embargo, si lee «con agudeza», ha de percibir que si bien sus sentencias moralizadoras entrañan una verdad general, pronunciadas en boca de *él* constituyen una ironía total, ya que en sus actos realiza todo lo contrario. Por otra parte, ha de ver que la interpretación de los sucesos dada por el narrador no siempre merece total aprecio por el poco fundamento en que se apoya, pues al intentar justificar sus actos delictuosos, razona de manera ajena a la lógica por contentarse con una verdad parcial o aparencial. El significado del contexto total de la autobiografía nos llega, por consiguiente, con un fuerte sentido *irónico* que forzosamente reduce a burla la postura de Pascual [23].

Al dejarse convencer por él, muchos críticos han dado por hecho, como ya dijimos, que el punto de vista de Pascual nos viene sancionado por el propio autor. Sirva de ejemplo la afirmación de Arturo Torres-Ríoseco: «Cela cree que Pascual es un hombre lógico y primitivo a la vez; Cela llega a justificar el asesinato de la madre, causante de la infelicidad del hijo» *(Op. cit.,* p. 167). Se han visto obligados, por ello, a intentar justificar actos de ninguna manera justificables —aunque no por eso indignos de nuestra comprensión— e ineludiblemente se han puesto en trance de hallar en la novela, para apoyar sus teorías, una realidad trascendental inexistente. Abundan los ejemplos, pero limitémonos a analizar solamente tres de los más notables.

José María Castellet, al buscar y encontrar en el sacrificio de la yegua «un sentido de mayor trascendencia», nos asegura que «No es la rebelión total contra un ser irresponsable, sino contra el que es responsable de la existencia de la bestia. Apunta, pues, esa rebelión ciega contra un animal, a la divinidad, al Ser responsable de la vida

---

[22] GREGORIO MARAÑÓN, *Op. cit.,* pp. 26-27.
[23] A semejante conclusión ha llegado DOMINGO PÉREZ MINIK: «La moral de Pascual Duarte —dice— no sirve, en verdad, para funcionar en un país de los llamados civilizados. Claro está, Camilo José Cela nunca quiso presentarnos su novela como una novela ejemplar. Pero sí estamos seguros de que su deseo fue colocar entre paréntesis, respaldado por una lejana simpatía, al hombre español para saber qué cosa era y es. De ahí lo que antes llamamos la peligrosidad de su aparición y su espontáneo espíritu contradictorio. Desde este punto de vista, *La familia de Pascual Duarte* es uno de los libros más subversivos que se conocen. Casi parece decirnos que si su héroe se toma la justicia por su mano, haciendo lo que le viene en gana, es porque todos antes se la habían también tomado». *(Op. cit.,* pp. 267-268).

en el mundo»[24]. Carece de fundamento esta aseveración, a nuestra manera de ver, pues en Pascual no hay ni asomo de una rebelión metafísica. Para comprender el impulso que tuvo, menester es tomar en cuenta los antecedentes de la destrucción de la yegua. El acto viene precedido de unas cuantas copas y una pelea de taberna, que le dejan con la sangre caliente y dispuesto a toda clase de violencias.

A su vez, Zamora Vicente, tras reconocer las dos caras de Pascual, «la ruidosa y primeriza, y la sosegada e íntima», afirma que es ésta «la que más nos importa» (Op. cit., p. 48). Al lado criminal de Pascual le niega existencia verdadera y efectiva, pues al igual que el capellán, distingue entre «el primerizo aspecto de hiena peligrosa del vivir de Pascual Duarte y la realidad» [el subrayado es mío]. No nos extrañe, pues, que haya podido llegar a la insostenible conclusión de que Pascual «casi mata a la perra en defensa propia». De igual manera, por apoyarse indebidamente en la justicia retributiva, ha pronunciado Alonso Zamora Vicente el juicio tan peregrino del «suicidio» del Estirao, eximiendo así de toda culpa a Pascual. Este no fue más, pretende, que un «ciego instrumento» (Op. cit., p. 27).

Asimismo, Gregorio Marañón, por no distinguir entre «venganza» y «justicia», encarece indebidamente la imagen de Pascual[25]. Compelido, sin embargo, a reconocer que existe cierta discrepancia entre la verdadera justicia y los actos de Pascual, piensa esquivar el escollo al modificar la palabra «justicia» con los adjetivos «primitiva» y «bárbara». Pero la justicia «primitiva y bárbara», ¿qué es sino venganza? ¿A quién, quisiéramos saber, le corresponde la «justicia»? ¿Acaso a la fiel perra, a la yegua, a Zacarías, al Estirao, a la madre? O, ¿sólo a Pascual? La justicia, de acuerdo con la Academia, es «la virtud que inclina a dar a cada uno lo que le pertenece». La venganza, en cambio, es «satisfacción que se toma del agravio o daño recibidos». A Pascual —creemos— no le interesa tanto dar un justo desagravio a sus ofensas como satisfacer su sed de venganza. De ahí que no nos parezca aventurado sostener que adquiere proporciones de un sofisma el aserto del doctor Marañón donde asegura que la tragedia de Pascual es «la del hombre incapaz de ser bueno por ser incapaz de superar con un artificio civilizado su instinto de primitiva justicia» (Op. cit., p. 31).

Hasta ahora nos hemos detenido en lo que es, a nuestro parecer, la intención estética de Cela en Pascual Duarte. Ahora vamos a analizar la novela para dejar ver cómo el autor consigue darle coherencia al introducir subrepticiamente en la estructura de la obra una

---

[24] José María Castellet, «Iniciación a la obra narrativa de Camilo José Cela», en Revista Hispánica Moderna, XXVIII (abril-octubre, 1962), p. 128.

[25] A nuestra manera de ver, Pascual no reviste la dignidad trágica que el doctor Marañón le atribuye, porque no lucha para dominar ni comprender su propia naturaleza.

jerarquía de ironías, una callada pero poderosa corriente que avanza como una llama de fuego. Veremos que con frecuencia juega a la paradoja. Se esfuerza por conseguir efectos dramáticos mediante lo racional-irracional, al ofrecernos Pascual explicaciones racionales para una conducta irracional. Así, pues, las situaciones vitales a menudo causan sorpresa porque en ellas el protagonista procede distintamente de lo que se podía esperar dadas algunas de las circunstancias. Es más, Cela se empeña en sacudir bruscamente al lector con regular insistencia, en abrumarle con lo sombrío y espantable.

Aun antes de iniciarse el relato mismo, nos llama la atención lo que es, o parece ser, una situación irónica. Pascual dedica su auto-biografía «A la memoria del insigne patricio don Jesús González de la Riva, Conde de Torremejía, quien al irlo a rematar el autor de este escrito, le llamó Pascualillo y sonreía» (p. 40). Varias paradojas no explicadas se encierran en este epígrafe. En primer lugar, es incongruente que el victimario dedique a la víctima sus memorias. Por otra parte, a la confesión de un acto nefando como lo es un asesinato (habría mucho que hablar sobre si realmente se trata, como se acostumbra a decir, de un crimen político) es contradictorio unir una expresión de cariño y esperanza por parte de la víctima. Cuando Pascual dice que don Jesús «le llamó Pascualillo y sonreía», a primera vista se podría deducir que el moribundo Conde deseaba la muerte a manos de él. Pero parándose a reflexionar se comprende que sonreía *al llegar* Pascual porque de él esperaba la vida. Sin embargo, le llevó a la muerte. Lo cierto es, tal como afirma Zamora Vicente, que esta muerte «De todas las del libro es la que más asombro causa, al tro-pezárnosla en la primera página, escalofrío inicial, y es, precisamente, de la que nada se nos dice» *(Op. cit.,* p. 41). El lector puede, si se le antoja, deshacerse en conjeturas. Pero no sabrá a ciencia cierta los móviles de este asesinato por la sencilla razón de que Cela ha preferido dejarle en la sombra, tal como hará una y otra vez para que, conjeturando sobre ello, se adentre en la historia.

En todo caso, la paradoja se aumenta cuando leemos la primera oración de las memorias. En contraposición al epígrafe, Pascual em-pieza su relato alardeando, de buenas a primeras, de no ser un hombre malo: «Yo, señor, no soy malo, aunque no me faltarían motivos para serlo» (p. 40). Así volvemos a enfrentarnos con una contradicción irónica, pues lo que menos se espera de un hombre que acaba de confesar un asesinato, es que declare que pese a haber tenido motivos para ser malo, no lo es. Un hombre «bueno» sencillamente no mata. Puestas frente a frente las afirmaciones de Pascual se crea una situación paradójica que establece el tenor general de la novela, el principio que llegará a ser su fundamental ironía: Pascual matará brutalmente una y otra vez, pero con toda sinceridad tratará de con-vencernos de que no es un hombre malo. Al escribir sus memorias en la cárcel manifiesta, ya viejo, arrepentimiento de sus «pecados». Pero en contradicción directa de ello, se esfuerza por hacer ver al lector que, si bien delinquió, todo fue justificado por haber tenido él amplia motivación. Ahí tenemos la ironía central de la novela, a la que se supedita toda una red de ironías menores. Y de ahí brota, asimismo, el claroscuro que se nota a través de la obra; dualidad que nace, como en la novela picaresca, de un «doble plano picaresco y ético»[26]. En un plano de tiempo pasado, sobre todo, un Pascual primitivo, brutal, todo instinto, comete los crímenes, mientras en plano de tiempo presente nos habla un Pascual mesurado, moralizador, «arrepentido». Y, sin embargo, no nos convence del todo su arrepentimiento, pues alguna que otra reflexión suya parece desmentirlo. Tal ocurre cuando se confiesa con el capellán y recibe la bendición. Pascual reconoce que: «Cuando don Santiago me dio la bendición, tuve que hacer un esfuerzo extraordinario para recibirla sin albergar pensamientos siniestros en la cabeza; la recibí lo mejor que pude, se lo aseguro. Pasé mucha vergüenza, muchísima, pero nunca fuera tanta como la que creí pasar» (p. 104). Nos hace pensar, pues, que ni ha olvidado ni perdonado, ni puede dejar de odiar a los que, según él, le causaron daño.

Puede observarse desde el primer capítulo de la novela que confluyen en Pascual una gran diversidad de tendencias, ideas y creencias. El no pierde ocasión de demostrarnos que su alma reviste características comunes a todo el mundo: es sensible, tímido, franco; ama la belleza, la dicha, la paz; no faltan en él la bondad, la mansedumbre, ni cierta ingenuidad. Poco o nada nos dice, en cambio, de la otra condición que paralelamente tiene: de la excesiva impetuosidad, la superstición, el fatalismo, la soberbia, la irresponsabilidad. Constituye ello una discrepancia singular, sin embargo, pues veremos que casi indefectiblemente es una consecuencia de la segunda condición de Pascual la que guía sus actos. Si bien no se nos oculta, ni se nos deja olvidar el aspecto primitivo de Pascual, quedará siempre supeditado por su lado comprensivo y benévolo. De ahí que sus instintos de hiena, los que raras veces refrenará, contrasten irónicamente —sobre todo en la primera parte de sus memorias— con su mentalidad de cordero, de igual manera que la dudosa justificación de sus matanzas contrastan —ya en la última parte del relato— con el afán y la sinceridad con que se precipita a hacernos ver que, por una circunstancia u otra, fue justificado el suceso. Con esto va afirmando Cela la ironía que recorre la novela.

Así, en las reflexiones y descripciones que, al iniciar el relato, hace Pascual de su pueblo, nos deja ver que pese a haberse criado en

---

[26] ANGEL VALBUENA PRAT, *Historia de la literatura española*, t. II, Barcelona, Gustavo Gili, 1953, p. 117.

un medio ambiente primitivo, tiene una naturaleza bondadosa, pacífica, capaz de apreciar la belleza de las cosas y de sentir afecto por su humilde casa. No puede cabernos la menor duda de que Pascual tiene la facultad de ser franco, objetivo. Resulta bien explicable, por consiguiente, que el lector empiece por aceptar incondicionalmente su testimonio, tan digno de confianza le parece.

Mas no tarda en llegar la primera nota perturbadora. Nos hace poner en cuarentena nuestra confianza y a un tiempo nos previene para los futuros arrebatos pasionales de Pascual. Se trata de la angustiosa fascinación que en éste se acusa por el olor a bestia muerta. En el momento de terminar la descripción de su casa, nos da Pascual un dato singular. En las paredes de la cuadra, dice, «estaba empapado el mismo olor a bestia muerta que desprendía el despeñadero cuando allá por el mes de mayo comenzaban los animales a criar la carroña que los cuervos habíanse de comer...» (p. 43). En seguida confiesa que de mozo ese olor le fascinaba y le era tan necesario que si no lo olía, le «entraban unas angustias como de muerte» (p. 43). Así, pues, sin recalcarlo indebidamente, el autor arroja luz sobre la condición instintiva y elemental de Pascual, dando a entender que el olor a muerte es cosa entrañable en él [27].

Pese a ello, nos da a entender en seguida que él es un hombre común y corriente, a quien le gustan los placeres sencillos de la vida. Cuenta cómo pasaba horas interminables pescando felizmente en el río detrás de su casa, viendo encenderse a lo lejos, cuando se oscurecía, las luces de Almendralejo. Con buen tino filosófico:

> ¡Los habitantes de las ciudades viven vueltos de espaldas a la verdad y muchas veces no se dan cuenta siquiera de que a dos leguas, en medio de la llanura, un hombre de campo se distrae pensando en ellos mientras dobla la caña de pescar, mientras recoge del suelo el cestillo de mimbre con seis o siete anguilas dentro!... (Pág. 44.)

No cabe mayor serenidad de ánimo. Nadie dudará que Pascual es un hombre sencillo y virtuoso que vive retirado y huye de las distracciones y concurrencias. Pero de pronto vuelve a aparecer la nota sombría. Con la mayor objetividad imaginable nos cuenta cómo, regresando de la caza un día, con su fiel perra la *Chispa*, se sentó sobre una piedra chata donde solía descansar. La perra sentóse frente a él y le miró de manera tal que le provocó una extraña sensación, haciéndole temblar intensamente. No es sino hasta escribir sus me-

---

[27] ALONSO ZAMORA VICENTE, al hablar de la fuerza de la costumbre en Pascual, dice que «a ciegas se obceca con el recuerdo del olor a bestia y suciedad de su cuadra, que le proporciona su pantalón de pana, resudado...»; (*Op. cit.*, página 37). Pero no es «olor a bestia» sino «olor a bestia muerta» lo que fascina a Pascual. Así indica Cela no tanto la fuerza de la costumbre en Pascual como la fuerza de su condición primaria.

morias cuando cree haber visto una acusación en la mirada: «ahora —dice— me doy cuenta de que tenía la mirada de los confesores, escrutadora y fría...» (p. 45). Se resalta la sinceridad emotiva de Pascual cuando confiesa que la pasión le iba invadiendo y a ella se entregaba ciegamente: «su mirada me calentaba la sangre de las venas de tal manera que se veía llegar el momento en que tuviese que entregarme; hacía calor, un calor espantoso, y mis ojos se entornaban dormidos por el mirar, como un clavo, del animal...» (página 45). Se desvanece la pasión sólo cuando coge la escopeta y dispara a la perra no una vez —que hubiera sido suficiente para matarla— sino dos veces («volví a cargar y volví a disparar»), desembarazándose así de la mirada «escrutadora». Como de pasada, nos ofrece luego el pormenor que repetirá con cada muerte sucesiva: «tenía una sangre oscura y pegajosa que se extendía poco a poco por la tierra» (p. 45). En esta situación trágico-irónica se contrasta incongruamente la manera desapasionada con que Pascual cuenta un hecho apasionadísimo, produciéndose en el lector, tal como se proponía Cela, extrañeza y horror por lo brutal y lo injustificado de un acto contado sin la menor muestra de disculpa ni remordimiento de conciencia. Pascual, movido por un impulso irracional, se ha abandonado a él sin hacer el menor esfuerzo por dominarlo («la escopeta... *se dejaba acariciar*»; «*se veía* llegar el momento en que tuviese que entregarme» [el subrayado es mío]). Irónicamente, dos páginas después achacará —con toda razón— la vida descarrilada de sus padres a su descuido en «pensar los principios y de refrenar los instintos, lo que daba lugar a que cualquier motivo, por pequeño que fuese, bastara para desencadenar la tormenta...» (p. 47).

De este modo va forjando Cela una imagen íntegra de Pascual, arrojando luz paulatinamente sobre su carácter. Al oscilar entre lo claro y lo oscuro de la personalidad de Pascual, no tenemos más remedio que aceptar que éste se compone de dos caras: una de «cordero» y otra de «hiena». Debemos estar preparados para las mayores sorpresas.

Poco después, en las dos escenas cortas donde aparece el señor Rafael, amante de la madre de Pascual, se nota una discrepancia irónica entre las *palabras* y los *actos* de éste, la que nos conduce a reparar en el pretexto que invoca para disculparse al rehuir su obligación moral. Pascual aparece, de hecho, como cobarde. Pero haciendo caso omiso de ello escudriña, en cambio, las acciones del señor Rafael, poniendo de relieve la hipocresía que en él ve.

En la primera escena Mario, el hermano idiota de Pascual le muerde la pierna al señor Rafael de modo que éste, enfurecido, patea al niño hasta dejarlo «como muerto y sin sentido». Pascual se encoleriza con el viejo y luego con su madre, porque en vez de coger al niño se ríe ella, haciendo coro al viejo. Hay que notar, sin embargo, que Pascual *tampoco* cumple con la exigencia moral de la situación; *tampoco* hace lo que era de esperar que hiciera: que cogiera al niño. Pero él se excusa:

> ... a mí, bien lo sabe Dios, no me faltaron voluntades para levantarlo, pero preferí no hacerlo... (Pág. 62.)

No nos explica por qué. Nos vemos obligados a pensar, pues, que falta en él valor moral; y nos preguntamos si de veras siente piedad por su hermano. Con este incidente Pascual intenta justificar el odio que cobra al viejo y a su madre. Con bravuconas amenazas: «por mi gloria le juro, que de no habérselo llevado Dios de mis alcances, me lo hubiera endiñado en cuanto hubiera tenido ocasión para ello» (p. 62). Lo cierto es que tenía allí mismo la ocasión. Pero él sigue echando bravatas: «¡Si el señor Rafael, en el momento, me hubiera llamado blando, por Dios que lo machaco delante de mi madre!» (p. 62).

Pascual no reconoce, pues, su cobardía. Pero, como veremos, acierta en discernir y censurar los defectos de los demás. En la siguiente escena el señor Rafael ayuda a la familia Duarte a preparar el ataúd del difunto niño. No se le escapa a Pascual un solo detalle de la hipocresía del viejo: «¡El hijo de su madre, y cómo fingía el muy zorro!» (p. 65). Nos describe en detalle las reacciones del viejo que le llevaron a concluir que «detrás de las palabras del señor Rafael había gato escondido y una intención tan maligna y tan de segundo rebote como de su mucha ruindad podía esperarse» (p. 65). El lector, por tanto, debe darse cuenta de que le conviene medir con cuidado las palabras y los actos del narrador, especulando sobre la exactitud de sus juicios. Asimismo, ha de notar cuánto hay de convencional en su frecuente uso de expresiones religiosas como «bien sabe Dios», pues estas palabras que en sí inspiran confianza, están exentas de significado religioso en Pascual. Es más, las usa con frecuencia para reforzar una situación inmoral («bien sabe Dios qué ganas me entraron de ahogarlo [al cura] en aquel momento...») (p. 60). También debe poner en tela de juicio el lector los pequeños sermones y sentencias moralizadoras que profiere Pascual en censura de quienes con él conviven, aun cuando estas palabras, en sí, encierran una verdad innegable. A menudo reitera sentencias como:

> ... Nunca está de más el ser humanitario... (Pág. 79.)

> ... No está bien reírse de la desgracia del prójimo... (Pág. 79.)

> ... no me parece de bien nacidos el hacer reír a los más metiéndose con los menos... (Pág. 83.)

> ... De hombre a hombre no está bien reñir con una escopeta en la mano, cuando el otro no la tiene... (Págs. 55-56.)

Otras veces señala la maldad ajena. Sermonea sobre la crueldad de los niños:

> ¿Qué maligna crueldad despertará en los niños el olor de los presos? Nos miran como bichos raros, con los ojos todos encendidos, con una sonrisilla viciosa por la boca,... (Pág. 81.)

Sobre el corazón de su madre:

> ... secas debiera tener las entrañas una mujer con corazón tan duro que unas lágrimas no le quedaran siquiera para señalar la desgracia de la criatura... (Pág. 63.)

Sobre la codicia de los hombres:

> ... ya lo sabe usted, no hay mejor cosa que usar de la palabra y hacer sonar la bolsa, en cuanto le llamé galán y le metí seis pesetas en la mano se marchó más veloz que una centella y más alegre que unas castañuelas, y pidiéndole a Dios —por seguro lo tengo— ver en su vida muchas veces a la abuela entre las patas de los caballos... (Pág. 81.)

Estas sentencias tienen un significado irónico en el contexto de la novela cuando se comparan con lo que hace o deja de hacer Pascual.

Bastará como ejemplo el episodio de la riña en la taberna «El Gallo». Dadas las circunstancias que describirá Pascual, constituye una ironía el que precedan al relato algunos refranes censurando el mucho hablar: el pez muere por la boca; quien mucho habla mucho yerra; en boca cerrada no entran moscas. Indignado, se lanza a increpar a Zacarías por su locuacidad y en seguida nos cuenta cómo se desarrolló la riña, a la vez que intenta justificar su actitud hacia Zacarías: «Zacarías, en medio de la juerga, y por hacerse el chistoso, nos contó no sé qué sucedido, o discurrido, de un palomo ladrón, que yo me atrevería a haber jurado en el momento —y a seguir jurando aun ahora mismo— que lo había dicho pensando en mí; nunca fui susceptible, bien es verdad, pero cosas tan directas hay —o tan directas uno se las cree— que no hay forma ni de no darse por aludido, ni de mantenerse uno en sus casillas y no saltar» (p. 63). Tal es el discurrir caviloso de Pascual. Y tal la débil base en que fundamenta la justificación de su posterior arrebato. Por una parte está dispuesto a jurar que Zacarías aludía a él, pero por otra reconoce la posibilidad de estar equivocado, al decir: «cosas tan directas hay —o *tan directas uno se las cree*»— [el subrayado es mío]. Aquí, como en el episodio del señor Rafael, achaca a otra persona el defecto que el lector ha de achacarle a él. Pascual no percibe que *él* es quien se empeña en darse por aludido, y *él* quien busca el pleito al llevar el asunto hasta la violencia. «Yo le llamé la atención», dice, confesando así que empezó la riña. Poco después, amonesta a Zacarías con una sentencia: «lo que digo es que no me parece de bien nacidos el hacer reír a los más metiéndose con los menos» (p. 83). Y luego otra: «Y que tampoco me parece de hombres el salir con bromas a los insultos» (página 83). Riñen brevemente. Pascual, luego, no tiene empacho en confesarnos —ya que su reacción es propia del medio ambiente social en donde vive— que de pronto:

> Me levanté, y me fui hacia él, y antes de darle tiempo a ponerse en facha, le arreé tres navajazos que lo dejé como temblando (pág. 84).

Pero el lector ha de saber que entre gente «bien nacida», atacar de improviso al adversario y sobre todo con navaja en mano, constituye un alevoso acto de cobardía, y es lo contrario de lo que haría un «bien nacido» o un verdadero hombre. Empezamos a preguntarnos si «la sangre es el abono» de la vida de Pascual, tal como lo dirá más tarde Lola, su esposa. Irónicamente, la escena se remata con el ensangrentado Zacarías dirigiéndose a la botica mientras que Pascual, achacándole la culpa («El se lo buscó...; ¡Si no hubiera hablado!...», página 85), se aleja con algunos amigos y asegura —aunque sin llegar a convencernos del todo— que tiene la conciencia bien tranquila. A estas alturas el lector ha de estar plenamente advertido de que no pude aceptar ciegamente las interpretaciones de Pascual debido al poco fundamento en que se apoyan. Aun cuando tiene un complicado proceso de discurrir, sencillamente no piensa con lógica.

Así, pues, de una manera u otra, Cela deja entrever que el propio Pascual es, en gran parte, responsable de la mayoría de las desgracias que le acontecen. Pero debido quizá a no discernir con objetividad, razona éste sin lógica y rehuye su responsabilidad, invocando casi siempre una excusa o un motivo para eludir su obligación o disculpar un acto reprobable. En el episodio donde, obcecado por la rabia, mata salvajemente a la yegua clavándole el cuchillo «lo menos veinte veces» —narrado, además, con el mismo despego con que ha contado las circunstancias en que mató a la perra— Pascual ve justificado el acto vengativo por considerar que el animal, al descabalgar a su esposa, fue responsable del subsiguiente aborto. Pero aun aparte del concepto primitivo de que un animal irracional pudiera tener tal culpa, el responsable es el propio Pascual. Dado lo espantadizo de la yegua —visto por él poco antes en el mismo viaje de luna de miel— y el estado delicado de su esposa, estaba obligado a darse cuenta de que no convenía mandarla a casa sola, «jineta en la hermosa yegua», mientras se reunía él en la taberna con sus compañeros.

Furioso por haber perdido a su hijo, Pascual hace luego un comentario que contrasta cínicamente con el gran dolor que ostensiblemente le atenaza: «Por seguro se lo digo que —aunque después, al enfriarme, pensara lo contrario— en aquel momento no otra cosa me pasó por el magín que la idea de que el aborto de Lola pudiera habérsele ocurrido tenerlo de soltera. ¡Cuánta bilis y cuánto resquemor y veneno me hubiera ahorrado!» (p. 89). Buscando justificar el «humor endiablado» que le invade, aun cuando al año queda nuevamente embarazada su esposa, lo achaca a ese «desgraciado accidente». La tensión que empieza a destruir a todos —a su esposa, a su madre, a su hermana y a él— la cultivaban todos «gozosos», dice Pascual. Sin embargo, a *ellas* les achaca la culpa por no entender «de caracteres».

Cuando muere el segundo hijo, es comprensible que la mentalidad supersticiosa de Pascual y de su esposa atribuya a «algún mal aire traidor» la muerte del niño, pues ven en ello un elemento sobrenatural. Pascual no intenta mitigar ni tolera siquiera el dolor de las tres mujeres. Al contrario, se lo reprocha porque a él le hacen la vida inaguantable al seguir hablando del difunto niño. Las censura por no consolarle a *él:* «y de esas tres mujeres, ninguna, créame usted, ninguna, supo con su cariño o con sus modales hacerme más llevadera la pena de la muerte del hijo; al contrario, parecía como si se hubiesen puesto de acuerdo para amargarme la vida» (p. 5). Pascual continúa inculpando a las tres mujeres y presiente que tarde o temprano recurrirá a la violencia, si bien confusamente atribuye ésta al destino. La tragedia se evita, sin embargo, porque refrena —y es quizá la única vez— sus instintos de destrucción. Al prever un trágico desenlace al intolerable ambiente hogareño se aconseja huir del pueblo.

Cuando vuelve, al cabo de dos años, acaecen no una sino dos desgracias: la muerte de su esposa, a quien halla embarazada a su regreso, y la del *Estirao.* Ya no puede extrañar al lector que Pascual atenúe o desconozca totalmente su papel en precipitarlas. La primera la achaca al *Estirao,* autor del embarazo de Lola, llamándole «asesino» de su mujer. Así tranquiliza la conciencia por el acto cruento que ya está decidido a cometer. Aunque aquí como en el asesinato del Conde de Torremejía, el autor deja de precisar, adrede, la causa del fallecimiento de Lola, las expresiones de miedo de ella son fundamento para suponer que murió del susto. Pascual, sin embargo, no tiene conciencia de haberle infundido tal miedo; ignora que al insistir porfiadamente en saber la identidad del hombre a quien se había entregado la hace sospechar el crimen que ya medita, pues Lola sabe que «la sangre parece como el abono» de su vida. A Cela se le ha echado en cara con justicia lo inverosímil de esta escena, ya que «Ninguna enfermedad parece aquejar a esta robusta mujer ni tampoco la imaginamos capaz de poderse morir de un susto. Pues bien: apenas ha confesado a Pascual el manejo que se ha traído con el *Estirao,* se cae redonda por las buenas. Para encontrar tan melodramática situación nos hubiera parecido necesario remontarnos a la época de *El Trovador* o *Los amantes de Teruel,* pero aquí nos la ofrecen en un libro que pretende «asir al toro por los cuernos» [28]. Indudablemente, esta

---

[28] JUAN LUIS ALBORG, *Op. cit.,* p. 86.

inverosimilitud quita «realidad» a la obra; pese a ello, creemos que encaja perfectamente —si bien de manera exagerada— dentro del sistema de ironías de que venimos hablando.

Sea como fuere, Pascual no tiene empacho en confesar el haber premeditado libre y voluntariamente la muerte del *Estirao*. «Salí a buscar al asesino de mi mujer —dice—, al deshonrador de mi hermana, al hombre que más hiel llevó a mis pechos...» (p. 118). Pero ya se había fugado El Estirao. En el diálogo que se desarrolla cuando finalmente se encuentran los dos, Pascual acusa al otro, no sin *cierta* razón, de corromper a su hermana y a su esposa:

> —*Estirao,* has matado a mi mujer...
> —¡Que era una zorra!
> —Que sería lo que fuese, pero que tú la has matado; has deshonrado a mi hermana...
> —¡Bien deshonrada estaba cuando yo la cogí!
> —¡Deshonrada estaría, pero tú la has hundido!
> —¿Quieres callarte ya? Me has buscado las vueltas hasta que me encontraste; yo no he querido herirte, y no quise quebrarte el costillar...
> (Página 121.)

Puede advertirse en las respuestas del *Estirao* verdad para demostrar que no tiene toda la culpa atribuida a él. Con repugnancia comenta Pascual la cobardía y nerviosidad de aquél y la «sonrisa cobarde» de su hermana Rosario. Pero tal como sucede en la riña con Zacarías, rezuma ironía la escena ya que su violenta embestida contra El Estirao —con ventaja y con meditación plena— es, a su vez, el colmo de la cobardía:

> En aquel momento estaba frío como un lagarto y bien pude medir todo el alcance de mis actos. Me tenté la ropa, medí las distancias y, sin dejarle seguir con la palabra para que no pase lo de la vez anterior, le di tan fuerte golpe con una banqueta en medio de la cara que lo tiré de espaldas y como muerto contra la campana de la chimenea (pág. 121).

Y a mayor cobardía llega Pascual cuando, ya en tierra el otro, le pone una rodilla en el pecho y por no soportar su chulería, le remata contra toda razón.

Podríamos decir que aquí, al igual que en el caso de la perra, de la yegua y de Zacarías, Pascual se entrega a una pasión ciega y vengativa, rematando cada suceso con un arrebato de tipo criminal cual si ésta fuera la única solución posible. El lector se siente desgarrado, pues si bien se identifica con él en cuanto a su tragedia, no lo hace en cuanto a sus brutalidades. Y, sin embargo, estos hechos entrañan una ironía todavía mayor: la paradoja de la normalidad en las reacciones de Pascual. Dentro del medio ambiente inculto y bárbaro en que vive, su comportamiento es normal, a juzgar por los comentarios hechos en el pueblo. Dice León a Sebastián, refiriéndose al asesinato del *Estirao* por parte de Pascual: «no hizo más que lo que hubiéramos hecho cualquiera». Responde el otro: «Defender a la mujer.» Mas el lector ha visto que no hubo ninguna defensa de Lola, pues con matar al *Estirao,* no la defendió Pascual. Es más: al abandonarla y viajar dos años por Madrid y La Coruña (e intentar ir a América), la expuso a peligros innecesarios [29].

En la medida en que Cela aumenta las proporciones de cada nuevo arrebato delictuoso va desenvolviendo un clima de ironía cada vez mayor. Primero Pascual mata sólo a una perra [30], luego hiere a un compañero; más tarde mata a una yegua; después a un hombre y por fin llega al extremo, a lo sagrado: a su propia madre. Notamos en el autor, pues, una marcada tendencia progresiva a excederse en el manejo de las circunstancias trágico-irónicas de su protagonista, lo cual, por lo demás, es corroborado por él mismo: «quise ir al toro por los cuernos y, ni corto ni perozoso, empecé a sumar acción sobre la acción y sangre sobre la sangre, y aquello quedó como un petardo» [31].

Así, las cavilaciones de Pascual al urdir la muerte de su madre encierran una ironía tan extravagante que si no engendraran repercusiones nefandas —el matricidio— serían verdaderamente cómicas. Nos brinda ahora la más ingeniosa excusa: no sólo se exime de la culpa del crimen sino que achaca éste al hecho de ser *bueno* él. Veamos su raciocinio. Por haber asesinado al *Estirao,* dice, fue sentenciado a veintiocho años de cárcel. Pero tan bien se portó y tan grande fue el celo que puso en cumplir con las autoridades, que le pusieron en libertad después de sólo tres años, aguijándole así a perpetrar el crimen que resultó ser el mayor de todos. «Creyendo que me hacían un favor —increpa Pascual—, me hundieron para siempre» (páginas 123-124). En la ironía que, línea tras línea, rezuma todo este pasaje, se siente el mal disimulado deleite del autor en irnos embaucando con maravillosas «justificaciones».

Cela se desmesura en este episodio, abrumándonos con paradojas e incongruencias que nacen de los pretextos que con magistral habilidad invoca Pascual para disculpar sus siniestros designios. Pero ya

---

[29] Por ello no podemos concordar con PAUL ILIE cuando asegura que Pascual es víctima de circunstancias fuera de su control. Como ejemplo de ello señala «la actividad adúltera de una esposa sobre la que carece de control» (*Op. cit.,* página 73). Lo cierto es que Pascual renunció al control de ella al abandonarla. Cuando vivía con ella, no hubo ninguna infidelidad.

[30] Debido al desorden cronológico de la novela, la muerte de la perra se nos presenta como fruto del primer arrebato de Pascual. Mas en realidad ocurre primero la riña con Zacarías.

[31] CAMILO JOSÉ CELA, *Mrs. Caldwell habla con su hijo* («Algunas palabras al que leyere»). Barcelona, Ediciones Destino, 1958, p. 10.

sabemos a qué atenernos. Desde mucho antes, el propio Pascual nos viene preparando para ello, al contarnos cómo, debido al «corazón duro» de su madre, se iban entibiando las relaciones filiales con ella hasta convertirse en plena enemistad. El odio que paulatinamente le consume enquista en él cada vez más fuertemente el deseo de matarla. Cuando dice que «¡La mujer que no llora es como la fuente que no mana, que para nada sirve, o como el ave del cielo que no canta, a quien, si Dios quisiera, le caerían las alas, porque a las alimañas falta alguna les hacen!» (p. 63), es evidente que el «si Dios quisiera» equivale a «si Pascual quisiera», y que a la mujer que no llora —su madre— le corresponde lo que al ave que no canta: cortarle las alas porque, siendo alimaña, de nada le sirven. Mayor ironía que ésta no cabe, pues si bien Pascual es incapaz de tolerar el más leve mal en los demás, paradójicamente se apoya en él para justificar el hacer un mal de mucha mayor proporción. No censura en él mismo el odio hacia la madre y los deseos de matarla, sino que los justifica por el mal que en ella hay. Aun en los momentos de contar éste su mayor crimen, se interrumpe, haciendo así un paréntesis irónico, para comentar la maldad ajena. Alguien, se lamenta Pascual, le robó tres capítulos de sus memorias:

> ... pero me los robaron (todavía no me he explicado por qué me los quisieron quitar), aunque a usted le parezca tan extraño que no me lo crea, y entristecido por un lado con esta madad sin justificación que tanto dolor me causa... (Pág. 124.)

Al maquinar el asesinato, Pascual se enmaraña en un laberinto de ideas contradictorias que indican, tal como ha señalado la crítica, que no comprende su propio mundo. Intenta justificar el crimen presentido al convencerse de que no le queda otro recurso. Aun cuando le es forzoso reconocer que existe la posibilidad de huir, no lo hace, «¡quién sabe si por cobardía, por falta de decisión!» (p. 136). Con nociones confusas y ambiguas, cree que está impulsado por el destino; sin embargo, en su candidez no prescinde de contarnos ciertos hechos cuyo alcance no aprecia del todo, pero que al lector le revelan las debilidades de su raciocinio, indicando claramente el papel que desempeñó su propia voluntad en provocar el asesinato. No nos oculta que en un día determinado, y a sabiendas, tomó la decisión: «El día que decidí hacer uso del hierro tan agobiado estaba, tan cierto de que el mal había que sangrarlo, que no sobresaltó ni un ápice mis pulmones la idea de la muerte de mi madre» (p. 138). Pese a culpar al destino, reconoce que él mismo ejercitó su voluntad, provocando el acto: «Era algo fatal que había de venir y que venía, que yo había de causar y que no podía evitar aunque quisiera, porque me parecía imposible cambiar de opinión, volverme atrás...» (p. 138). Se vislumbra, por tanto, que no *quiso* evitarlo, que no *quiso* volverse atrás. Tal vez sin darse cuenta, hace palpable su culpa cuando reconoce, ya viejo y en la cárcel, estar arrepentido por lo que hizo, pero que «entonces gozaba en provocar con el mismo cálculo y la misma meditación por lo menos con los que un labrador emplearía para pensar en sus trigales...» (p. 138). Buscando excusas en que apoyarse, Pascual logra convencerse de que su propia vida pende de la muerte de su madre. El día que decidió llevar a cabo el asesinato, dice, lucía un sol espléndido, y unos niños jugando en la plaza le hacían dudar de su propósito. Inconsciente de la ironía de sus palabras, nos dice que tuvo que hacer un gran esfuerzo para sobreponerse: «procuré vencerme y lo conseguí». Tan indispensable considera el llevar a cabo su decisión que, en última instancia, se reduce a ser «una cuestión de amor propio»:

> ... volverme atrás hubiera sido imposible, hubiera sido fatal para mí, me hubiera conducido a la muerte, quién sabe si al suicidio. Me hubiera acabado por encontrar en el fondo del Guadiana, debajo de las ruedas del tren... No, no era posible cejar, había que continuar adelante, siempre adelante, hasta el fin. Era ya una cuestión de amor propio ..
> (Pág. 13.)

Desde luego, brota la ironía de estas cavilaciones justificadoras del hecho de que el mismo Pascual es quien, inadvertidamente, va fabricando la elaborada estructura que le habrá de perder. Su raciocinio, aparentemente «lógico», resulta un sofisma, una inversión de la verdad debido a su posición falsa [32]. Nace la ironía de la discrepancia entre su interpretación inexacta de los hechos y los hechos mismos, pues su vida no pende de la muerte de su madre. No tiene por qué matarla. La razón aparente con que quiere hacernos creer lo que es falso se ve en afirmaciones como: «de aquellos actos a los que nos conduce el odio, a los que vamos como adormecidos por una idea que nos obsesiona, no tenemos que arrepentirnos jamás, jamás nos remuerde la conciencia» (p. 139). Al matar a su madre no le remorderá la conciencia, dice, porque no será una injusticia: «La conciencia sólo remuerde las injusticias cometidas: de apalear a un niño, de de derribar una golondrina...» (p. 139).

Asimismo, se anima a veces de humor sardónico el discurrir de Pascual mediante comentarios que encierran conceptos ambivalentes. Como el valor dado por Pascual es antagónico al que se debería entender, al lector le llega con sentido irónico. Al describir la riña con Zacarías, Pascual dice: «Los amigos se echaron a un lado, que nunca

---

[32] Sin embargo, GREGORIO MARAÑÓN considera a Pascual «bárbaramente lógico». Pascual, afirma él, «no se podía dar cuenta de su monstruosidad, a fuerza de ser bárbaramente lógico», (*Op. cit.*, p. 31).

fuera cosa de hombres meterse a evitar las puñaladas». Si para Pascual es dejar que cada quien resuelva sus pleitos aun cuando se maten, para Cela, en cambio, es impedir que sea vertida la sangre. Pascual, así, aprueba el que «nunca fuera cosa de hombres meterse a evitar las puñaladas», mientras que Cela, claro es, lo lamenta. La ironía se acrecienta por el hecho de que el lector, consciente del doble sentido de estas palabras, sabe que Pascual lo ignora. Ambigüedades de esta clase salpican la obra, amenizándola. Insensible a la crítica irónica que encierran sus palabras, dice con entera sinceridad Pascual refiriéndose a su padre: «borracho y pendenciero sí sería, pero cristiano viejo y de la mejor ley también lo era...» (p. 53). Y de Esperanza, su segunda esposa: «era muy religiosa y como dada a la mística, cosa rara por aquellas tierras, y se dejaba llevar de la vida, como los gitanos, sólo con el pensamiento puesto en aquello que siempre decía: ¿Para qué variar? ¡Está escrito!'» (p. 133). Otras veces, la ironía se hace francamente burlesca. Tal es la escena donde Pascual pasea en Madrid con el celoso Estévez y su esposa. Cuando a Estévez le parece que un paseante coquetea con su esposa, no tiene empacho en armar una bronca donde no llegan, sin embargo, a las manos. Pascual, acostumbrado a recurrir a la violencia por el menor motivo, queda admiradísimo. Dice:

> Se mentaron a las madres, se llamaron a grito pelado chulos y cornudos, se ofrecieron comerse las asaduras, pero lo que es más curioso, ni se tocaron un pelo de la ropa. Yo estaba asustado viendo tan poco frecuentes costumbres, pero, como es natural, no metí baza... (Pág. 110.)

Como hemos podido constatar, pues, el mundo construido por Pascual, al parecer coherente, es, en realidad, incoherente. Si en ello repara el lector percibirá la red de ironías que estructura la obra y la intención estética con que ésta fue escrita. Al tener presente dicho sistema de ironías adquirirá nuevas proporciones la imagen de Pascual, su familia y el mundo en que viven. No es, ni pretende ser, huelga decirlo, un mundo «realista» como lo es el ambiente veraz creado por Sánchez Ferlosio en *El Jarama* o por Juan García Hortelano en *Nuevas Amistades* y *Tormenta de verano*. La reducción de lo humano no es tanto emanación directa del ambiente rural español como fruto del placer creador de un autor que, dotado de una ironía tan fértil como sádica, se complace en crear lo grotesco y lo sombrío. En lo fundamental, sin embargo, Cela nos ha dado un aspecto vivo de la realidad española.

[*Revista Hispánica Moderna,* Nueva York, XXX (1964) pp. 279-298.]

DAVID WILLIAM FOSTER

NADA, DE CARMEN LAFORET

EJEMPLO DE NEO-ROMANCE EN LA NOVELA CONTEMPORANEA

> ¿Quién puede entender los mil hilos que unen las almas de los hombres y el alcance de sus palabras? No una muchacha como era yo entonces [...]. Recordé las palabras de la Biblia, en un sentido completamente profano: «Tienen ojos y no ven, tienen oídos y no oyen»... A mis ojos, redondos de tanto abrirse, a mis oídos heridos de escuchar, había faltado captar una vibración, una nota profunda en todo aquello... (p. 213).
> Estas visiones espantosas me persiguieron aquel día de verano con monótona cruedad. En los atardeceres sofocantes, en las noches larguísimas cargadas de lánguida pesadez, mi corazón aterrado recibía las imágenes que mi razón no era suficiente para desterrar (p. 293).

Carmen Laforet ha desaparecido casi totalmente de la vanguardia de la novela española de hoy. Aunque su primer libro, *Nada* (1945) promovió cierta merecida atención, fuera de la cortesía por parte de los críticos que la mencionan de paso en sus panoramas generales y fuera de las breves y no siempre entusiásticas opiniones que sus últimos libros han ocasionado, Carmen Laforet se conoce principalmente como la precoz escritora de *Nada*[1]. Y, aunque sus últimos intentos sean fallidos, no han perjudicado la brillantez de la obra que vino a ser uno de los guiones para la joven novela española de postguerra.

Nada es un libro raro, lleno de un ambiente de tensión y de emociones violentas. Sugiere en vez de delinear y proporciona al lector muchos momentos de detenida reflexión sobre los motivos de la galería de personajes bíblicos que el relato exhibe. Como novela, es una historia de acciones, de conflictos y de confrontaciones entre seres descentrados que viven en un mundo completamente anormal.

---

[1] Ver los siguientes estudios generales de la obra de Carmen Laforet: JUAN LUIS ALBORG, «Carmen Laforet», en su *Hora actual de la novela española*, Madrid, 1958, pp. 125-134; EUGENIO G. DE NORA, «Carmen Laforet», en su *Novela española contemporánea*. Madrid, 1958, II, pp. 147-155; CYRUS C. DECOSTER, «Carmen Laforet: A Tentative Evaluation», *Hispania*, XL, 1957, 187-191; RAFAEL VÁZQUEZ ZAMORA, «Appearance of Carmen Laforet on the Spanish Literary Scene», *Books Abroad,* XXX, 1956, 394-396; M. DEL P. PALOMO, «Carmen Laforet y su mundo novelesco», *Monteagudo*, núm. 22, 1958, pp. 7-13; J. HORRENT, «L'oeuvre romanesque de Carmen Laforet», *Revue des langues vivantes*, XXV, 1959, pp. 179-187; SHERMANN EOFF, «*Nada* by Carmen Laforet: a Venture in Mechanistic Dynamics», *Hispania,* XXXV, 1952, pp. 207-211.

La joven narradora penetra este mundo, representado por la casa avuncular en la calle Aribau en Barcelona. De escasa madurez y poco conocedora de la vileza del hombre, llega a apreciar las vicisitudes del alma y a conocerse a sí misma durante el año que pasa en ese ambiente, antes de ser llevada por la familia de su amiga a Madrid para completar sus estudios.

El encuadrar la novela de Laforet dentro de las corrientes temáticas de nuestra época ha detenido el interés de varios críticos, cuyas opiniones se concentran alrededor de un análisis que ve el pequeño mundo de la casa de Aribau como símbolo de la degeneración general de la moral en la España de después de la guerra civil[2]. Este análisis, que tiende a ser atribuido a todo tema de vileza y corrupción humanas en la literatura de posguerra, es poco satisfactorio no sólo para el crítico que estima la literatura más por su mensaje universal que por su pequeño valor de documento social, pero también para el lector de *Nada* que se da cuenta de la manera en que la casa de Aribau constituye un mundo aparte de la vida que transcurre fuera. Andrea, la narradora-protagonista que apunta el contraste entre la vida de la casa y la vida que lleva, escapa de su influencia vertiginosa. Y el ir a Madrid constituye a su modo de ver un escape definitivo de lo que ha sido por un año un verdadero infierno.

Entonces, cabe preguntarse por qué es el mundo de la casa tan distinto y tan anormal. La clave viene en las últimas páginas, cuando las dos hijas casadas culpan a su madre, la abuela de Andrea, por el suicidio de su hermano Román. A sus ojos, la indulgencia de una madre demasiado generosa y demasiado perdonadora para con sus dos hijos ingratos es, en el fondo, la razón principal de la decadencia de los valores familiares que se ve reflejada en el constante alboroto de la casa (pp. 289-90)[3]. Aunque no quisiera admitírselo, el otro hermano, que presencia este «juzgado» de sus hermanas, sólo puede estar de acuerdo con él. Puede ser que los acontecimientos que se atribuyen a estos excesos de amor maternal —el suicidio en particular, aunque éste es causado, por supuesto, por otros factores— sean exagerados. El hecho es que ostensiblemente así es la situación en que Andrea se encuentra. Pero lo que importa es Andrea, y no las circunstancias de su familia. La novela está dedicada a exponer el creciente conocimiento por parte de ella de las emociones y de los motivos de los hombres en general y de sí misma en particular. El ser el lienzo de este proceso un poco exagerado

---

[2] DeCoster escribe que: «Like most present day novelists, Laforet was less interested in the plot of *Nada* than in the characters in the portrayal of the moral and intellectual climate of postwar Spain» (p. 187).

[3] Nuestra edición es la decimotercera. Barcelona, 1960.

posiblemente quepa lamentarlo, pero no afecta directamente a la evolución de la personalidad de Andrea.

Pero al mismo tiempo, desde el punto de vista de la técnica literaria, es necesario prestar atención a la manera en que la autora se ha resuelto a alcanzar su propósito. El hecho de que haya construido una situación o circunstancia exagerada, para poner en relieve a Andrea, demuestra que Carmen Laforet se ha valido de la orientación del romance para su novela. El romance es una de las varias posibilidades de enfoque para la novela, y seguramente una de las más antiguas y venerables [4]. Escribiendo de la vitalidad del romance en la novela norteamericana, Richard Chase [5] diferencia entre la novela en el sentido más estrecho de la palabra y el romance del siguiente modo:

> Doubtless the main difference between the novel and the romance is the way in which they view reality. The novel renders reality closely and in comprehensive detail. It takes a group of people and sets them going about the business of life. We come to see these people in their real complexity of temperament and motive. They are in explicable relation to nature, to each other, to their social class, to their own past. Character is more important than action and plot, and probably the tragic or comic actions of the narrative will have the primary purpose of enhancing our knowledge of and our feeling for an important character, a group of characters, or a way of life.
>
> By contrast the romance, following distantly the medieval example, feels free to render reality in less volume and detail. It tends to prefer action to character, and action will be freer in a romance than in a novel, encountering, as it were, less resistance fro m reality. ... The romance can flourish without providing much intricacy of relation. The characters, probably rather two-dimensional types, will not be complexly related to each other or to society or to the past. (Págs. 12-13.)

Si aceptamos la posibilidad de que la novela de Laforet sea un ejemplo contemporáneo del romance en España, será posible examinarla en términos más generales de los que la definen como una alegoría social.

Pero antes de considerar los detalles de la elaboración narrati-

---

[4] Desgraciadamente, no existe en español una palabra que corresponda exactamente a «romance» en inglés. Esta palabra significa naturalmente «balada» en español, y la empleamos aquí con la confianza de que no se entienda equivocadamente.

[5] *The American Novel and its Tradition.* Garden City, N. Y., 1957. Aunque no se dirige a este aspecto en términos específicos, Vázquez Zamora reconoce un parentesco entre *Nada* y los sentimientos del Romanticismo: «In her last narrative, we note that this writer has found her balance and has gained in art what she has lost in «creative frenzy» and in neo-Romanticism [...]» (p. 396). Varias de las observaciones de Nora apoyan también nuestro análisis de la forma y la intención de la novela ((ver p. 150 de su estudio).

va de *Nada,* sería conveniente aquí indagar el sentido del romance en las letras del siglo XX. El romance, como se sabe muy bien, tiene sus raíces en la narrativa estilizada del medioevo, que trataba de los aspectos del alma humana y su moral, tan importantes a la cultura de aquel tiempo, en contraste con la epopeya que, prefigurando la novela clásica de los dos siglos pasados, se preocupaba de la sociedad feudal y de sus valores y los hombres que los perpetuaban [6]. En el siglo XVIII, principalmente en Inglaterra y Francia, la novela emerge como forma predominante de la prosa de ficción y como la forma literaria más apropiada para reflejar los valores y los sentimientos de la nueva burguesía. La novela social o ética hasta nuestros días mantiene más o menos la misma forma que los grandes escritores forjaron en el siglo XVIII y a fines del siglo pasado. En España la ficción de Cela no sólo es indicativa de la vitalidad de la novela, sino que asimismo revela la manera de escribir novelas en el siglo XX [7].

El romance, por otra parte, volvió a surgir en el período romántico, reflejando la preocupación de esa época por las emociones del individuo, y por la manera más eficaz de revelarlas, en lugar de su papel en la sociedad en general. La capacidad del romance de prestarse a la exageración desenfrenada y a las situaciones artificiales contribuyó en gran parte a hacerlo grato a los románticos, los desorbitados (El Monje Lewis) tanto como a los más sosegados (Emily Brontë). La novela de las últimas décadas del siglo XIX, que tomó ímpetu de razones más sociológicas que literarias, suprimió el romance, especialmente en España, que de todos modos nunca tuvo romances de primera categoría.

En nuestro siglo dos factores han contribuido a que el romance haya recobrado parte de su antiguo vigor. En primer lugar, las literaturas americanas, que deben sus características principales al siglo XIX, han servido para mantener la tradición, si no intacta, por lo menos en potencia. El libro de Chase es convincente respecto a la tradición norteamericana; hasta la fecha la novela hispanoamericana no se ha examinado en términos del estudio del profesor Chase, pero es muy posible que un estudio de tal orientación ofrezca datos muy significativos sobre la naturaleza de la tradición novelesca en esos países.

La otra razón por la cual el romance ha alcanzado nuevas posibilidades se encuentra en una falta de fe en la novela tradicional, que confía demasiado en los hombres, sus emociones y sus motivos. Es una falta que ha creado la nueva novela en Francia y las otras varias

---

[6] Ver el estudio de WILLIAM PATON KER, *Epic and Romance,* New York, 1896, 1957.

[7] Ver mis estudios «*La colmena,* de CAMILO JOSÉ CELA, y los escritos de éste sobre la novela», *Hispanófila* y «Celas Changing Concept of the Novel», *Hispania.*

manifestaciones de la consabida «anti-novela» de nuestro siglo. El romance se ha aprovechado de esta situación no tanto en Europa (véase la obra de J. Gracq) como en los Estados Unidos, donde el mercado para ficciones a base de la pregunta «¿qué sucedería si...?» es casi ilimitado (véanse las últimas obras de John Hersey, por ejemplo, y las novelas sobre el tema de la «guerra fría»)[8]. Sus características predominantes y permanentes son la exageración de una circunstancia significativa y la preocupación por la naturaleza del alma humana.

En el caso de *Nada,* esta novela expone el proceso de conocimiento de la joven narradora. Es significativo que Andrea llegue sola a la casa de la calle de Aribau, y que la deje sola. La muchacha universitaria es el punto focal de la narración, y es natural que así la veamos. El mundo de la casa es casi una unidad hermética, a ella llega y de ella sale después de pasar un año dentro de sus confines, dejándola casi intacta.

La perspectiva de la novela es la de Andrea. Como narradora única del relato, vemos la casa, sus habitantes, y los acontecimientos, solamente desde su punto de vista. Naturalmente, este narrar en la primera persona tiene sus severas limitaciones. Tenemos que aceptar lo que nos dice Andrea, aunque a veces es posible llegar a conclusiones diferentes de las que ella propone. Pero, por la mayor parte, nuestra impresión es la de ella, y parece que la autora no intenta una ironía con esta perspectiva. Sabemos que Andrea está recordando y analizando cosas y emociones de hace un par de años, y por eso hay una bifurcación siempre presente entre lo que sucedió y la manera en que la joven recuerda que sucedió. Ella nunca se detiene a contrastar sus reacciones de ahora con las de ese entonces —los dos estados se funden para dar un panorama uniforme del creciente ensanchamiento de la perspectiva de la muchacha que está aprendiendo «cómo es la vida». Por eso, las palabras de su tío Juan son irónicas, cuando le dice a su sobrina al despedirse ella de la casa: «—Bueno, ¡que te vaya bien, sobrina! Ya verás cómo, de todas maneras, vivir en una casa extraña no es lo mismo que estar con tu familia, pero conviene que te vayas espabilando. Que aprendas a conocer lo que es la vida...» (p. 299). Son irónicas, porque Andrea se las promete bien en la casa de su amiga, y siente un gran alivio al dejar la casa familiar.

---

[8] La posibilidad de que la ficción científica sea otra forma contemporánea del «romance» es interesante. Hay dos corrientes principales de este género: la que analiza las idiosincrasias de la sociedad bajo la máscara de lo irreal o lo hipotético, y la que examina al hombre y su personalidad bajo las mismas máscaras que, aunque varíen, han de probar que el alma humana no varía y nunca será diferente de lo que es. Ver el fascinante estudio de KINGSLEY AMIS *New Maps of Hell,* New York, 1960.

La casa de la calle de Aribau desempeña un papel sumamente significativo en la estructura de la novela. Varios lectores han notado el aspecto gótico de la casa —aunque la novela dista mucho de los romances góticos del siglo pasado, un subgénero de esta forma de ficción con una orientación temática hacia la Edad Media— y se ha mencionado el parentesco entre la obra de Carmen Laforet y algunos aspectos de *Wuthering Heights* de E. Brontë y *The Fall of the House of Usher* de Poe [9]. Estas sugerencias son interesantes porque mantienen marginalmente el análisis de *Nada* como romance —las dos obras mencionadas además de ser ejemplos clásicos de romance, éste americano, aquél inglés, emplean el motivo de la casa en una manera análoga a la de Carmen Laforet, es decir, como un símbolo del alma humana y sus conflictos y como un lienzo para la narración. Es un pequeño mundo donde se ven todos los problemas y todas las tensiones del alma en su lucha con el bien y el mal.

Andrea, como hemos observado, penetra en este mundo con toda la inocencia de una joven de dieciocho años de edad que llega al torbellino que es Barcelona. Sus primeras impresiones de la casa son reveladoras:

> Todo empezaba a ser extraño a mi imaginación; los estrechos y desgastados escalones de mosaico, iluminados por la luz eléctrica, no tenían cabida en mi recuerdo (pág. 13).

> Luego me pareció todo una pesadilla (pág. 13).

> En toda aquella escena había algo angustioso, y en el piso un calor sofocante como si el aire estuviera estancado y podrido. Al levantar los ojos vi que habían aparecido varias mujeres fantasmales. Casi sentí erizarse mi piel al vislumbrar a una de ellas, vestida con un traje negro [...]. Todo en aquella mujer parecía horrible y desastrado, hasta la verdosa dentadura que me sonreía [...]. Luego me dijeron que era la criada, pero nunca otra criatura me ha producido impresión más desagradable (pág. 15) [...].

> Parecía una casa de brujas aquel cuarto de baño. Las paredes tiznadas conservaban las huellas de manos ganchudas, de gritos de desesperanza. Por todas partes los desconchados abrían sus bocas desdentadas rezumantes de humedad. Sobre el espejo, porque no cabía en otro sitio,

---

[9] ALBORG no reconoce una influencia directa, pero nota que: «*De Cumbres borrascosas* tiene *Nada* —tan distinta por su fondo argumental— la tendencia al clima de «suspense» y de misterio con que se aderezan sin demasiada justificación ciertas escenas, y la afición a las psicologías desorbitadas, a los caracteres enfermizos y turbios, a los imprevistos arrebatos» (p. 128). Considérese también la observación de VÁZQUEZ ZAMORA de que España «finally had a novel of great force which was not preoccupied with beauty of language nor with technique. It was a case which can be compared perfectly with that of Emily Brontë and her *Wuthering Heights*» (p. 395).

había colocado un bodegón macabro de besugos pálidos y cebollas sobre fondo negro. La locura sonreía en los grifos retorcidos.

Empecé a ver cosas extrañas como los que están borrachos (pág. 17).

Aquel iluminado palpitar de las estrellas me trajo en tropel toda mi ilusión a través de Barcelona, hasta el momento de entrar en este ambiente de gentes y de muebles endiablados. Tenía miedo de meterme en aquella cama parecida a un ataúd. Creo que estuve temblando de indefinibles terrores cuando apagué la vela (pág. 19).

Estas citas, tomadas de las primeras páginas de la novela, demuestran cuán importante en el desarrollo de la novela es la casa. La aparente objetividad de las descripciones resulta de la distancia de la mujer que escribe a la joven que experimenta las emociones de choque violento con el nuevo ambiente descentrado en el cual se viene a encontrar. Por el momento, la casa constituye un elemento aislado para Andrea; todavía no ha entrado totalmente en el ritmo de su existencia. Su tío Román, el que se va a suicidar, la hace darse cuenta de cómo es la vida de la casa: «—Aquello es como un barco que se hunde. Nosotros somos las pobres ratas que, al ver el agua, no sabemos qué hacer... Tu madre evitó el peligro antes que nadie marchándose. Dos de tus tías se casaron con el primero que llegó, con tal de huir» (p. 40).

Andrea nunca se hunde totalmente en el ambiente de la casa; si así fuera el caso, nunca habría podido escapar. Su vida habría ido a terminar o en el suicidio, como su tío, en la senilidad de su abuela, o en la desesperación abúlica del tío Juan. Pero al mismo tiempo no cabe duda de que el mismo aire de la casa influye en el ánimo de la muchacha. Durante el año que está con sus parientes nos describe cómo pasa por momentos de angustia, de confusión, y de tormentos porque no puede acomodarse a la vida de la casa y a las realidades de sí misma que su contacto con esos desesperados le está revelando. En los períodos de alta tensión que preceden a su escape de los confines sofocantes de aquel mundo, tiene que confesarse que:

[...] yo misma, Andrea, estaba viviendo entre las sombras y las pasiones que me rodeaban. A veces llegaba a dudarlos (pág. 219).

Me parecía que de nada vale correr si siempre ha de irse por el mismo camino, cerrado, de nuestra personalidad. Unos seres nacen para vivir, otros para trabajar, otros para mirar la vida. Yo tenía un pequeño y ruin papel de espectadora. Imposible salirme de él. Imposible libertarme. Una tremenda congoja fue para mí lo único real en aquellos momentos. [...] En realidad, mi pena de chiquilla desilusionada no merecía tanto aparato. Había leído rápidamente una hoja de mi vida que no valía la pena de recordar más. A mi lado, dolores más grandes me habían dejado indiferente hasta la burla... (págs. 229-230).

Cuando la narradora escribe estas palabras está para concluir la segunda parte de la novela, y ya no escribe de la misma muchacha que se asustó de su nuevo hogar en las primeras páginas. Mientras la línea de la narración sigue a Andrea en sus intentos de armonizar en su alma las impresiones de los muchos choques con la realidad de la vida que está experimentando, la novela se estructura con el propósito de que todo ocurra con relación al mundo de la casa. La obra está dividida en tres partes, cada una de ellas corresponde a una etapa en el desarrollo de la personalidad de Andrea. La primera parte es la «iniciación» de la muchacha, y narra sus relaciones con la casi desesperada tía Angustias. Esta se empeña en dirigir la vida de su sobrina, y Andrea sufre mucho bajo los ojos siempre vigilantes de Angustias. La mujer solterona le amonesta que la ciudad es un infierno y que está preocupada por ella (p. 25). Trata de protegerla y de servir como intermediaria entre Andrea y los otros, aunque no tiene mucho éxito [10]. Cuando al fin de la primera parte se marcha para ser monja, Andrea siente un alivio al estar libre de su sofocante dominio, y contenta porque podrá vivir y ver las cosas a su propio modo: «Yo estaba demasiado maravillada, pues el único deseo de mi vida ha sido que me dejen en paz hacer mi capricho y en aquel momento parecía haber llegado la hora de conseguirlo sin el menor trabajo por mi parte» (p. 109).

En la segunda parte este entusiasmo frente a la vida se convierte en el cansancio de las palabras citadas más arriba. En los capítulos que forman esta parte, Andrea parece vagar a la deriva recibiendo impulsos y empujes de todos lados, aparentemente incapaz de tomar un paso decisivo. Antes había podido creer que vivía en dos mundos: «Me juré que no mezclaría aquellos dos mundos que se empezaban a destacar tan claramente en mi vida: el de mis amistades de estudiante, con su fácil cordialidad, y el sucio y poco acogedor de mi casa» (p. 62). Pero si vamos a creer que la casa es todo un microcosmos de la vida en su totalidad, es importante ver esta declaración como esencialmente irónica: tal di-

---

[10] Ver su plática con Andrea antes de irse de la casa (pp. 101-103). Parece fascinada por la posibilidad de que Andrea se corrompa y prevé su caída: «—Me oyes como quien oye llover, ya lo veo... ¡Infeliz! ¡Ya te golpeará la vida, ya te triturará, ya te aplastará! Entonces me recordarás... ¡Oh! ¡Hubiera querido matarte cuando pequeña antes de dejarte crecer así! Y no me mires con ese asombro. Ya sé que hasta ahora no has hecho nada malo. Pero lo harás en cuanto yo me vaya... ¡Lo harás! ¡Lo harás! Tú no dominarás tu cuerpo y tu alma. Tú no, tú no... Tú no podrás dominarlos» (p. 103). Angustias fracasa en su intento de proteger a Andrea de las malas fuerzas de la vida porque no se puede evitar que la muchacha las encuentre. En fin de cuentas, cada cual tiene que encararse con la vida y dominarla.

visión en la vida de Andrea no es una realidad, y en la segunda parte la muchacha se da cuenta de cómo estos dos mundos se han fundido. Las relaciones entre Ena y Román, que excluyen por supuesto a Andrea, son el recurso novelesco de Carmen Laforet para relacionar la vida de Andrea dentro y fuera de la casa. Mientras ella se va dando cuenta de esas relaciones, asimismo comprende que la vida es la vida, y la de la casa en la calle de Aribau es solamente una exageración de la decadencia y degeneración generales que nos rodean en todas partes. Esta es la sabiduría que alcanza y que medita en el capítulo XVII que pone fin a la segunda parte. Cuando despierta de sus cavilaciones, es para despertar de la inocencia y la falta de comprensión que antes habían caracterizado su entusiasmo:

> Corrí, de vuelta a casa, la calle de Aribau casi de extremo a extremo. Había estado tanto tiempo sentada en medio de mis pensamientos que el cielo se empalidecía. La calle irradiaba su alma en el crepúsculo, encendiendo sus escaparates como una hilera de ojos amarillos o blancos que mirasen desde sus oscuras cuencas... Mil olores, tristezas, historias, subían desde el empedrado, se asomaban a los balcones o a los portales de la calle de Aribau. Un animado oleaje de gente se encontraba bajando desde la solidez elegante de la Diagonal contra el que subía del movido mundo de la plaza de la Universidad. Mezcla de vida, de calidad, de gustos, eso era la calle de Aribau. Yo misma: un elemento más, pequeño y perdido en ella (pág. 230).

Con esta comprensión, Andrea puede hacer frente a sus parientes y amigos con una nueva perspectiva. En la tercera parte la vemos más o menos segura de sí misma cuando habla con la angustiada madre de Ena, a quien le promete su ayuda para romper las relaciones entre su amiga y Román. Ahora está por encima de la situación y domina la conversación con la señora, escuchando la historia de sus amores de hace muchos años con el mismo hombre. Dominará también la confrontación con el tío de Ena. Su nueva sensibilidad constituye un escape espiritual que se concretará en el escape físico a Madrid. Los problemas de Ena y de su madre le dan a Andrea una razón para salir del mundo estancado de sus pensamientos en la segunda parte de la novela. Al mismo tiempo que escucha a Ena explicarse, piensa en sí misma: («Yo tuve que sonreírme. En pocos días la vida se me aparecía distinta a como la había concebido hasta entonces. Complicada y sencillísima a la vez. Pensaba que los secretos más dolorosos y más celosamente guardados son quizá los que todos los de nuestro alrededor conocen. Tragedias estúpidas. Lágrimas inútiles. Así empezaba a aparecerme la vida entonces») (p. 272). Este cambio a veces la dejaba agotada —«Parecía que me hubiera muerto siglos atrás y que todo mi cuerpo deshecho en polvo minúsculo estuviera dispersado por mares y montañas amplísimas, tan

7

desparramada, ligera y vaga sensación de mi carne y mis huesos sentía...» (p. 277)—, pero no hay duda que a pesar de momentos como éste de cansancio espiritual Andrea ha conseguido una etapa de introspección y comprensión que más tarde le permitirán la reflexión y el análisis de motivos que tomarán la forma de la novela: «Pero ahora tenía una carga más grande de recuerdos sobre mis espaldas. Una carga que me agobia un poco» (p. 278).

Esta es la trayectoria del desarrollo de la personalidad de Andrea. Se ve todo en términos de la casa, porque es ésta el punto de partida para lo que le sucede a la muchacha. La casa familiar es la decadencia moral encarnada y Andrea siempre está tratando de escapar de su influencia. El motivo de la suciedad vuelve a aparecer a menudo, y al no poder resolver los conflictos que presencia, Andrea busca un recurso en el lavarse simbólico del cuerpo. Cuando se entera del suicidio de su tío, se refugia en el cuarto de baño y se ducha maquinalmente: «La ducha seguía cayendo sobre mí en frescas cataratas inagotables. Oía cómo el rumor humano aumentaba al otro lado de la puerta, sentía que no me iba a mover nunca de allí. Parecía idiotizada» (p. 284).

Cuando al fin consigue dejar la casa, llamada a Madrid por la familia de Ena, se siente casi divorciada por completo de su ambiente: «Antes de entrar en el auto alcé los ojos hacia la casa donde había pasado un año. Los primeros rayos del sol chocaban contra sus ventanas. Unos momentos después, la calle Aribau y Barcelona entera quedaban detrás de mí». La novela toma su título de un poema de Juan Ramón Jiménez, un fragmento del cual preludia la novela:

> A veces un gusto amargo,
> un olor malo, una rara
> luz, un tono desacorde,
> un contacto que desgana,
> como realidades fijas
> nuestros sentidos alcanzan
> y nos parecen que son
> la verdad no sospechada... (pág. 9).

Pero es obvio que el título es medio irónico. «Nada» le ha sucedido a Andrea materialmente —físicamente ha cambiado muy poco en un año. Pero emocionalmente, los grandes arrebatos surgidos en torno a la casa en la calle de Aribau la han cambiado mucho. No se puede ver el cambio en la cara, pero sí en el modo de pensar y reaccionar, y este cambio, que es profundo, es «la verdad no sospechada» de su historia.

Un análisis de *Nada* exige unos comentarios sobre la caracterización y el papel de los varios personajes de la novela. Sería demasiado fácil decir que son símbolos de la decadencia moral. Son personalidades bien delineadas por la autora. Son seres humanos cada uno y tienen sus propios conflictos para con los otros y el mundo exterior y sus propias tensiones de almas en lucha. Parecen ser símbolos porque son habitantes más o menos permanentes de la casa, que es lo que tiene un papel dominante en la novela como símbolo. Los parientes de Andrea —su abuela, su tía Angustias, sus tíos Román y Juan, y Gloria la mujer de éste— y la «esperpéntica» criada Antonia, sirven de fondo para el desarrollo de la muchacha. Pero es evidente que son realidades que trascienden sus relaciones con Andrea; existían antes de su llegada y, fuera de la muerte de Román y la marcha de la criada, existirán después de su despedida.

Entonces, ¿cuál será la posición de ellos en la estructura de la novela? Tienen dos funciones principales, a nuestro ver. Por un lado, sus conflictos entre sí son representaciones que presencia Andrea —ella admite que tiene el triste papel de espectadora. Su narrativa nos recuenta esas confrontaciones que le habrían revelado muchos rincones sombríos del alma humana que no sospechaba existieran. Conflictos y acusaciones del matrimonio, entre Juan y Román, y entre Gloria y Román, quien una vez había sentido atracción por ella. En todo, la patética abuela senil trata de servir de intermediaria. Angustias se lava las manos y terminará marchándose para el convento. En muchas ocasiones Andrea describe los líos de la casa y las conversaciones siempre ruidosas de los participantes. Todos son personas enajenadas de los otros, y, a veces, de sí mismas. Eso es evidente en una sección de la novela donde la narradora nos da un diálogo entre la intrusa, Gloria, y la abuela. Cada una está cerrada en sus propios pensamientos de cómo eran las cosas durante la guerra, cuando Gloria se unió a la suerte de la familia. Parecen estar conversando, pero están recordando en alta voz y lo que dice una no coincide con lo que dice la otra, sino que lo bisectan. Andrea está medio dormida, con fiebre, y recuerda su conversación como una escena de un drama, señalando las respectivas partes con «GLORIA»— y «ABUELA»— (p. 44-45). Andrea ve sus emociones y sus tensiones al desnudo, la joven se sorprende para aprender: «Con frecuencia me encontré sorprendida entre aquellas gentes de la calle de Aribau, por el aspecto de tragedia que tomaban los sucesos más nimios, a pesar de que aquellos seres llevaban cada uno un peso, una obsesión real dentro de sí, a la que pocas veces aludían directamente» (p. 68).

Una de las secciones de la novela que ha promovido críticas injustificadas relata la visita de Andrea al barrio chino de Barcelona[11].

---

[11] ALBORG observa que: «Hay ingenuidades, sin embargo, como la ocupación de Gloria para traer dinero a casa, que representa un verdadero fallo en la novela. Lo mismo podría decirse de la incursión, totalmente innecesaria, por

Mandada en pos de Juan, que busca a su mujer en la casa de la hermana de ésta con la intención de matarla, es fiel a su papel de espectadora describiendo sus primeras impresiones y las escenas desastrosas que luego presenciará (pp. 175-85). Esta no es la única ocasión en que Andrea presencia un alboroto causado por la persona de Gloria. No es que Gloria sea directamente responsable, pero constituye un elemento intruso en la casa. Nunca llegamos a saber mucho de ella, pero sí sabemos que viene de un ambiente ajeno al de la casa, o, mejor dicho, al de la casa antes de su presente infortunio. Andrea, como si pensara en la serpiente del Mal en el Paraíso, escribe al verla dormir: «Gloria, la mujer serpiente, durmió enroscada en su cama hasta el mediodía, rendida y gimiendo en sueños» (páginas 104-105). Pero Gloria no está exenta del sufrimiento general de la familia: sufre el escarnio de Román y sufre las palizas de Juan. En una de las desavenencias que influirán en su suicidio, Román se encuentra con Gloria en el comedor y trata de convencerla de que suba con él a su cuarto. Andrea entreoye la conversación y sabe de las antiguas relaciones entre los dos. Es la noche de San Juan, y el misterio de ese día se confunde con el misterio de esa gente y con la perplejidad de la muchacha al enfrentarse a las emociones de sus parientes. Después de separarse Gloria y Román a gritos, describe sus pensamientos: «La noche de San Juan se había vuelto demasiado extraña para mí. De pie en medio de mi cuarto, con las orejas tendidas a los susurros de la casa, sentí dolerme los tirantes músculos de la garganta. Tenía las manos frías. ¿Quién puede entender los mil hilos que unen las almas de los hombres y el alcance de sus palabras? No una muchacha como era yo entonces» (página 213).

Así recuenta Andrea sus reacciones de lo que ve y de lo que empieza a entender. Son demasiadas para citar aquí todas las situaciones en donde relata el choque de una persona con la otra. Pero son suficientemente impresionantes para que Andrea sienta un alivio cuando está fuera de la casa —hasta que se da cuenta de que ésas son emociones y tensiones de las que nunca podemos escapar. Por otra parte, Andrea no es siempre una espectadora al margen de las cosas. A veces tiene que tomar un papel activo, aunque trate de evitarlo. Cuando esto ocurre, se siente aún más exasperada y sólo con deseo de huir de esos conflictos. Como dijimos, su gran refugio es la bañera y la ducha aliviadora.

Posiblemente sea Ena la persona más importante en la vida de Andrea. Es su única amiga, quien le presta los libros demasiado ca-

---

el «barrio chino» barcelonés, que parece incrustada allí para dar un ramalazo de acento masculino, completamente equivocado» (p. 129).

ros para que Andrea se los compre. Será Ena quien arregle la salida o la fuga de Barcelona. Pero en la segunda parte, después de ser la ocasión de muchos ratos agradables para Andrea fuera de la casa, Ena se vuelve casi hostil. Sabemos que es por sus relaciones con Román. Esta hostilidad de parte de Ena atormentará a Andrea porque no sabe ajustarse a la verdad de lo que está sucediendo. Hay algo que no comprende en todo eso. En una de las ocasiones, poco frecuentes, donde la novela da las opiniones de otros sobre Andrea, Ena habla de cómo encuentra fascinante la familia de su amiga: «Hay cosas en ti que no me gustan, Andrea. Te avergüenzas de tu familia... Y, sin embargo, Román es un hombre tan original y tan artista como hay pocos... Si yo te presentara a mis tíos podrías buscar con un candil, que no encontrarías la menor chispa de espíritu» (página 165). Pero Andrea está demasiado próxima al infierno de la casa y no puede apreciarla con el mismo sentido de aventura de Ena, quien está para lanzarse a una relación casi desastrosa con Román. Andrea entiende muchas cosas gracias a Ena. Después, cuando la amiga rompe con Román, le explica a Andrea cómo aquellas relaciones habían sido una contienda de voluntades y emociones: «Pero no me creas mejor de lo que soy, Andrea... No vayas a buscarme disculpas... No era sólo por esta causa por lo que yo quería humillar a Román... ¿Cómo te voy a explicar el juego apasionante en que se convertía aquello para mí?... Era una lucha más enconada cada vez, una lucha a muerte...» (p. 273). Con esta confesión de Ena, Andrea se siente cambiada (p. 277). Ha pasado por momentos muy malos, pero del juego de altas emociones de las otras personas, de su familia y de la familia de Ena, se ha podido forjar una consciencia que no habría alcanzado de ser otras las circunstancias. Esta es la esencia del romance: el revelar el juego de emociones y personalidades, que chocan y vuelven a chocar para forjar en el espectador, del mundo de la narrativa tanto como del lector, una nueva apreciación de los motivos del animal que se dice humano.

Debido a la violencia y la alta tensión del relato, muchos críticos han querido ver una fuerte ligazón entre *Nada* y el tremendismo y el existencialismo [12]. El tremendismo ha de ser un caso especial en la literatura española, resultado del alboroto social de la guerra civil. Cela, Matute, Goytisolo y Laforet, entre muchos otros de su generación, por tratar de la violencia de nuestra época con un análisis clínico y pseudo-objetivo se dicen representar la vanguardia del dicho tremendismo. Cela, el más conocido del grupo, ha rechazado el mote

---

[12] Ver OLGA P. FERRER, «La literatura española tremendista y su nexo con el existencialismo», *Revista Hispánica Moderna*, XXII (julio-octubre, 1956), páginas 297-303, y JULIÁN PALLEY, «Existentialist Trends in the Modern Spanish Novel», *Hispania*, XLIV, 1961, pp. 21-26.

por carecer de valor significativo, y parece que hasta la fecha los críticos no han podido demostrar en qué sentido el tremendismo constituye una categoría literaria definible y singular, respecto de otras literaturas y otras épocas [13]. Por lo que hace a la novela de Laforet, nos limitamos a decir que sus rasgos tremendistas tienen su origen en la desenfrenada acción tan necesaria y tan característica del romance. De faltar los encontronazos violentos de las varias personalidades de la historia, no habría la revelación ni el desarrollo de la personalidad de Andrea, que son los objetivos de la estructura de la obra —y podemos añadir que de la misma manera todos los romances del siglo XIX carecerían de peso específico (¿serán todos entonces tremendistas también?) Por lo demás, podemos dejar el asunto del tremendismo para los que creen en su existencia y decir que *Nada* corresponde exactamente a la tradición de la novela que sigue, tradición que va mucho más allá de los límites de la literatura social de la postguerra.

Por otra parte, el existencialismo constituye una dificultad ineludible. Parece haber dos actitudes frente al existencialismo. Una lo ve como característica fundamental de nuestro siglo. En este caso todos, o casi todos, seríamos existencialistas, todos padeceríamos las mismas agonías, angustias y dudas. El «sentimiento trágico de la vida» sería la base de nuestra civilización y cultura. Y la misma actitud ha remontado los siglos para descubrir en todo Prometeo un hombre existencial. La otra actitud es más conservadora y limita la identificación del existencialismo en la literatura a esos casos en donde los personajes siguen la ética existencial. Reconocen una distinción entre autores existenciales, cuyo sentimiento se esparce por todo lo que escriben, y personajes existenciales, quienes, por limitarse a los confines de la obra literaria, son un poco más fáciles de identificar y delinear.

En el caso de *Nada,* es sólo de interés biográfico si la autora experimenta o no la angustia existencial —por el momento parece ser buena católica. Es otra cuestión si los personajes de su novela son existenciales. Sería fácil decir que lo son. Todos sufren de una angustia indefinida, la obsesión de cada uno notada por Andrea. Y la lucha de Andrea por comprender la vida y ajustarse a ella apela a las simpatías del lector moderno. Pero si nos preguntamos si en realidad la lucha y el conflicto de esa gente corresponde a la llamada existencial de forjarse una vida y una identidad para conseguir la libertad consagrada de los viejos y estancados valores de la clase media, nos vemos obligados a admitir que esas personas tienen toda

---

[13] Ver CAMILO JOSÉ CELA, «Dos tendencias de la nueva literatura española», *Papeles de Son Armadans,* XXVII, octubre, 1962, pp. 3-20.

una responsabilidad para poder mantenerse a flote en esa sociedad sin hundirse, y no digamos para trascenderla. El proceso espiritual de Andrea es el de ajustarse con la realidad del conjunto humano que la rodea, y no el de ponerse encima de él. La etapa que alcanza es una integración con su mundo que le permite superar sus iniquidades, y cuando deja Barcelona, el lector cree que va a Madrid a pasarlo bien como cualquier otra estudiante universitaria, libre del tormento de su año con la familia. No la vemos alegre por poder llevar una vida más sosegada y normal. La vida de Andrea está demasiado ligada a la vida de su contorno. Ella y los otros ponen mucha fe en la influencia de la circunstancia —la pre-esencia renunciada tan rotundamente por el existencialismo. De ahí el papel de la casa en los recuerdos de Andrea. Parece concordar con Román cuando éste observa respecto al arreglo de su cuarto: «—Aquí las cosas se encuentran bien, o por lo menos eso es lo que yo procuro... A mí me gustan las cosas —se sonreía—; no creas que pretendo ser original con esto, pero es la verdad. Abajo no saben tratarlas. Parece que el aire está lleno siempre de gritos..., y eso es culpa de las cosas, que están asfixiadas, doloridas, cargadas de tristezas» (p. 38). Más tarde, la madre de Ena le preguntará a Andrea: «¿No le ha sucedido alguna vez atribuir su estado de ánimo al mundo que la rodea?» (p. 235)[14]. Por supuesto, esto cree Laforet, porque su novela está construida a base de la relación entre la personalidad y la situación en que se encuentra. La vida de Andrea es un constante aceptar su situación y la realidad de su circunstancia, aunque, claro está, nunca llegará a sentirse parte íntegra de ese pequeño mundo de la casa en la calle de Aribau.

No podemos estar seguros de si el tiempo tratará bien a esta novela, aunque la mayoría de los críticos están de acuerdo en que está bien escrita y bien construida. Su recepción por los lectores demuestra que por lo menos tiene pertinencia. Pero el romance es una forma de la novela difícil de escribir de manera convincente en nuestra edad, tan preocupados nos tienen las novelas existenciales y sociales, y la novela de Carmen Laforet será uno de los escasos ejemplos del romance en la novela española contemporánea; de ahí la razón por la cual parece estar aparte de las corrientes generales. A pesar de unas referencias poco convincentes al tremendismo y al existencialismo, no se ha establecido ningún lazo fuerte entre *Nada* y las otras novelas de la vanguardia. La novela que ganó el prestigioso

---

[14] Las cosas tienen un papel muy prominente en la novela y EOFF ha observado su importancia (p. 209). Son tanto un elemento de la circunstancia como un reflejo de la preocupación por los realia en la cultura moderna: compárese el «camp» americano y la nueva novela francesa. Para ésta, ver el estudio de LAURENT LE SAGE, *The French New Novel*. University Park, Pennsylvania, 1962.

Premio Nadal en 1944 viene a constituir un caso aislado. Este hecho y sus obvios méritos intrínsecos le garantizan un lugar predominante en el estudio de las formas que ha tomado la novela española de su generación.

[*Revista Hispánica Moderna,* Nueva York, XXXII (1966), pp. 43-55.]

VICTOR FUENTES

NOTAS SOBRE EL MUNDO NOVELESCO
DE ANA MARIA MATUTE

Entre los jóvenes novelistas españoles de la nueva generación, Ana María Matute destaca como una de las figuras de más consistencia. Desde su primera obra, *Los Abel,* publicada en 1947, a la edad de veinte años, ha venido realizando una labor literaria ininterrumpida, acogida con un interés creciente por parte de público y crítica y galardonada —tres de sus novelas— con prestigiosos premios literarios: Premio «Café Gijón» 1953, «Planeta» 1958 y «Nadal» 1959.

Su exacerbado lirismo subjetivo, que la lleva a una dislocación poética de la realidad —realismo que frecuentemente adquiere en su obra dimensiones míticas y simbólicas— y la continua repetición de temas y personajes a lo largo de su obra, dan a su mundo de ficción una unidad y un acento personal, rara vez conseguidos en la novelística actual. Aunque su técnica narrativa desentona con el monocorde realismo objetivista, practicado por la mayoría de sus compañeros de generación, Ana María Matute, concuerda, con todos éstos, en sus ideas sobre la función de la novela y la responsabilidad del novelista en la época presente: «La novela ya no puede ser ni pasatiempo ni evasión. A la par que un documento de nuestro tiempo y que un planteamiento de los problemas del hombre actual, debe herir, por decirlo de alguna forma, la conciencia de la sociedad con un deseo de mejorarla» («Entrevista», *Insula,* núm. 60, 1960). Se declara por una novela de testimonio y compromiso —propugnada por la mayoría de los jóvenes novelistas españoles— que debe cumplir con una insoslayable función social: ser testimonio fiel de la realidad nacional. Una novela de neto matiz anticonformista, ya que lleva implícita una denuncia de las lacras de la sociedad española actual.

Dos vivencias personales son de suma importancia para determinar el sentido temático de la obra de Ana María Matute: la guerra civil, y sus veraneos, acabada ésta, en Marsilla de la Sierra, pueblo castellano. La guerra le revela bruscamente, cuando apenas tenía once años, la existencia de un mundo ignorado: la sórdida realidad del hambre, el dolor y la muerte. En el Marsilla del Campo de la postguerra, se despertó en ella la conciencia de la «gran injusticia de la vida nuestra»; allí conoció por primera vez, la miseria y la fatídica resignación de los pueblos castellanos, la crueldad, la envidia y el odio; pasiones, todas, que dominan a los personajes de su obra. Estas dos experiencias vitales se conjugan, dando origen al tema continuo de su obra: el cainismo. Caín es para ella el símbolo de la condición humana, la fuente de la soledad del hombre. La frase «desde Caín el hombre es un fugitivo sobre la tierra», que se repite con frecuencia en sus libros, explica su radical pesimismo; pesimismo que plasma en los innumerables personajes fracasados de sus novelas, y en los finales trágicos o desafortunados de éstos.

Ana María Matute, como todos sus compañeros de generación, niños o adolescentes cuando estalló nuestra guerra civil, enfoca el tema de la guerra desde una nueva perspectiva: considera ésta como una inútil matanza fratricida de funestas consecuencias para la nación, ya que aparte de la destrucción física creó un clima de odios y venganzas personales, y un ambiente anormal y envenenado en el que los niños, verdaderas víctimas del conflicto, tuvieron que crecer. La guerra española sirve de fondo histórico a sus tres novelas más importantes: *En esta tierra, Los hijos muertos* y *Primera memoria.* Estas novelas, como casi toda su obra, son de acusado matiz anticonformista; testimonio de protesta, en donde se denuncia la falta de justicia, la falsa caridad y la indiferencia del hombre ante el dolor de su semejante. En ellas se plantea el conflicto de las generaciones: niños y adolescentes en franca rebeldía con el mundo de sus mayores, que se les revela como algo ajeno e incomprensible. Tema presente en las tres novelas, y el principal en *Esta tierra,* y en *Primera memoria,* es el de la adolescente que despierta a la realidad de la vida en un mundo hostil: el de los adultos, dominado por la violencia y el odio, la lucha fratricida entre miembros de una misma familia, y la guerra civil.

Soledad, Mónica y Matia, las tres protagonistas adolescentes, de las tres respectivas novelas, presentan una serie de características comunes que nos permiten englobarlas dentro del mismo tipo de personaje femenino, fiel trasunto de inquietudes y actitudes personales de su autora. Las tres, del mismo tipo físico —delgadas y de talle espigado—, y aproximadamente de la misma edad (dieciséis Soledad y Mónica, cuando comienza su acción en la novela y catorce Matia, aunque está muy alta para su edad), son huérfanas de padre o madre. La guerra (que Soledad la vive) influye con gran fuerza en las vidas de Mónica y Matia, pues aunque lejos, en el tiempo, en el caso de la primera, y en el espacio, en el de Matia, está presente, con sus aspectos negativos, en el corazón de los hombres y mujeres que las rodean. Muchachas listas, de carácter díscolo y rebelde, no se someten a los designios de sus mayores; su naturaleza inquieta e indagadora no queda satisfecha con la educación que les proporcionan sus familiares y las monjas. Al no poder conciliar ni comprender las contradicciones y misterios de la religión, pierden la fe. Su indiferencia religiosa contrasta con la beatería y gazmoñería religiosa de sus mayores. Estos, asiduos asistentes a los oficios religiosos, se caracterizan por su falta de caridad e indiferencia ante el sufrimiento del prójimo. Soledad, Mónica y Matia, a pesar de pertenecer a la clase burguesa, dominante, sienten con gran celo las injusticias sociales, y se indignan ante el resignado fatalismo con que las clases oprimidas aceptan su destino. Ellas, que no soportan el ambiente enrarecido de sus casas, pasan largos ratos entretenidas en compañía de los colonos de sus fincas. Al enamorarse lo hacen de muchachos que pertenecen a clases sociales muy inferiores a las suyas.

A estas tres muchachas, que viven en soledad, negándose a aceptar el mezquino presente que les ofrece el mundo de los adultos, y que continuamente tratan de hallar respuestas a sus inquietudes y angustiosas dudas, esperanzadas con la búsqueda de un lugar y de un tiempo mejor, la autora contrapone otro tipo de adolescente de «rebeldía negativa», poseído por unas ansias desenfrenadas de vivir, que aprovechándose de la situación anormal —revolución, guerra y postguerra— lleva una vida muelle, sin preocuparse nada más que del momento presente, beneficiándose, sin escrúpulos de ninguna índole, de cualquier oportunidad, aunque ésta le sitúe al margen de la ley. Eduardo, hermano de Soledad, en *En esta tierra* y Miguel Fernández en *Los hijos muertos* ejemplarizan este tipo. Los dos reciben su castigo, pagando con lo único que estimaban: su cuerpo. Eduardo queda mutilado en un bombardeo y Miguel muere, como un lobo, cazado a tiros por la Guardia Civil.

Toda la obra de Ana María Matute está presidida por un implacable fatalismo, derivado de una visión pesimista del hombre y de la sociedad, muy común en la novelística española actual, y harto explicable si se tiene en cuenta la mezquina realidad nacional de hoy. Sus protagonistas adolescentes que viven en «su mundo de ilusión e idealismo» despiertan a la realidad de la vida sólo cuando un golpe fatídico les arrebata su efímera felicidad, apartándolas violentamente del muchacho que aman. Es entonces cuando la vida se les presenta en toda su pavorosa realidad. Los adultos viven, recomidos por sus pasiones y sus deseos frustrados, en una atmósfera envenenada por el odio y la venganza, perseguidos por sus recuerdos, viven «mirando para atrás» y a lo más que pueden aspirar es, «a morirse, bella, apaciblemente, sin rencor, sin recuerdos», como quiere Daniel, personaje de *Los hijos muertos*. Seres fracasados, llevan una existencia fantasmal, sin poder escapar del infierno que ellos se crearon. Su máximo castigo es el de estar condenados a seguir viviendo.

La tierra y el tiempo, ajenos al dolor del hombre, presiden su tragedia. Algunos de los protagonistas —los anarquistas revolucionarios—, Pablo de *En esta tierra* y Daniel en *Los hijos muertos,* son buen ejemplo de ellos, y las protagonistas adolescentes, tienen una vislumbre de una tierra «prometida» y de un tiempo de esperanza, pero el fracaso o la revelación de la realidad, pronto les vuelve a atar a «esta» tierra —significativamente título de una de sus novelas, y a un tiempo voraz que les destruye. Los personajes de Ana María Matute no pueden romper el cerco fatídico del tiempo que les tiene asfixiados (el tiempo es tema fundamental de sus novelas, hasta tal punto que uno de sus libros de cuentos y la primera parte de *Los hijos muertos,* se titulan: El tiempo). Los adultos, «supervivientes» en el tiempo presente, viven un tiempo «muerto» anulados por los recuerdos de su pasado. Las adolescentes quieren vivir «su presente» desligándose del pasado de sus mayores, que les excluye y ahoga a la vez.

El pasado pegado al presente como la sombra al cuerpo, es lo que determina la técnica narrativa de las novelas de Ana María Matute. En *Los hijos muertos,* la acción presente se ve constantemente interrumpida por la evocación del tiempo pasado que en el texto aparece con letra de distinto molde, y que ocupa casi más espacio que el dedicado a la acción en presente. *En esta tierra* lleva, también, intercalado el relato pasado de los personajes con la acción presente. En *Primera memoria* (Memoria y Recuerdos son las palabras sobre las que se estructura toda la narrativa de Ana María Matute) la protagonista evoca, narrando en primera persona, una experiencia de su vida: el paso de la niñez a la adolescencia. La memoria y los recuerdos impiden a los personajes vivir una vida de plenitud. Sólo librándose de ellos se pueden lograr unos momentos de felicidad. Tal es el caso de Soledad, que define el tiempo que vivió con Cristián como un feliz vivir sin tiempo. «Vivíamos sin tiempo, *algo nos vació la memoria* [1], y, sin embargo, nunca conocí tanta plenitud». Ana María Matute se vale de esa técnica narrativa para poner de relieve cómo en la vida de los personajes de su mundo novelesco —y por extensión, en la vida española actual— el pasado (la guerra civil, sus causas y efectos) gravita sobre el presente haciendo de éste un tiempo muerto, aniquilador de toda sana expresión vital.

Todas sus novelas se basan en una tajante escisión: tiempo pasado oponiéndose a tiempo presente, el mundo de la burguesía al de los

---

[1] El subrayado es mío, V. F.

pobres, y los personajes adolescentes a los adultos; en fin, un constante «ellos» enfrentándose a «nosotros»; división que tan bien refleja la realidad histórica de España y, desgraciadamente, hoy más patente que nunca.

[*Revista Nacional de Cultura,* Caracas, XXV (1963), pp. 83-88.]

ROBERT C. SPIRES

LENGUAJE-TECNICA-TEMA Y LA EXPERIENCIA DEL LECTOR EN *FIESTA AL NOROESTE*

La novela española de los 50 se caracteriza principalmente por el llamado «neorrealismo» y lo que Wolfgang Kayser denomina «novela de espacio» [1]. *La colmena* de Camilo José Cela, *El Jarama* de Rafael Sánchez Ferlosio, *Los bravos* de Jesús Fernández Santos y *La noria* de Luis Romero son cuatro de las más comentadas novelas de esta década y cada una refleja de un modo u otro un esfuerzo por dar una impresión documental y panorámica de la sociedad española. A pesar del predominio de este movimiento realista en los 50, se observa también otro casi opuesto: lo que Eugenio de Nora clasifica «lirismo subjetivo» [2]. Aunque en general el grupo realista es superior artísticamente al grupo lírico, hay una obra que pertenece a éste que sí tiene un valor excepcional. No sólo es *Fiesta al noroeste* de Ana María Matute una novela de gran fuerza emotiva sino que, dada la importancia del lenguaje en la novela de los 60 —véase *Tiempo de silencio* de Luis Martín Santos, la más aclamada novela española de esta década— es, si no precursor reconocido, por lo menos un imprescindible punto de partida para apreciar la función creativa del lenguaje en la novela de nuestros días [3].

Aunque *Fiesta al noroeste* ganó el premio «Café Gijón» de 1952 y varios críticos, además de reconocerla como una de las mejores de la autora, han comentado su estilo poético [4], no se ha hecho hasta

[1] *Interpretación y análisis de la obra literaria,* Madrid, Gredos, 1961, páginas 482-489.

[2] *La novela española contemporánea,* III, 2.ª edición, Madrid, Gredos, 1970, páginas 259-264.

[3] Para más observaciones sobre la función del lenguaje en la novela contemporánea, véase RAYMOND D. SOUZA, «Language vs. Structure in the Contemporary Spanish American Novel», *Hispania,* vol. LII, núm. 4 (diciembre, 1969), páginas 833-839.

[4] Además de NORA, véanse GONZALO SOBEJANO, *Novela española de nuestro tiempo,* Madrid, Editorial Prensa Española, 1970; JUAN LUIS ALBORG, *Hora actual de la novela española,* Madrid, Taurus, 1958; MARGARET E. W. JONES,

el momento un estudio cuidadoso de la función dentro de la novela y el efecto sobre el lector de este lenguaje poético. Para entender estos aspectos, hay que notar que la novela se parece a un poema narrativo; tiene un claro marco anecdótico pero su esencia surge de la dimensión emotiva —más que conceptual— del lenguaje. Así, aunque el tema de soledad es obvio, el valor de la novela consiste en hacerle al lector experimentar la sensación de soledad. En efecto, éste experimenta una doble sensación de soledad: se siente alejado de los personajes de la novela pero a la vez (por medio del punto de vista cambiante) experimenta la misma sensación de enajenación que sienten estos personajes. Así, la dimensión narrativa en *Fiesta al noroeste* identifica (hace visible) el problema y la dimensión afectiva lo transforma en una experiencia personal para el lector [5].

En el plano anecdótico, la novela empieza con la llegada de Dingo, un titiritero, a la entrada de su pueblo natal, Artámila. Su idea es atravesarlo lo más pronto posible, «como una espada de desprecio y viejos agravios a su pesar no olvidados» [6]. Pero atropella a un niño y cuando un mudo que forma parte de su «troupe» cae haciendo sonar un tambor, el caballo se asusta y estropea el carro en la plaza del pueblo. No teniendo otro remedio, Dingo le pide ayuda a su amigo de la juventud y actual cacique de la región, Juan Medinao. Esta anécdota sólo forma un fondo sobre el cual se crea el tono que determina la experiencia del lector por toda la novela, que le hace sentir la fuerza de una soledad agobiadora.

La sensación de esta soledad tiene su fondo en la distancia emocional entre el lector y el personaje. Esta distancia se crea poco a poco mediante las imágenes que presenta el narrador del personaje:

The Literary World of Ana María Matute, Lexington, University of Kentucky, 1970; JANEL W. DÍAZ, *Ana María Matute*, New York, Twayne, 1971; CELIA BERRETTI, «Ana María Matute, la novelista pintora», *Cuadernos Hispanoamericanos*, 48 (diciembre, 1961), pp. 405-412; CLAUDE COUFFON, «Una joven novelista española: Ana María Matute», *Cuadernos del Congreso por la Libertad de la Cultura*, núm. 54 (noviembre, 1961, pp. 52-55), y GEORGE WYTHE, «The World of Ana María Matute», *Books Abroad*, 40, núm. 1 (Winter, 1966), páginas 17-28.

[5] Cuando hablo del lector estoy basándome en dos conceptos complementarios. Según FÉLIX MARTÍNEZ BONATI, *La estructura de la obra literaria*, Santiago, Universidad de Chile, 1960, cada frase de una obra literaria lleva o explícita o implícitamente la imagen de un oyente ficticio o ideal a quien se dirige el narrador. Por su modo de narrar el narrador establece la actitud que el oyente debe tomar hacia lo narrado. Para captar este sutil juego lingüístico —sutil sobre todo en la novela contemporánea— el lector tiene que participar de un modo activo, vale decir creativo, en el proceso de la novela. Para más sobre la experiencia vital de la lectura de una obra literaria, véase JOHN S. BRUSHWOOD, «Latin-American Literature and History: Experience and Interpretation», *Hispania*, vol. LXIV, núm. 1 (marzo, 1971), pp. 98-99.

[6] ANA MARÍA MATUTE, *Fiesta al noroeste*, Barcelona, Ediciones Destino, 1963, página 11. Se indicará en paréntesis la página de todas las siguientes citas a este texto.

«Dingo se llamaba Domingo, había nacido en domingo y pretendía hacer de su vida una continua fiesta» (p. 10). Aunque la palabra «fiesta» tiene una connotación positiva, el verbo «pretendía» crea cierta impresión de algo forzado, tal vez falso. La posibilidad de algo falso se confirma unas pocas líneas adelante cuando el narrador describe físicamente al personaje: «Dingo tenía las pupilas separadas, como si anduviera por el mundo con los ojos en las sienes para no ver la vida de enfrente» (p. 10). Esta imagen grotesca le aleja al lector en dos aspectos: en primer lugar su apariencia física es repugnante y a la vez sugiere un carácter falso. El narrador corrobora las sugerencias sobre el carácter del personaje al habla de su profesión de titiritero y sus diez máscaras: «iría camino adelante con sus diez voces y sus diez razones para vivir. Supone que le dejarán paso siempre, siempre. Con derecho, por fin, a diez muertes, al doblar las esquinas» (página 12). Todo esto da la impresión de un personaje que lanza sus comedias tanto para sí mismo como para los demás. Está claro que todos los ejemplos revelan el punto de vista de un narrador que observa y que sugiere en vez de declarar la esencia del personaje. Las imágenes que presenta del personaje le piden al lector una reacción negativa o un tipo de enajenación.

La otra dimensión de la enajenación que experimenta el lector se origina dentro de Dingo mismo. Cambiando el punto de vista, el narrador le hace al lector compartir con el personaje una sensación de enajenación. Esta sensación se logra mediante un lenguaje afectivo que le pide al lector una participación emotiva en la acción.

La participación emotiva del lector empieza con la primera frase de la novela: «El látigo de Dingo hablaba seco, como un relámpago negro» (p. 9). El choque producido por la combinación «relámpago» y «negro» es en sí un tipo de enajenación. En el plano lógico este adjetivo no cabe con tal sustantivo; pero en el plano emotivo sí se complementan. La sensación de aspereza e inhospitalidad que resulta de la imagen se asocia directamente con Dingo: «Todo esto lo presentía Dingo desde el pescante como un cosquilleo en la nuca» (p. 9). En contraste con ejemplos como «tenía las pupilas separadas...», donde el punto de vista tiene que ser exterior, aquí vemos todo desde los ojos de Dingo. Sin poder identificarse con el personaje, el lector, sin embargo, participa en su angustia: «En los bordes de su capucha impermeable, en los ejes de las ruedas, las gotas de lluvia tintineaban chispazos helados» (pp. 10-11). La técnica del choque —«chispazos helados» en el último ejemplo— establecida en esta primera página de la novela forma la base de casi todas las imágenes que sirven para reflejar la interioridad de Dingo. Así el lector siente el mismo malestar que Dingo con el acercamiento al pueblo y con las imágenes que siguen, llegan a intuir el fondo de este malestar.

Las imágenes que sugieren el fondo del problema se basan en el choque fundamental de un titiritero con un ambiente de hosca realidad: «En tanto, el carro fustigado, una enorme risa de siete colores barro abajo, arrastraba sus parodias, y, tal vez, todos aquellos sucesos que antes hicieron daño» (p. 12). La yuxtaposición de «carro fustigado» y «una enorme risa de siete colores» crea la impresión de forzada jovialidad. Luego el contraste entre siete colores y «barro» produce otro choque que sugiere lo inútil de un disfraz colorado en un ambiente básicamente gris. Así el lector adivina que la profesión de Dingo —titiritero— refleja su actitud general ante la vida; Artámila, «donde la gente no está para dramas en verso» (p. 11), no le permite vivir en su mundo simulado.

Pero Artámila no es sólo lo gris, sino sobre todo lo rojo y lo negro: «Redonda, roja como la sangre, bien apisonada su tierra dura y hosca, estaba allí la plaza de la aldea, que también conocía Dingo» (página 16). La construcción de esta frase —con los modificadores al principio— hace destacar la sensación de algo cíclico, vivo y brutal. Pero se destaca sobre todo el color rojo y su semejanza con la sangre y de allí, la idea de la vida y de la muerte. Aún peor que la sensación hostil de lo rojo es la sensación espantosa de lo negro: «Alguien plantó, en un tiempo, junto a la tapia, doce chopos en hilera que se habían convertido en una sonrisa negra y hueca, como las púas de un peine» (p. 14). La relación entre «negra» y «hueca» recuerda la reacción de Dingo al sonido del tambor que asustó al caballo: «El tambor del hermano mudo sonaría otra vez, como un rezo en una cueva» (p. 12) [7]. Ambas imágenes sugieren lo vacío; más que muerte, es lo ya podrido. Al usar imágenes afectivas en vez de *decir* lo que piensa, el narrador produce la impresión de la subsconsciencia de Dingo. O sea, puesto que él se engaña, el lector participa en la comprensión de lo inútil de su engaño en el plano intuitivo aún más que en el plano intelectual. «¡Qué inútil resulta todo al fin! Los huidos, los que se quedan, los que se pintan la cara: ¡Ah, si en aquel tiempo, cuando aún era niño y descalzo, le hubiera arrollado también un carro de colores...! Si le hubiera abrazado la tierra. Abrazado, toda roja, los costados, la frente, la boca que tenía sed. El niño que llevaba ahora en brazos, tal vez era él mismo. ¿Cómo podría eludir su propio entierro...?» (p. 17). El lenguaje le hace al lector sentir aún más que entender que la realidad de que huye Dingo es la realidad de la muerte. Es, aparentemente, la única realidad para él; Artámila, con su tierra roja y hostil, hace imposible una evasión de esta realidad, y tal vez este hecho le hace sentir a Dingo la fuerza opresiva de lo negro, de la nada.

Así este primer capítulo funciona como un tipo de prólogo. Lo

<hr />

[7] No se debe pasar por encima la expresión «hermano mudo». Con ella se intensifica la sensación de soledad en que vive Dingo.

demás de la novela va a tratar de Juan Medinao. Pero la sensación de soledad producida en el primer capítulo va a caracterizar la experiencia del lector por toda la novela. Y al fondo de esta soledad está Artámila: «Constaba de tres aldeas, distantes y hoscas una a la otra: la Artámila Alta, la Baja y la Central» (p. 9). Artámila misma es una metáfora de la realidad áspera e inexorable, de la soledad y la enajenación.

Con el segundo capítulo el enfoque cambia a Juan Medinao, el viejo a quien Dingo le robó unas monedas de plata. Tal como Dingo se engaña con sus comedias y sus máscaras, Juan Medinao también se escapa de la realidad aunque su disfraz es de otra índole. Como en el caso de Dingo la dualidad de puntos de vista —el del narrador y el de Juan mismo— da al lector la sensación de un doble alejamiento.

Juan está rezando cuando los oficiales vienen a decirle lo de Dingo. Después de la interrupción de sus meditaciones, Juan se prepara para ir a ver a su viejo amigo: «Juan fue a abrigarse. Su camisa tenía un gran roto, casi encima del corazón... tenía una cabeza muy grande, desproporcionada. Parecía, al mirarle, que hubiera de tambalearse sobre los hombros. En cambio, su cuerpo era casi raquítico, con el pecho hundido y las piernas torcidas» (pp. 22-23). El punto de vista en este ejemplo es obviamente exterior. Aplicando la teoría de Martínez Bonati, se puede ver que la imagen presentada funciona como una apelación que suscita en el oyente ficticio una reacción negativa. Puesto que la técnica aquí es bastante obvia, la participación del lector ocurre más en un plano intelectual que en los otros ejemplos pero no por eso deja de sentirse algo alejado del personaje. El narrador intensifica esta actitud al describir la partida de Juan después de visitar a Dingo. Lo acompañan un criado y el mudo que vino con Dingo: «Los tres hombres se alejaban calle arriba. El paraguas tenía una varilla rota y parecía un viejo cuervo, cojo de un ala, que se les hubiera posado sobre las cabezas» (p. 26). La fuerza emotiva de esta imagen es mucho mayor que la anterior puesto que el lenguaje es más afectivo. La connotación de un cuervo es de muerte y aún más, de carroña o de alimentarse de carroña. Además, la palabra «cojo» usada con «ala» da la impresión de deformidad grotesca. Todo esto se asocia con Juan y el lector no puede menos que sentir cierta aversión hacia este personaje.

Si la clave de la personalidad de Dingo son sus máscaras, la de Juan es la religión. Cuando los oficiales vienen a decirle lo de Dingo y el niño atropellado, le interrumpen la oración y Juan arroja con ira un zapato contra la puerta: «Vio el zapato en el suelo, con la boca abierta y deformada. Se sintió terriblemente ajeno a las paredes, al suelo y al techo. Era como si toda la habitación le escupiera hacia Dios» (p. 21). Ya dentro de la mente de Juan, vemos como él se ve al mirar el zapato y sentimos la soledad que siente. Esta soledad parece ligarse con su religiosidad y el verbo «escupiera», con su connotación tan despectiva, sugiere que el hombre no sólo huye a la religión sino que todo le fuerza a refugiarse en ella.

La sugerencia de la religión como un refugio es una clave para la relación entre Juan y Dingo. Al saludarse éste le dice: «—Hola, Juan Medinao —dijo el payaso—. Yo soy Dingo, el que te robó las monedas de plata...» (p. 23). Estas palabras recuerdan a Juan la traición de hace treinta años: «Monedas de plata. Juan Medinao no recordaba si eran treinta como el precio de Cristo, o más de cuarenta, como sus años. Monedas de plata» (p. 25). El hecho de comparar la cantidad de monedas con el precio de Cristo, da lugar a su perdón: «Bruscamente, se le echó encima, abrazándole como una cruz de plomo» (p. 26). El choque entre la connotación de «cruz» y «plomo» sugiere la idea de usar el perdón para aplastar al prójimo con piedad y sacrificio: con superioridad cristiana: «Debía, como amo, ir a velar al niño, y de este modo dar ejemplo de piedad. No sabía cuál era la barraca de Pedro Cruz» (p. 27).

A pesar de la máscara de superioridad, el lector siente con Juan la amenaza existencial que la llegada de Dingo —parte del pasado— representa. Esta sensación de malestar se cristaliza cuando Juan entra en la casa de la víctima: «La madre y las vecinas estaban reunidas, gimiendo. Al entrar él callaron en seco. Sólo el columpio continuó balanceándose juguete en el tiempo, como empujado por unas manos invisibles y cruelmente pueriles» (p. 29). El contraste entre la repentina quietud de las mujeres y el continuo movimiento del columpio «juguete en el tiempo» crea un sentido de frustración. No obstante la autoridad que Juan tiene sobre la vida de los campesinos, la llegada de Dingo le hace sentir su propia insignificancia. Y así él se encuentra juguete en el tiempo cuando su memoria vuelve irremediablemente a su pasado doloroso. El lector, mediante la imagen del columpio vista por los ojos de Juan, participa en esta angustiosa sensación de impotencia.

El capítulo III se centra en la oración de Juan en la casa de los padres del niño muerto: «Juan Medinao bajó la cabeza de golpe y empezó a rezar. Su oración no tenía nada que ver con su voz. Su oración era una vuelta a la adolescencia, a la infancia. A su soledad» (página 32). La memoria consta de tres etapas en la vida de Juan: a los tres, cuatro y cinco años. Los incidentes anecdóticos dan luz sobre su relación con los padres e incluyen el nacimiento del hijo ilegítimo del padre y una de las criadas y el resultante suicidio de la madre. Estos incidentes explican en el plano conceptual el porqué de la personalidad deformada que acabamos de conocer; el uso de imágenes dentro de estos incidentes sirve para hacernos sentir la fuerza de los incidentes sobre esta personalidad; para hacernos experimentar lo que es ser un niño deformado y solo que se ve forzado a refugiarse en una ilusión de santidad.

La relación con su padre forma el fondo de sus problemas. El padre es brutal, cruel y estúpido pero sobre todo es parte de la naturaleza cruda en que vive: «Un día el padre estaba en el centro del patio. Tenía las piernas hasta las rodillas en botas de cuero. Parecía brotado del suelo, vibrante hijo de la tierra, con la cascada de rizos negros de su barba temblando sobre el pecho» (p. 34). La asociación entre el padre y la tierra enfatiza la distancia que Juan siente entre sí mismo y su progenitor. Es la misma distancia que siente entre sí y la realidad desnuda, cruel que le rodea. Una parte de esta distancia es la fascinación que siente hacia el padre y su bestialidad. Un día observa al padre mientras éste descarga golpes de látigo sobre el cuerpo de un toro que se está desollando en el patio: «Juan Niño, que no sabía jugar, vio la línea blanca volverse más roja, más y así, temblando, fundirse en una espuma candente que cayó al suelo en gotas como lumbre. Eran flores. Flores de una fuerza imposible, de un aroma vivo que crispaba la piel» (p. 34). El lector siente la fuerza de esta experiencia por medio del valor afectivo del lenguaje. Lo visual se intensifica hasta incluir lo táctil y lo olfativo. Culmina este proceso en una sensación de dolor, «crispaba la piel», y Juan huye de la escena: «Juan Niño tenía cuatro años blancos, sin refugio ni horizonte» (p. 34). Lo afectivo del contraste entre los colores rojo y blanco sirve como una apelación al lector a participar al mismo nivel que el personaje. Así la sensación de enajenación de Juan es también la del lector. Este no puede menos que sentir con Juan la necesidad de cualquier refugio.

El primer refugio aparece en el consejo de un cura que le dice que, «vestido de blanco, podía tragarse a Dios. 'Y pedirle favores', apuntó la madre, tímidamente. Entonces supo Juan Niño que debía rogar durante toda su vida por la salvación de Juan Padre. Por él y por todos los hombres pecadores, inconscientes y fuertes, que pegan con un látigo la carne cruda» (p. 35). Otra vez el sentido afectivo de los colores rojo y blanco capta el proceso en que Juan encuentra su refugio. Lo blanco contrasta con lo rojo de la sangre y su fuerza espantosa. Cuando el cura habla de «tragarse a Dios» en conexión con lo blanco, surge la implicación de que ser blanco es ser puro. Entonces un color vívido, como lo rojo de la sangre, se asocia con el pecado. Así el lector tiene la sensación de llegar igual que Juan a la conclusión de que la piedad es la única defensa contra la fuerza pecadora de la sangre. Pero a pesar de compartir con Juan el proceso de este descubrimiento, el lector a la vez siente la deformación moral implícita en tal proceso.

Si el padre representa la fuerza, la brutalidad y lo rojo de la sangre, la madre forma una antítesis: «La madre era el ángulo derecho de la sala, tenebroso y mal limpiado por las criadas: el vértice de lo negro, de los cuentos de miedo, las supersticiones y las velas a San Antonio. Eran las hormigas del rosario, en ruta de negocios hacia el alma, enredadas en caravana negra sobre la muñeca, donde late la sangre desacompasadamente» (p. 37). A pesar de su rectitud —«ángulo derecho de la sala»— ella no ofrece nada de un refugio —«tenebroso y mal limpiado»—. Con la referencia al rosario el lector siente vívidamente la metódica pesadumbre que ella predica y practica en nombre de la religión. Los padres reflejan Artámila misma. Lo rojo se asocia con el padre (brutalidad, fuerza vital de la sangre pero con implicación inevitable de la muerte) y lo negro se asocia con la madre (debilidad, miedo y una religión de castigo y muerte). Forman dos polos de lo negativo unidos con un común denominador, la muerte. La solución es encontrar una ruta entre estos dos polos.

La idea de encontrar una ruta se asocia con Dios: «El corazón de Juan Niño, entonces, naufragaba en Dios: en aquel Dios que tenía campanas en la Artámila Central. Y lo amaba y esperaba, porque no podía amar ni esperar nada de los campos ardorosos, ni del chasquido de los látigos, ni de los hombres y las mujeres que se perdían en los surcos y se hacían cada vez más pequeños hacia el horizonte» (p. 40). El verbo «naufragaba» sugiere la idea de un accidente, un accidente casi inevitable dada la sensación de desesperación creada por el lenguaje. Cuando habla de los hombres «que se perdían en los surcos y se hacían cada vez más pequeños hacia el horizonte» se crea la sensación de espacio y de tiempo. El lector percibe que la pequeñez o la temporalidad del hombre inspira también este hundirse en Dios. Todo este proceso de descubrir refugio añade a la sensación negativa implícita en el encuentro con Dios. El descubrimiento de piedad viene aun antes de naufragar en Dios, lo cual enfatiza el concepto deforme de la religión que se forma en la mente de Juan. Esta deformidad se cristaliza en los incidentes anecdóticos que relatan el nacimiento del hermanastro y el resultante suicidio de la madre.

Aunque Juan y el padre estaban ausentes cuando murió la madre, aquél volvió a casa primero y estaba con el cuerpo cuando el padre llegó: «Lentamente, Juan Niño, se incorporó. Parecía un santito de cera. Juan Padre entró. Nunca le había parecido tan grande y rojo. Un fuerte aroma invadió entonces la habitación, como si todo el bosque se hubiera puesto a soplar por las rendijas. El aroma a resina y cuero nuevo, desplazó la neblina de zumbidos y muerte. Juan Padre, inmóvil, estaba parado y mirándole. Tenía los ojos llenos de terror» (p. 53). Observamos esta escena al principio desde fuera. El diminutivo usado con la palabra «santo» produce un efecto despectivo, irónico. Tal efecto se refuerza con la connotación de la palabra «cera»: algo viscoso, del todo inanimado. Esta perspectiva exterior sirve para distanciar al lector emocionalmente del personaje y le hace a aquél sentir la fuerza desquiciadora que crea Juan con su sobrehumana manifestación de piedad. Pero lo demás de la escena se presenta desde los ojos de Juan mismo. La sensación principal que el lector comparte con él es la vitalidad del padre, la cual contrasta con la sensación de muerte y decadencia de la habitación. Sin embargo, a pesar de esta vitalidad, el padre expresa terror y culpabilidad y termina por llorar y pedirle perdón a Juan: «Algo se derrumbó ante Juan Niño. El padre perdía lejanía, perdía fuerza... Juan Niño empezó a sentirse blanco, frío y distante como un ángel» (p. 54). La pérdida de lejanía y fuerza en cuanto al padre resulta directamente de su manifestación de debilidad humana. En contraste con la idea de debilidad, los adjetivos «frío» y «distante» en referencia a un ángel crean una sensación de superioridad sobrehumana. Así la dimensión afectiva del lenguaje le hace al lector sentir cómo Juan llega por intuición al descubrimiento de que suprimiendo las emociones logra una superioridad aun sobre los hombres vitales como el padre: «Juan Niño avanzó una mano y sin timidez acarició la cabeza de su padre. No le quería. No le querría jamás. Pero acababa de hallar una espada que siempre le iba a pesar en la mano derecha. Que nunca había de abandonar. Era el perdón contra el prójimo, el perdón hecho del plomo de los débiles» (p. 55). La repetición de la palabra «plomo» enlaza los dos planos temporales de la novela (Juan el cacique abraza a Dingo como una «cruz de plomo»). Por lo anecdótico el lector entiende por qué Juan en su niñez huyó de la realidad y buscó refugio en una religiosidad falsa (la clave a su personalidad actual). Por la dimensión afectiva del lenguaje experimenta con Juan la fuerza destructiva de este forzado refugio en Dios.

El capítulo IV es una vuelta al momento presente de la historia. Es principalmente anecdótico y cuenta la salida de Dingo a la Artámila Central para ser procesado (con la promesa de Juan de ayudarle). Al marcharse el titiritero, llega el nuevo cura al pueblo y Juan decide pedirle confesión: «Mirándole, Juan Medinao, experimentó una sensación parecida a la que le invadía antes de comerse una cría de perdiz. Un regodeo mezquino le reconfortó» (p. 59) [8]. El uso otra vez de un lenguaje afectivo sirve no sólo para hacerle al lector anticipar la naturaleza corruptiva de esta confesión, sino también para hacerle sentir el colmo de decadencia moral a que ha llegado Juan. Esta decadencia moral tiene su fondo en el pasado y la confesión es el vehículo sobre el cual se revela este pasado.

---

[8] A través de la novela se nota el uso excesivo de comas para separar el nombre del personaje de lo demás de la frase («En aquel instante, Dingo, creyó ver...» [p. 13], «Desde la ventana de su habitación, Juan Medinao, podía contemplar...» [p. 20], «Afuera, Juan Niño, se secó las lágrimas...» [p. 47], «Juan Medinao, había venido...» [p. 56], etc.). Tal técnica sólo añade a la sensación casi absoluta de soledad producida en la novela.

Los capítulos V, VI y VII se centran en la confesión y los incidentes narrados tratan de: los celos que Juan siente hacia su hermanastro Pablo y su decisión de valerse de la dominación para aliviar su complejo de inseguridad [9]; su primer esfuerzo por dominar a Pablo y el resultante refugio en la amistad ilusoria de Dingo; su tentativa fracasada de atraer a Pablo a vivir en su casa casándose con la novia de éste. Es este último caso el que da lugar a la culminación de la decadencia moral de Juan. Pablo es el único ser de la novela incapaz de ser dominado incluso por la amistad y el amor y Juan termina por seducir a la madre de su hermanastro por su parecido ilusorio con su hijo («Así, con las pestañas velándole los ojos, se parecía, se parecía a Pablo» [p. 126]).

Tal como la oración sirvió para explicar cómo Juan llegó a construir su refugio a los cinco años, esta confesión sirve para mostrar cómo el tiempo va derribando su mundo ilusorio: «Aquella noche, como un árbol más en el bosque, con veintitrés años menos de vida, intentaba explicarse el tiempo... Pasaría al tiempo, al enigma del tiempo huido. Con su voz, con sus recuerdos, con su hambre de Dios y su temor» (p. 96). Este derrumbamiento es el que lleva a Juan a la corrupción y decadencia moral que el lector siente tan vívidamente por el sibaritismo expresado por Juan al ver al cura.

Los capítulos V, VI y VII son más y más anecdóticos aunque sigue la técnica de emplear lenguaje afectivo para hacer sentir al lector la fuerza de incidentes claves sobre Juan. Es la misma técnica que ya hemos analizado y por medio de la cual se hace sentir en el lector una doble enajenación. Esta técnica cambia con el capítulo VIII.

El último capítulo de la novela sirve para terminar el proceso de enajenación que caracteriza la experiencia del lector al leer *Fiesta al noroeste*. Aquí el lector se siente alejado no sólo de Juan o de Dingo, sino de todo este mundo ficticio. En contraste con todo lo anterior, el punto de vista en el capítulo final es casi exclusivamente exterior. La única excepción se da en el momento en que Juan observa el entierro del niño estropeado y se siente prisionero de una continua fiesta a la muerte: «¿Cómo, cómo pueden olvidar los hombres? Él, ahora, tras el niño de Pedro Cruz, volvía a vivir el entierro de la madre. Eran las mismas voces, las mismas pisadas, la misma fiesta al Noroeste» (p. 128).

No obstante este ejemplo, lo que se destaca en este capítulo VIII es la falta de un punto de vista personal. Hay un observador anónimo

---

[9] Para un análisis del tema Caín-Abel sugerido aquí, véanse los artículos: MARGARET W. JONES, «Religious Motifs and Biblical Allusions in the Works of Ana María Matute», *Hispania*, vol. LI, núm. 3 (septiembre, 1968), pp. 416-423, y RAFAEL MARÍA DE HORNEDO, «El mundo novelesco de Ana María Matute», *Razón y fe*, 162 (julio-diciembre, 1960), pp. 329-346.

que apunta lo decadente y lo inútil en todo y, por la anonimidad del narrador, el lector se encuentra solo, también observador:

> A tres gatos que había sobre el muro, el sol les ponía aureola y parecían santitos. El libro negro, temblaba en las manos del curita. El médico sacó un bocadillo del bolsillo y empezó a darle mordiscos con su dentadura postiza, que le venía grande ya y se le escapaba tras cada bocado. Metieron al niño en una caja de madera y le clavaron la tapa. No le podían cruzar los brazos y tuvieron que golpear fuerte y sudar. El médico se limpió la boca con el pañuelo, y con el dedo meñique empezó a hurgarse entre los dientes y la encía, que había empezado a sangrar. «Gloria...», rezaba ahora el curita, porque el niño Pedro Cruz aún no había cumplido siete años (págs. 128-129).

La imagen de los gatos como «santitos» da un sentido grotesco, irónico a esta escena (y se asocia con la imagen anterior de Juan como «santito de cera») y todo lo demás contribuye a alejarnos. Con el cambio a este punto de vista anónimo el lector ya no comparte la enajenación de Juan, o de Dingo, sino la del narrador hacia todos y todo. El efecto es un alejamiento emocional casi absoluto. La novela termina con el padre del hijo muerto, Pedro Cruz, huyendo de la escena: «'Gloria...' repetían los responsos, como un soplo. Aún no habían acabado, y ya montaña arriba trepaban el rebaño y Pedro Cruz, entre una nube amarillenta que era como un grito hacia las cumbres» (pp. 129-130). No obstante la sensación ascendente aquí, no hay nada de esperanza. La «nube amarillenta» más bien sugiere algo podrido, lo cual hace patético el «grito hacia las cumbres». El alejamiento emocional se cumple. El lector ve todo desde la distancia, una distancia espacial, temporal y emocional: «Los niños de la aldea, empezaron a enderezar las cruces caídas, suponiendo que el curita les daría unas monedas. El viejo doctor sacó un bloc y empezó a escribir el protocolo de la autopsia» (p. 130).

Fiesta al noroeste es, como se ha dicho tantas veces, una novela cuyo tema principal es la enajenación. La que da valor artístico a la novela —y cierta originalidad— es la maestría con que Ana María Matute hace al lector experimentar esta enajenación en dos niveles. La esencia de cualquier obra literaria surge de su habilidad para hacer sentir al lector el contenido temático en un nivel personal. Tradicionalmente tal experiencia en una novela se basa en la relación que capta el lector entre los acontecimientos narrados y a este hecho se debe la función básica de la anécdota. En *Fiesta al noroeste* en cambio, la experiencia fundamental se basa en el efecto emotivo del lenguaje empleado para comunicar los acontecimientos claves. De allí que la anécdota sirva principalmente para dar dirección a la emoción; para evitar el peligro de que habla Emil Staiger en cuanto a la lírica, de deshacerse en pura emoción[10]. Tras el análisis que hemos hecho de *Fiesta al noroeste* no cuesta demasiado trabajo ver cómo se podría intensificar este proceso rompiendo la cronología de la anécdota, incluyendo múltiples puntos de vista y cambiando el lenguaje poético en lenguaje más y más neológico (tendencias todas que caracterizan en gran parte la novela española de los 60). Si con tal paso se aumenta hasta lo infinito la potencia afectiva del lenguaje, a la vez se aumenta el peligro de deshacerse en pura emoción.

[*Papeles de Son Armadans,* Año XVIII, t. LXX, número CCVIII, julio, 1973, pp. 17-36.]

---

[10] *Conceptos fundamentales de poética*, Madrid, Ediciones Rialp, 1966.

EDWARD C. RILEY

SOBRE EL ARTE DE SANCHEZ FERLOSIO: ASPECTOS DE *EL JARAMA*

El renacimiento de la novela española durante la última década es el hecho más alentador y el más importante ocurrido en la literatura española desde la guerra civil, por las posibilidades que encierra. Aunque todavía se caracteriza más por promesas que por realizaciones, al menos una obra se ha asegurado un puesto entre las principales novelas del siglo xx. Quizá no sea excesivo afirmar que *El Jarama*, de Rafael Sánchez Ferlosio (1956), es la mejor novela escrita en España en lo que va del siglo. Pero a pesar de que ha merecido muchos elogios, aún no ha sido objeto de ningún estudio crítico amplio o profundo [1].

Mi intención en este artículo no es exponer todas las razones por las cuales creo que *El Jarama* es una gran novela, sino examinar algunos rasgos de la técnica de Sánchez Ferlosio, con la esperanza de mostrar en parte la hondura, sutileza y coherencia de su arte, e iluminar así un poco más el sentido de la obra. Esto comportará, por una parte, observar determinados procedimientos que subyacen bajo su realismo —el rasgo más evidente del libro—, y por la otra, examinar algunos recursos concretos —varios de ellos insospechadamente enmascarados— mediante los cuales *El Jarama* se impregna de poesía. Sánchez Ferlosio ha integrado poesía y realismo al servicio del tema con singular habilidad. En última instancia, *El Jarama* es algo mucho más trascendente que cuanto permitirían esperar la acción circunscrita y el método restringido de su presentación.

Durante las tres cuartas partes de esta novela de 365 páginas [2],

---

[1] Las consideraciones más sutiles que he encontrado son las de José María Castellet en «Notas para una iniciación a la lectura de *El Jarama*», *PSA*, I, 2 (1956), aunque —como nos lo haría esperar el título— están sin desarrollar. Es muy sorprendente que Eugenio de Nora no haga justicia a la novela en su importante *Novela española contemporánea*, Madrid, 1962, vol. II (2). Para otros artículos críticos y reseñas, véase la bibliografía suministrada por Nora en el mismo volumen.

[2] 4.ª ed., Barcelona, Destino, 1957.

nada ocurre que en la vida real pudiera considerarse memorable, quizá con la sola excepción de la ruptura de relaciones entre la hija del ventero y su novio. Pero el autor ha procurado intensificar en el lector la ilusión de que presencia los hechos ocurridos ese caluroso domingo de verano, entre modestos excursionistas, en las riberas del Jarama, jalonadas de merenderos, no lejos de San Fernando de Henares. Dentro de los muy definidos límites impuestos por la comunicación verbal, se hace sentir al lector que, más que oyente, es el testigo de una historia habitual en la narrativa en prosa. El lector es un espectador privilegiado, aunque sólo en la medida en que se le permite ver y oír lo que hacen y dicen tanto los once jóvenes excursionistas de Madrid, como las personas reunidas en la venta de la carretera y, en ocasiones, individuos de otros lugares.

Toda relectura de *El Jarama* es una experiencia distinta de la primera impresión (suponiendo, desde luego, que el libro se ha leído según la evidente intención del autor: sin previo conocimiento de lo que ocurre en la página 272). Cuando de improviso una de las excursionistas madrileñas —Lucita, la tímida— se ahoga, hay un cambio. La acción prosigue de la misma manera, con el mismo ritmo y el mismo registro inexorable de detalles; pero una vez que sabemos que Lucita ha muerto, la primera parte de la novela adquiere un aspecto diferente. Así como al terminar una buena novela policial y al enterarnos de «quién lo hizo», solemos volver atrás en busca de las pistas inadvertidas para comprobar cómo se ajustan todas las piezas, cuando retomamos el hilo de *El Jarama* descubrimos incidentes que, insignificantes al principio, se cargan de presagios, de pathos, de ironía. El lector habrá reparado, sin duda, en determinados momentos proféticos en el transcurso del día narrado en esta novela, particularmente hacia el anochecer; pero hay elementos en las primeras tres cuartas partes de la novela que no pueden tener sentido para quien ignore la muerte de Lucita, a menos que sea clarividente. Con arte extraordinario, Sánchez Ferlosio insinúa en su novela signos de la presencia de una especie de fatalidad que sólo se revela del todo retrospectivamente y aún así permanece ambigua.

Esta sugestión de un destino trágico en acción aumenta la intensidad con que se suscitan las emociones del lector, contrariamente a lo que podría esperarse de una obra donde los personajes están presentados con tan austera objetividad. Y aunque no conocemos a Lucita como a otros personajes literarios en cuyos corazones y mentes se nos permite penetrar, cuando se ahoga, cualquier lector de mediana sensibilidad debe sentir una emoción parecida a la de un testigo que, a la orilla del río, hubiera observado a la muchacha y a los otros diez jóvenes durante el día entero. La compasión implícita del primer observador, Sánchez Ferlosio, se transmite al lector sin el menor sentimentalismo.

No son nuevos para la novela moderna los intentos de transmitir con palabras, con la mayor inmediatez posible, las apariencias externas de hechos, cosas y personas. Tampoco es nueva la influencia del cinematógrafo, donde tal efecto se consigue más cabalmente. Sin embargo, el realismo de Sánchez Ferlosio en *El Jarama* es más que normalmente objetivo y la ilusión artística —literaria por necesidad— se aproxima a la del cine en grado poco común. Sospecho que su novela debe más al cine contemporáneo —recordemos sobre todo ciertas películas de Antonioni y de Fellini— que a *La colmena* o al *nouveau roman* francés. Pero sea como fuere, *El Jarama* no es una novela experimental en el sentido de que en ella se busque cierta determinada manera de escribir como un fin en sí. El autor emplea una técnica rigurosamente vigilada con un propósito ulterior, al cual no creo que podría llegarse de otro modo.

La narración impersonal está notablemente caracterizada por la eliminación o disminución de dos rasgos comunes a la narrativa anterior. El primero es el comentario del autor, hoy relativamente escaso en la novela realista. El segundo es la descripción hecha por el autor, de la vida anterior de los personajes: su naturaleza, pensamientos y sentimientos (lo que Wayne Booth llama en las palabras introductoras de su reciente e importante libro *The Rhetoric of Fiction* [3], «uno de los recursos más obviamente artificiales del cuentista»...):

> ... the trick of going beneath the surface of the action to obtain a reliable view of a character's mind and heart. Whatever our ideas may be about the natural way to tell a story, artifice is unmistakably present whenever the author tells us what no one in so-called real life could possibly know.

Tal artificio pocas veces está ausente de la narrativa moderna, aun de la más realista. *El Jarama* se parece a muchas novelas contemporáneas por el primero de esos dos rasgos; difiere de ellas por el segundo: el grado en que se elimina la visión interna de los personajes. Un axioma del novelista actual es que se debe «mostrar», y no «contar», al lector. Pero el realismo objetivo en sí no tiene ninguna virtud especial. Nada se gana rechazando las peculiares ventajas del narrador, salvo que existan razones valederas. El propósito de Sánchez Ferlosio es, evidentemente, acortar la distancia entre la experiencia de leer la novela y la experiencia de la vida real. Menos

---

[3] Chicago, 1961, p. 3.

evidente es la manera en que este método es útil para su tema, como espero demostrarlo.

Puesto que más del noventa por ciento del libro es diálogo, podemos decir que la acción está muy dramatizada. (La conversación es, en verdad, un *tour de force*.) No sería exacto decir que no hay ninguna clase de comentario o que la presentación de los personajes es absoluta y exclusivamente externa. Pero con una particular excepción —de la que me ocuparé más adelante— y una momentánea desviación hacia un «centro de conciencia» en el relato —que he de mencionar en seguida—, no se producen cambios en el punto de vista desde el cual se presenta la acción. Y es muy rara cualquier información sobre los personajes más allá de cuanto revelan sus conversaciones, su apariencia o sus acciones. Ni siquiera sabemos cómo se llama una persona hasta que otra la llama o se refiere a ella por su nombre. ¿Y de qué otro modo podríamos saberlo? El autor, sin embargo, utiliza la información que acumula como un espectador que estuviera presente: una vez que ha aparecido un nombre en el diálogo, lo emplea para identificar a un personaje directamente. En unos pocos casos, podemos inferir muy fácilmente la identidad de una persona, como lo haría cualquier extraño presente en la escena. Cualquiera podría adivinar que uno de los dos hombres de la venta, al comienzo de la novela, es el ventero (p. 8). Y cuando leemos: «Entró Justina desde el pasillo» (p. 13), tampoco se nos dice nada que no pudiéramos deducir, porque Justina, la hija del propietario, ya ha sido nombrada en la conversación.

Desde luego, la objetividad absoluta es imposible en una novela. Pero las desviaciones de la estricta objetividad, que pasarían inadvertidas en cualquier obra moderna convencionalmente realista, son tan excepcionales en *El Jarama* que llaman la atención. Confirman la regla. También sirven para demostrar qué raro y qué difícil de conseguir en la narrativa moderna es lo que podríamos llamar con propiedad realismo objetivo. Hay dos tipos de excepciones en esta novela: el primero puede describirse como la información que un observador podría deducir simplemente de lo que ve y oye. El segundo tipo, el más considerable, es la información que sólo podría transmitir un autor que gozara de los privilegios tradicionales.

Casi todas las excepciones del primer tipo se relacionan con las percepciones sensoriales de los personajes, acerca de las cuales no tenemos certeza absoluta, pero que podemos deducir verosímilmente. «Veía, en el cuadro de la puerta, tierra tostada y olivar...» (p. 10). Podemos ver lo enmarcado por la puerta; Lucio mira en esa dirección: podemos presumir que también él lo ve. Cuando «Faustina se dio cuenta de pronto de que ya apenas distinguía las lentejas encima del hule» (p. 222), la percepción le sugiere algo que el observador (que también sabe que está oscureciendo) puede deducir, porque el personaje mira hacia arriba, se quita los anteojos y prende la luz. Tampoco se necesita una imaginación demasiado viva para comprender que cuando Faustina aprieta a la aterrorizada coneja contra su pecho «le sentía todo el caliente sobresalto de los músculos menudos, el bullir de la sangre acelerada de pavor» (p. 262). Un número menor de casos concierne al reconocimiento, la identidad o la información que, presumiblemente, ya ha sido reunida de manera normal, pero que no se suministra sino después [4]. Dudo que en toda la novela haya más de tres docenas de ejemplos de simple deducción, en lugar de observación directa.

El número de excepciones del segundo tipo, en que la información no puede deducirse, es harto menor. Sin contar la primera palabra de la novela («Describiré»), he advertido sólo unos nueve y entre éstos, sólo dos o tres para los que no encuentro explicación [5].

Podemos encontrar algunos motivos para las desviaciones más sustanciales de la regla, en esta categoría. Al comienzo mismo de la novela leemos:

> *Siempre* estaba sentado de la misma manera... por el cuarto *quería* tener luz. Por el frente *quería* tener abierto el camino de la cara y *no soportaba* que la cortina le cortase la vista hacia afuera de la puerta...
> *Pronto le conocieron la manía y en cuanto se hubo sentado una mañana, como siempre, en su rincón,* fue el mismo ventero quien apartó la cortina... (págs. 7-8).

Un simple observador no podría saber cuánto informan las palabras subrayadas. Pero esta temprana desviación de la norma es muy explicable. Por medio de ella se establece una continuidad entre la acción presente de la novela y el tiempo pasado, antes del comienzo de la acción:

> Fuera pedían música, música, porque ese Lucas no quería moverse a ponerles en marcha la gramola. Luego decían que el vino se había terminado y a lo mejor era ella la que tendría que levantarse a poner más (págs. 241-242).

Aquí el punto de vista narrativo se desvía, durante dos oraciones, hacia otro «centro de conciencia»: hacia Justina, sola en su dormitorio después de la riña con su novio. Este puede no ser más que un desliz, pero es interesante observar que hasta este momento no ha ocurrido en el libro nada más importante que esa discusión. Sin duda, esto explica el paso momentáneo a otro punto de vista:

---

[4] Por ejemplo, respectivamente: «Reconoció la cara del muchacho» (p. 14); «habían entrado cinco madrileños» (p. 196); «había dicho el Buda» (p. 86).
[5] Por ejemplo: «Alicia la conocía ya de antes» (p. 205).

se nos muestra un fragmento de otro posible relato, el de Justina, que se omite casi por completo. Otro ejemplo:

> «¡Aquí! Aquí!», gritó una voz junto a la presa. «¡Aquí está!» Había sentido el cuerpo, topándolo con el brazo, casi a flor de agua (pág. 273).

Esta vez ya no se trata sólo de deducir la percepción de un personaje. Nuestra posición como observadores durante el momento crítico en que Lucita se ahoga no nos permitiría saber que quien habla ha sentido el roce de su cuerpo. No, a menos que supiéramos un «primer plano» que la singularidad de la ocasión podría justificar, en efecto. Pero en todo caso, si es acertada mi suposición acerca de la identidad del narrador, a que me refiero al final de este artículo (páginas 220-221), hemos de ver que éste es un caso muy especial de intrusión del autor [6].

La acción está dispuesta de tal modo que recuerda la técnica del cinematógrafo. Cada parte o capítulo sin numerar está concebido como una secuencia fílmica. Las divisiones en capítulos, de extensión harto variable, equivalen a un «corte» o a un «fundido» desde un individuo o grupo de personajes en un lugar hasta otro grupo en otro lugar. Los grupos principales son los muchachos y muchachas que están a la orilla del río, el propietario y su familia y los parroquianos que están en la ventana, la familia Ocaña que visita a la familia del ventero por ese día y, más tarde, la otra partida de jóvenes madrileños que se une a la primera. Varios otros personajes aparecen en el cuadro, de cuando en cuando. A veces el autor, en un mismo capítulo, sigue a algunas figuras que se apartan de un grupo o se le unen, o muestra la fusión de un grupo con otro. Rara vez se dedica un breve capítulo a la descripción ambiental (p. 256, por ejemplo). La acción está limitada a los alrededores del mismo trecho del Jarama, salvo en el largo capítulo que sigue la marcha del juez desde el Casino de Alcalá hasta el sitio donde yace el cadáver de Lucita, en la playa, y los pocos capítulos breves en que acompañamos a Carmen y Santos camino de sus casas.

Entre los capítulos se mantiene una continuidad perfecta, con sólo cuatro excepciones, según creo. Dos de éstas son triviales, apenas breves cortes de un lugar a otro inmediato, ambos indirectamente asociados en cada caso por el movimiento previo o implícito de los personajes (pp. 291 y 312). La tercera excepción tampoco es muy

---

[6] De las tres oraciones que empiezan: «No le importaban los zapatos», en la p. 35, lo más exacto que puede decirse es que introducen al «hombre de los z. b.» que, como se verá, es una figura algo especial en la novela. La observación de la p. 235, «Hablaban bajo, sin saber por qué», implica una observación que un espectador no podría hacer. Pero, una vez más, el contexto es algo desusado (ver *infra*, p. 136).

importante: Faustina llama a su hija (p. 241) y la escena pasa, en mitad del capítulo, a Justina en su dormitorio. Justina oye la voz de su madre y otros sonidos del exterior. Así, la continuidad se mantiene mediante el paso del sonido.

El último caso es muy diferente. El capítulo que empieza en la página 216 es excepcional, entre otros motivos, por los rápidos cortes entre grupo y grupo, entre persona y persona, entre lugar y lugar: el mendigo en el paso a nivel, Faustina en la cocina, los jóvenes en la playa, los parroquianos en la venta, los demás jóvenes excursionistas y la familia de Ocaña en el jardín, Carmen y Santos que regresan a sus casas en bicicleta. Sánchez Ferlosio pasa de unos a otros rápidamente, registrando fragmentos de conversaciones. Este súbito cambio de ritmo produce un marcado ascenso de la tensión narrativa; el nervioso fluctuar de escena a escena nos afecta como lo haría su equivalente cinematográfico. Tenemos conciencia de que el momento es, de algún modo, crítico; algo está ocurriendo y, sin duda, algo peor habrá de ocurrir. Quizá no parezca muy claro, a primera vista, *qué* es lo que está ocurriendo, porque ninguno de los personajes está comprometido en la acción. Lo que ocurre es que la noche cae con rapidez.

He creído interesante especificar estas ocasiones en que Sánchez Ferlosio se aparta de un método objetivamente realista y cinematográfico, porque (aun cuando mi lista sea incompleta) son notablemente escasas y, además, para mostrar que siempre se encuentra un motivo que justifica la excepción en los casos más evidentes. La coherencia no es de por sí un mérito, pero en las excepciones a la norma podemos hallar pruebas suficientes de que, tras lo escrito, hay un espíritu lo bastante alerta para persuadirnos, quizá, de que nos encontramos frente a un artista muy consciente.

EL TIEMPO

Tema importante —o aspecto del tema principal— de *El Jarama* es el tiempo. Nos lo anticipa el epígrafe, una cita de Leonardo da Vinci: «El agua que tocamos en los ríos es la postrera de las que se fueron y la primera de las que vendrán; así el día presente.»

La acción abarca dieciséis horas, desde poco antes de las 8.45 en la mañana de un domingo, hasta después de las 12.50 en la noche entre el domingo y el lunes[7]. Si no me equivoco también hay dieciséis referencias a la hora del día, todas en labios de los personajes del libro. Vale la pena señalarlas:

---

[7] Sin duda no se ha intentado un absoluto «realismo durativo», pero dieciséis horas es aproximadamente el tiempo que lleva leer *El Jarama* de manera descansada o cuidadosa.

9

«Las nueve menos cuarto» (pág. 8). «No son las diez todavía» (página 13). «Las diez menos veinticinco» (pág. 16). «Las diez van a ser» (pág. 24). «Las doce menos cinco» (pág. 40). «Las mismas doce en punto» (pág. 46). «Las dos y media ya pasadas» (pág. 83). «Pues van a ser las tres» (pág. 90). «Las tres y media dadas» (pág. 100). «Casi las cuatro que son ya» (pág. 112). «Las seis menos cuarto» (pág. 124). «Las siete dadas» (pág. 199). «Las siete y media que son ya» (página 203). «Las diez y cuarto» (pág. 294). «Ya deben de ser cerca de las doce y media» (pág. 361). «La una menos diez» (pág. 364).

Por los intervalos entre estas horas, con sus correspondientes referencias a la página, puede comprobarse que la acción no avanza con regularidad de reloj, sino más bien según el modo en que se experimenta subjetivamente el tiempo y también, desde luego, según el modo en que los novelistas suelen tratarlo. Cuando la acción que ocurre en un lugar se interrumpe y vuelve a ser retomada en otro capítulo, generalmente ha transcurrido un lapso de tiempo, pero a veces no. Ocasionalmente, parece haber un breve retroceso temporal en el paso de una escena a otra.

Pero las alusiones al reloj no son el único medio de señalar el paso del tiempo. En el mundo natural, nos indican la hora, el sol, las sombras crecientes y, de noche, la luna, en cierta medida. Existen significativas alusiones a ellos en El Jarama. Durante la mañana hay pocas, pero aumentan a medida que el sol se hunde desde el cénit hacia la tarde, y proliferan en el momento en que adquirimos mayor conciencia del avance del día: cuando éste deja paso a la noche. El mayor intervalo entre dos menciones del reloj se encuentra en la parte de la novela que abarca la muerte de Lucita y el momento inmediatamente anterior (entre las pp. 203 y 294), pero abundan allí al fondo del camino sobre las lomas del Coslada (p. 206); el rayo de sol sobre la tapia del jardín se adelgaza, se esfuma y se desvanece del jardín en sombra (p. 210); los ladrillos del puente se oscurecen cuando la luz del sol avanza hacia la otra orilla (p. 216); las alturas, hacia el este, pierden la última luz (p. 219); bajo los árboles todo es gris; a las aguas del Jarama apenas se las distingue de la tierra; y las cromolitografías, en la pared de la venta, pierden sus colores (página 220); Faustina se levanta para encender la luz eléctrica en la cocina y en la venta los jugadores de dominó apenas pueden ver el juego (p. 222); la súbita aparición de la enorme luna sobresalta a Carmen (p. 234); la luna asoma lentamente sobre la tapia del jardín (página 276). Tales alusiones son significativas porque nos recuerdan que el tiempo es parte del orden natural, que representa un papel tan importante en el libro. El tiempo gobierna las vidas de los excursionistas del domingo, aunque éstos apenas piensen en él, salvo en los limitados términos de la hora que es y los horarios de los trenes.

Por más que el tiempo pueda sujetarse a la disciplina de la medida, es algo singularmente misterioso. Como tal, es algo «poético» y pertenece al otro mundo de *El Jarama:* el que está más allá del concreto mundo de las apariencias, el que se evoca mediante signos y asociaciones poéticas. En la experiencia de casi todas las personas hay momentos en que se les impone una extraña y urgente conciencia del tiempo. Una rápida descripción del paisaje abrumado y transitoriamente silencioso bajo el deslumbrante calor del mediodía provoca (y la ocasión es única) este comentario del autor: «En momentos así se pregunta: ¿Qué hora es?» Entonces tiene lugar esta conversación inconexa:

—He matado una cabra esta mañana.
—Las mismas doce en punto.
—Lo digo por si quieres una pata; te la mando traer. (Pág. 46.)

Estamos justo en la mitad del día en que Lucita ha de morir. Una criatura ha muerto ya. Este es un buen ejemplo del modo en que los momentos significativos están insertados en el libro y sólo adquieren pleno sentido a la luz de acontecimientos posteriores. Observaciones que parecen inocentes en su contexto inmediato adquieren más hondo significado en relación con el drama de la muerte en *El Jarama.* Daniel está ansioso por beber otro trago de la botella de vino. Tito dice que no hay prisa. Daniel dice que la hay, para él. «—¿Y quién te corre, si se puede saber?» Daniel sonríe, se encoge de hombros: «—La vida y tal» (p. 177). Otras dos referencias al tiempo adquieren profética poesía con respecto a la muerte de Luci.

—¿Y qué hora es? —decía Ricardo.
—La de no preguntar qué hora es —contestó Zacarías.

Esto en la página 260. La muerte de Lucita ocurre en la página 272 y en la 274 leemos:

Habían preguntado la hora; Zacarías agarraba a Miguel por la muñeca, tapándole el reloj; le decía:
—Loco, ¡estás loco tú ahora jugar con esos instrumentos! ¡Esto es la muerte niquelada!

Las menciones de la hora, alrededor del momento en que Luci muere[8], están rodeadas de oscuridad, aunque abundan las alusiones a fenómenos tan naturales como la noche y la luna. El preciso momento de su muerte no se conoce con exactitud, pero los funcionarios públicos lo fijan de manera característica:

_____

[8] Compárase también con Mariyayo, que dice: «Fíjate, me quedaba yo ahora, ¡no sé el tiempo!» (p. 276). Y en la p. 278: «—¡Es muy tarde! —Hay tiempo, hay tiempo todavía.»

—El hecho debió de ocurrir sobre las veintiuna cuarenta y cinco, aproximadamente, salvo error (dice el guardia civil). Ya. Las diez menos cuarto, en resumen —dijo el Juez—. (Pág. 336.)

LUCITA. PRESAGIOS E IRONÍA DRAMÁTICA

Sólo un lector de insólita sagacidad podría sospechar que algo le ocurriría precisamente a Lucita. Casi todos los lectores, al llegar a la escena de su muerte deben sin duda rebuscar en la memoria o volver a páginas anteriores del libro para recordar algo que la distinga. «Esta era una, ya le digo, finita, con una cara, pues, así un poco..., vaya, no sé qué señas le daría...» (p. 312). Era la muchacha tímida, dulce, que nos permitió conocerla un poco más cuando el vino la achispó, poco antes de su muerte, y que empezó a enamorarse de Tito. Con su muerte, la novela súbitamente adquiere un protagonista (o acaso una víctima). El autor no ha atraído la atención hacia ninguno de los jóvenes excursionistas. A esta altura, han perdido su anonimato inicial para el lector que, en el curso del «día», se ha familiarizado con ellos. Pero si algunos ocupan más espacio en el libro que otros, sentimos que es porque esos personajes —Mely, por ejemplo— corresponden a las personas más desenvueltas, peculiares y dignas de atención en la vida real. Luci no es de esta clase, pero ocupa un espacio algo mayor que en los capítulos iniciales, en aquéllos que preceden a su muerte. El efecto se consigue reduciendo el número de personajes de su ambiente inmediato, y por el hecho de que el vino la hace más audaz y expansiva. Sin embargo, aun en los momentos en que se ahoga y en los que siguen, el autor no concentra sobre Lucita más atención que en los pasajes previos de la novela. Lucita se convierte, sencillamente, en la preocupación principal del lector, así como se convierte en preocupación de sus amigos y de los demás presentes.

En lo que sigue a partir de este punto, es harto evidente la aproximación de dos experiencias: la de leer esta obra narrativa y la de presenciar el mismo acontecer en la vida real. El lector recapacita sobre el papel representado por Lucita durante el día como lo haría cualquier testigo compasivo. Puede encontrar, así, momentos cargados de pathos, de ironía, aun de presagios, que antes habían pasado inadvertidos como tales. Se nos habían dado algunos indicios generales de su presencia acechante, pero la sibilina fatalidad sólo se revela en su esencia cuando ya es demasiado tarde. Y aun entonces no podemos estar del todo seguros: nunca se distingue netamente de lo que parece azar sin sentido. Pero retrospectivamente, parece haberse elaborado un destino y el misterio de esa elaboración colma de honda y hermosa poesía el inexorable informe de hechos cotidianos en *El Jarama*. Por asociación con la muerte de Lucita, muchos incidentes y observaciones insignificantes, prosaicos en sí, adquieren poética resonancia e ironía dramática.

¿Es significativo el hecho de que solamente Luci, entre los demás muchachos llegados esa mañana en sus bicicletas, siga más allá de la meta —como si algo en ella la impulsara a eludir el lugar— y tengan que llamarla de regreso? (p. 22). Luci interrumpe la conversación sobre los cadáveres que flotaban en el río durante la guerra civil. «Nada —dice uno de sus amigos—, Lucita, que no le gustan las historias de muertos» (p. 40). Quizá no haya nada trascendente en el hecho de que su traje de baño sea negro (p. 42), pero sin duda hay algo de amarga ironía en el hecho de que los muchachos, esa mañana fingen por broma tirarla al río (p. 43). Y después se arrodillan, las manos juntas como en una plegaria, para pedirle perdón, «fingiendo una burlona compunción». Lucita, descrita como «la más inocente de todas», es escogida para echar suertes (p. 72). No quiere que le miren dentro del bolso: «Tengo mis cosas. No me gusta que me fisguen» (p. 122). Pero al fin se calma, agregando: «Yo soy muy poco interesante, hijo mío.» Pocas horas después, ya muerta Luci, los funcionarios de la ley escrutarán y pormenorizarán el contenido de su bolso, y reunirán los pocos hechos de su pasado (página 352). Sus amigos piden a Luci que beba primera e inaugure la noche (p. 134); después, como empieza a beber un poco de más, la muchacha dice: «Bueno, luego vosotros os encargáis de llevarme a mi casa, ¿eh?» (p. 180). Los efectos del vino, dice a Tito, la hacen sentirse como si estuviera en un bote, y se abandona a su fantasía: Tito rema, durante una terrible noche tempestuosa... (p. 226). Ella es quien repara en la caída de la noche (descrita en la novela como algo inexorable y siniestro): «Ya sí que cae la noche... Se echó encima de veras» (p. 227). Y ella es quien, al fin, impulsa a los demás a entrar en el agua para ese último baño a la luz de la luna: «¡Al río, al río! —gritaba de pronto—. ¡Al río, muchachos! ¡Abajo la modorra!» (p. 258).

Hay otros incidentes sin importancia, menos directamente asociados con Lucita, que también aparentan ser inocuos en su contexto pero que, retrospectivamente, parecen investirse de presagios y misteriosamente aluden a esa muerte. Poco antes de morir, mirando hacia los merenderos a través de los árboles, había visto «la sombra enorme de alguien que se había asomado al malecón» (p. 256). Y cuando llevan su cuerpo a la playa, «iba un hombre a caballo, muy lejos, por el borde de la vía del tren, en lo alto del talud que atravesaba los eriales» (p. 284)[9]. Esas figuras carecen de sentido en el contexto realista, pero con relación a la muerte de la muchacha son

---

[9] Sobre el significado del tren, ver *infra*, p. 137.

extrañamente evocativas como muchas imágenes en la poesía moderna. Está, además, el frenético intento de huida de la coneja, en el jardín, justamente antes de la muerte. «Ya vais a ver cómo tenemos un disgusto», dice Ricardo (p. 261). Se refiere a algo muy diferente y trivial, pero ya ha mostrado cierta sensibilidad ante las posibilidades del mal, una sensibilidad que otros pueden llamar superstición. Debe repararse en que la coneja se refugia bajo la bicicleta de Luci. Y por fin está la canción de Miguel, inmediatamente después de la muerte en el río:

> ... y como tú no volvías
> el sendero se borró,
> como tú no bebías
> la fuente se corrompió. (Pág. 273.)

Las alusiones al agua y al no volver no necesitan comentario.

LA NATURALEZA, EL RÍO Y LA MUERTE

El estilo de Sánchez Ferlosio se caracteriza por una percepción sensorial del mundo físico marcadamente aguda. Combina su capacidad de observación minuciosa con una imaginación poética no menos intensa: es decir, que tiene el poder de evocar, como Góngora o Lorca, lo «no real» o lo «sobrenatural» a partir de la realidad concreta. Esta vena poética se somete en *El Jarama* a una disciplina mucho más rigurosa que en la novela anterior del mismo autor, la encantadora *Industrias y andanzas de Alfanhuí* (1951); pero aun en esta primera obra hay una precisión y una minucia esenciales, idénticas a las de *El Jarama* [10]. En esta última pueden observarse dos estilos descriptivos radicalmente distintos. Hay una manera seca, precisa, que incluye a veces el empleo de la medición exacta y hasta puede llamarse científica. Las descripciones iniciales y finales del curso del Jarama en el monótono estilo de un manual de geografía pueden ser un ejemplo extremo de esa manera. Pero hay también un estilo «poético», caracterizado por epítetos, metáforas y símiles, usados casi siempre para la descripción escénica. Me ocuparé de esta

---

[10] Especialmente en lo que concierne al color, la luz y la sombra. «Así fue descubriendo Alfanhuí los cuatro modos principales con que los verdes revelan su naturaleza: el del agua, el de los secos, el de la sombra y la luz, el de la luna y el sol» (ed. Barcelona, 1961, p. 185). Cfr. también la maravillosa descripción de las sábanas colgadas afuera para secarse en los alambres del estrecho patio (ed. cit., p. 104), o la aguda observación detrás del siguiente símil: «Bajo la luna grande y luminosa de los veranos que anda de lado, como una lechuza por un hilo y puebla de guiños la llanura» (p. 178).

segunda manera, aunque no desde un punto de vista estrictamente estilístico.

Los pasajes poéticamente descriptivos constituyen la excepción especial, ya mencionada en este artículo, al realismo objetivo que, por lo demás, se sostiene con tanto rigor. No sólo atemperan la austeridad del realismo; representan, además, la única intrusión importante y persistente de Sánchez Ferlosio en su propia obra. Es obvio que —debido a sus comparaciones— un pasaje como el siguiente no es objetivamente realista:

> Se veía Madrid. Un gran valle de luces, al fondo, como una galaxia extendida por la tierra; un lago de aceite negro, con el temblor de innumerables lamparillas encendidas, que flotaban humeando hacia la noche y formaban un halo altísimo y difuso. Colgaba inmóvil sobre el cielo de Madrid, como una losa morada o como un techo de humo luminoso. (Pág. 235.)

Las comparaciones implican inevitablemente una interpretación, y toda interpretación supone el punto de vista personal del intérprete. A pesar del hecho de que esta interpretación es producto evidente de la observación directa, el pasaje es apenas menos lírico que realista.

Entre las muchas alusiones al paisaje y los fenómenos naturales hay cierto número que, por medio de una asociación más o menos numinosa, sirve a una idea única que es poética por su misterio mismo: la idea de la muerte violenta como parte integrante del mundo natural. El río Jarama mata a Lucita. Si el análisis me hace aislar algunas de esas alusiones, debe recordarse que están entretejidas en la trama realista de la novela y normalmente no se destacan.

Esa mañana se ven en el cielo buitres que vuelan en círculo. «Mirar —dice Lucio—, ésos también tienen carne hoy domingo».

> Todos miraron; no lejos, sobre las lomas amarillas, se veía una rueda de buitres en el cielo; un cono de espirales, con el vértice abajo, indicando en la tierra un punto fijo. (Pág. 47.)

Esas aves de la muerte atraen particularmente la atención de «el hombre de los zapatos blancos» (pp. 48, 49, 58), que parece sentirse más íntimamente armonizado con el mundo natural que las demás personas, inclusive el joven Ricardo. Después, la noticia de la muerte de Lucita lo afecta físicamente: vomita.

En dos ocasiones se describe la luna llena en términos que le confieren una sugestión de influencia nefasta, casi de complicidad con la muerte (lo cual recuerda, en cierto modo, la función de la luna en las obras de Lorca). Las sugestiones son fugaces, no se las subraya, pero hacen vibrar una cuerda siniestra que resuena en el ánimo del lector en otras ocasiones en que se menciona la luz de la luna. La luna aparece en el horizonte con alarmante brusquedad, «roja, inmensa y cercana» y asusta a Carmen. Santos la compara entonces con un gong, el más siniestro de los instrumentos musicales, y en esa ocasión ambos «hablaban bajo, sin saber por qué» (páginas 234-5) [11]. Hay otras referencias a la luna: justamente después de que Lucita ha persuadido a los demás de que salgan a nadar (página 258), en el momento en que entran en el agua (p. 271) y durante la confusión que se produce mientras Lucita se ahoga (página 273). Pero la segunda referencia, realmente profética, ocurre poco después de esta última. Esta vez la luna se asocia claramente con la muerte:

> La luna aparecía; fue rebasando las tapias del jardín, como una gran cara muerta que se asoma; la veían completar lentamente sus facciones eternas. (Pág. 276.)

Más tarde, «brillaba un poco de luna sobre la piel mojada del cadáver, tendido de costado» (p. 284).

El río Jarama, que tiene un cementerio en una de sus riberas (páginas 152-3), se asocia varias veces con la muerte, de manera directa e indirecta, tanto antes como después de la muerte de Lucita. Fue campo de batalla durante la guerra civil y desde entonces ha exigido una víctima «todos los años», casi siempre un madrileño (p. 320). Pero el río mismo es visto como cosa viva, como una fuerza animada de la naturaleza, y se le asocia especialmente con la vida salvaje de la naturaleza. En ocasiones apenas puede distinguírsele del paisaje a través del cual fluye, como una criatura salvaje que se confunde con su ambiente natural. Los jóvenes no lo ven hasta que, de pronto, lo tienen delante, porque su color es igual al de la tierra (p. 26). Y al atardecer «ya casi no distinguían de la tierra las aguas del Jarama» (página 220). Una rama que flota en su corriente parece un caimán (página 70). A la luz de la luna sus aguas parecen tener escamas fosforescentes, como el lomo cobrizo de un pez (p. 236), y los nadadores «aquí en lo oscuro sentían correr el río por la piel de sus cuerpos, como un fluido y enorme y silencioso animal acariciante» (página 271).

El Jarama parece una bestia que aguarda y acecha su presa, con la silenciosa complicidad de todo el mundo de la naturaleza: la vasta complicidad de la muerte.

> Desde el suelo veía la otra orilla, los páramos del fondo y los barrancos ennegrecidos, donde la sombra crecía y avanzaba invadiendo las

tierras, ascendiendo las lomas, matorral a matorral, hasta adensarse por completo; parda, esquiva y felina oscuridad, que las sumía en acecho de alimañas. Se recelaba un sigilo de zarpas, de garras y de dientes escondidos, una noche olfativa, voraz y sanguinaria, sobre el pavor de indefensos encames maternales... (pág. 227).

Dos hombres de la región, el alcarreño y el pastor, conocen al Jarama como a una criatura viviente y hablan con rústica elocuencia de su fuerza y su ferocidad —«las aguas de este río tienen manos y uñas, como los bichos, para enganchar a las personas y digerírselas en un santiamén» (p. 321), aunque el pastor, avergonzado de su propia y espontánea poesía, acaba excusándose por haber exagerado.

En este feroz mundo de la naturaleza hay, sin embargo, un monstruo hecho por el hombre, asociado con el poder y la destrucción, y con el tiempo: el tren. El pasaje de la página 277 que acabamos de citar termina así:

... campo negro, donde el ojo de cíclope del tren brillaba como el ojo de una fiera.

Mediante la alusión mitológica y el símil animal, también se relaciona al tren con las oscuras fuerzas telúricas de la naturaleza. Este Polifemo, tren-cíclope, no parece tener relación con Lucita y, sin embargo, por alguna misteriosa concatenación de causas y efectos, puede considerarse como un agente de su destrucción.

Luego el ojo blanquísimo del tren asomó de repente al fondo de los llanos; se acercaba, rodante y fragoroso dando alaridos por la recta elevada que cruzaba el erial. Entraba al puente del Jarama... Lucita se estremecía y se pasaba las manos por los brazos y los hombros; luego dijo:

—Chico, estoy más molesta... Tengo grima, con tanto polvo encima de la piel. Tanta tierra pegada por todo el cuerpo. Te pones perdida de tierra, no se puede soportar.

—Llevas razón —dijo Sebas—, se llena uno hasta los pelos, a fuerza de estarse revolcando todo el día. Para darse otro baño. Yo me lo daba. ¿Eh, qué os parece? ¿Qué tal darnos ahora un chapuzón? (página 257)

¿Tembló Luci a causa del tren? Fuese no ésa la causa, la mera yuxtaposición de dos incidentes triviales establece una asociación profética. La serie de acontecimientos es muy clara: súbita aparición del tren, Luci se estremece, se toma los hombros, siente el polvo en la piel, se queja, Sebastián sugiere una zambullida [12], Luci accede con vehemencia, Luci se ahoga.

[12] Más tarde recuerda con remordimiento su parte en esta concatenación de causa y efecto (p. 315).

El incidente ofrece otro ejemplo del modo en que la poesía impregna la novela, iluminando lo que previamente parecía sin importancia ulterior. Hacia el comienzo del libro, una figura algo misteriosa, «el hombre de los zapatos blancos», camina por las vías del ferrocarril y a veces, cuando nadie mira, se balancea sobre uno de los rieles. La niña vestida de rojo trata de asustarlo gritándole de pronto: «¡Que viene el tren!» (p. 35). Esta asociación indirecta de los trenes con la destrucción, que recuerda su temible poder, adquiere fuerza mayor a la luz del pasaje de la página 257.

En gran parte, la poesía ha de encontrarse en esta novela hiperrealista como en la vida real: sólo se manifiesta ante quien trata de hallarla, escudriñando tras los fenómenos y en los intersticios de los hechos.

Conclusión

El tema de esta novela, cuyo título es el nombre de un río, no es sólo el tiempo, sino también la vida y la muerte, inseparables del tiempo. Los tres aparecen tradicionalmente asociados con un río en la poesía, el mito y la religión. (Las líneas iniciales de la tercera estrofa de las famosas *coplas* de Jorge Manrique no habrían sido epígrafe menos adecuado que las palabras de Leonardo.) Un aspecto particular del tema desarrollado por Sánchez Ferlosio es la conmoción producida por una súbita, increíble muerte en el vivir cotidiano. «¡Un rato, Dios mío, si no hace más que un rato que estaba con nosotros...!», exclama Mely (p. 311).

> —La vida —repuso Mario—, que es así de imprevista y te sacude en el momento que menos te lo piensas. Cuando más descuidado, ¡zas!, ¡allá que te va! te pegó el zurriagazo. (Pág. 316.)

El hombre de los zapatos blancos comentó:

> —Y está uno leyendo todos los días cantidad de accidentes que traen los periódicos, con pelos y señales, sin inmutarse ni esto; y, en cambio, asiste uno a lo poquísimo que yo he presenciado aquí esta tarde, y casi de refilón, como quien dice, y ya se queda uno impresionado, con ese entresí metido por el cuerpo, que ya no hay quién te lo saque. Como con mal agüero, esto es, ésa es la palabra; con mal agüero. (Pág. 325.)

Estas palabras son significativas en dos sentidos. Primero, porque el personaje señala el peculiar efecto de estar presente (o casi presente, en su caso) cuando ocurre una muerte trágica en que no estamos personalmente implicados. El estilo narrativo de Sánchez

Ferlosio, su realismo objetivo, me parece directamente relacionado con este efecto y calculado para producir una especie de «entresí metido por el cuerpo» del lector. No creo, por cierto, que sea éste un experimento por el experimento mismo, ni menos aún simple afán de estar a la moda, como parecen pensar algunos críticos y comentaristas.

Es tradición que en la narrativa —incluida la vasta mayoría de las novelas realistas modernas— el lector llega a compenetrarse emocionalmente con el protagonista, porque se le ha permitido el privilegio de atisbar en la psique del personaje. Un protagonista literario pronto adquiere la condición de «viejo amigo» (o acaso enemigo) mediante rápidas aproximaciones a una intimidad que sólo se alcanza, en la vida real, tras un largo conocimiento o una larga confesión, ninguna de las cuales es tan infalible como las revelaciones de un autor. Si nos hubiéramos relacionado con Lucita de este modo, su muerte nos habría producido una reacción distinta de la suscitada en nosotros y de la que, según creo, se procuró suscitarnos. Se ha querido que reaccionemos, sugiero, como espectadores compasivos de un trágico accidente que hemos presenciado inesperadamente, y no que hemos leído en los periódicos. En cuanto a esto, sólo el autor puede confirmarnos si su motivación fue consciente (me aventuro a suponer que lo fue, en el caso de Sánchez Ferlosio); pero el efecto es claro, sin duda. Cuando sentimos compasión por la muerte de alguien que hemos observado sin conocerlo surge una emoción más pura que la suscitada por la muerte de alguien cercano a nosotros (ya sea ésta la intimidad de la vida real o la obtenida con medios literarios). En otras palabras: está ausente ese elemento de egoísmo presente en el sentimiento de una pérdida personal. Es harto humano sentir más agudamente una pérdida personal, pero esto no es lo que distingue una compasión más divina. La muerte no es menos terrible cuando ocurre a alguien a quien no conocemos íntimamente. En este caso, sin duda, existe una compasión mayor.

Si bien es necesario que los personajes de *El Jarama* se mantengan a cierta distancia del lector, como las personas relacionadas con accidentes de que los periódicos nos informan a diario [13], debe esta-

---

[13] En cierto sentido, acierta J. L. ALBORG en *Hora actual de la novela española,* Madrid, 1958, vol. I, p. 312, cuando llama a *El Jarama* una «epopeya de la vulgaridad», pero no en la connotación despectiva con que usa la expresión. Y sugerir que la muerte de Lucita es un «regalo a los lectores» de «el autor, consciente de la monótona andadura de su libro» (p. 313), demuestra un fracaso alarmante en la comprensión de la novela. En total, ha habido entre los críticos una sorprendente tendencia a referirse con desprecio a las grises vidas de los personajes, como si esto fuera alguna clase de defecto literario. Para LUIS JIMÉNEZ MARTÍNEZ en «El tiempo y *El Jarama*», *Cuadernos Hispanoamericanos,* XXVIII, 81 (1956), 188, Sánchez Ferlosio «ha escogido unos tipos vulgares (por lo tanto, poco complicados)». ¡Realmente, tales afirmaciones

blecerse cierta conexión entre el lector y los personajes. Pocos lectores se parecen bastante a Cristo como para conmoverse ante un informe lacónicamente periodístico, sobre una muchacha totalmente desconocida que muere ahogada. Por eso Sánchez Ferlosio procura por todos los medios aumentar la inmediatez y viveza del acontecimiento. El efecto emocional producido se parece a los suscitados por las películas cinematográficas y los dramas, pero también se distingue de ellos y se acerca a una experiencia de la vida real que pocas veces ha transmitido la novela.

Aunque la narración sea impersonal, la presencia del autor no queda eliminada del todo, según hemos visto. Tenemos conciencia de él en las descripciones de la naturaleza y es su voz peculiar la que, mediante la imagen poética, sugiere el profético misterio del mundo natural. Pero aún podemos encontrar otro ejemplo de la intervención del autor, al que me he referido hasta ahora sólo indirectamente. Es un recurso oblicuo, ambiguo, cervantino. El nadador que en la novela de Rafael Sánchez Ferlosio siente en el agua el roce del cadáver de Lucita contra su brazo, el que ayuda a llevarla a la playa y, después, declara ante el juez, se llama *Rafael Soriano Fernández* (p. 341), *R. S... F...* [14].

La otra observación significativa del «hombre de los zapatos blancos» es: «Como con mal agüero, esto es, ésa es la palabra: con mal agüero». Presagios, portentos, señales misteriosas de algún otro orden de la realidad, más allá del orden físico, pero entrelazados con él, están presentes en *El Jarama* en la misma medida en que se encuentran en la vida real... para quienes las interpretan de este modo. Son ambiguos, dudosos en cuanto admiten una explicación natural o pueden descartarse como pura casualidad en el orden físico de la realidad. No quiero sugerir por un momento que el autor presenta a Lucita como una heroína señalada por su estrella, ni su relato como un melodrama romántico abrumado por el sino. Pero aun como señales ambiguas, es indudable que tanto su presencia como su ambigüedad son artísticamente deliberadas.

Constituyen, en su misterio mismo, una vasta parte de la poesía que Sánchez Ferlosio integra sin artificialidad en el realismo fáctico de su novela. Este realismo y esta poesía representan respectivamente los mundos de la realidad física y de la suprarrealidad, en cuya oscura conjunción pueden coexistir incompatibilidades lógicas: para-

---

harían suponer que Galdós nunca existió! En todo caso, un breve estudio revela pronto en *El Jarama* una hondura, una individualización de los personajes considerablemente mayor de lo que parece a primera vista.

[14] Después de la primera publicación de este ensayo, me han informado que, según la declaración del autor, no se le ocurrió nada por el estilo. Por supuesto, hay que aceptar su refutación de una coincidencia intencionada. Pero quédese lo susodicho, por la casualidad.

dojas tales como el hecho de que la hora de la muerte no está determinada hasta que ha sonado y, una vez que ha sonado, ya ha sido predeterminada. Sólo en pocas grandes obras de la literatura se ha representado con tan punzante calidad humana el problema eterno del determinismo universal y de la naturaleza fortuita de los acontecimientos [15].

[Versión corregida del artículo que apareció en *Filología*, Buenos Aires, Año IX, 1963, pp. 201-221. (Traducción de Susana Stetri).]

---

[15] Encuentro como una confirmación de esta interpretación en el siguiente pasaje de *Alfanhuí* (pp. 151-152):

«La historia de las casas estaba escrita por las paredes en anécdotas de azulejos de colores. Era una historia muda y jeroglífica. Cada nombre de la familia tenía allí su azulejo, ocupando un lugar, componiendo una figura. Cuando alguien muere, acaso su azulejo se caiga, se rompa en mil pedazos contra los cantos de la calle. En la pared queda el hueco reciente, áspero, chocante todavía. Luego el tiempo lo gasta, lo suaviza. Quizá venga repuesto el azulejo, quizá su hueco enjalbegado años después. *Y si alguien llegará entonces a pensar: «Es raro, cuando fulano ha muerto, este azulejo ha caído», aquél tendría la clave del jeroglífico. Pero nadie descubre la coincidencia y la pared sigue siendo para todos algo que nada significa. Algo vacío, casual, ni misterioso siquiera. Sin embargo, el tiempo tiene allí escritas sus historias.»* (Subrayado mío.)

RICARDO SENABRE

LA OBRA NARRATIVA DE IGNACIO ALDECOA

(Vitoria, 1925 - Madrid, 1969)

Con la muerte de Ignacio Aldecoa, la literatura narrativa española ha perdido uno de los pocos valores auténticos surgidos en los últimos treinta años. Es difícil calibrar ahora las dimensiones del hueco producido por la desaparición del escritor. Me refiero, claro está, al hueco literario. Del otro, del sentimental, sus innumerables amigos de Madrid, de Canarias, del País Vasco podrán dar fe. Para la novela de nuestra posguerra, además, la desgracia no viene sola. Se añade, como un trágico sumando, a la muerte de Luis Martín-Santos (1964) y al persistente silencio de Rafael Sánchez Ferlosio. Sin estos tres factores, ¿cuáles habrían sido los derroteros de la novela española en los años inmediatos? Abruma la simple consideración de los tremendos vaivenes del azar.

A estas horas, Aldecoa se ha reunido ya con sus torerillos, sus empleados, sus pescadores, sus soldados, sus camioneros, sus gitanos, sus guardias civiles, sus boxeadores, sus tipos de honda casta hispánica. Es la hora crepuscular de las elegías, de las notas necrológicas, de las calificaciones ponderativas. Todo ello resulta inevitable y hasta natural, como la misma muerte. Pero tal vez es también la hora de revisar globalmente, con toda la objetividad que permitan las circunstancias, lo que constituye el legado perdurable del escritor, es decir, su obra; aquello por lo cual, a pesar de todo, Aldecoa sigue vivo en la literatura.

La obra narrativa de Ignacio Aldecoa recogida en volumen abarca media docena larga de libros de cuentos y relatos breves —está considerado, justamente, como uno de los mejores cultivadores del género— y cuatro novelas, en general muy bien acogidas por la crítica más responsable. Han perjudicado, sin duda, al escritor la lentitud de su producción literaria y su irregularidad. Las tres primeras novelas se publican entre 1954 y 1957. Luego, un intervalo de diez años hasta la aparición de la cuarta. No deja de ser sorprendente en un escritor que desde el principio parecía tener una idea muy clara de sus proyectos: «Yo he visto y veo cómo es la pobre gente de España. No adopto una actitud sentimentalista ni tendenciosa. Lo que me mueve, sobre todo, es el convencimiento de que hay una realidad española cruda y tierna a la vez que está casi inédita en nuestra novela.» De ahí su intención de componer una trilogía —«La España inmóvil»— cuyos temas fueran la Guardia Civil, los gitanos y los toros, eliminando la carga de pintoresquismo con que una literatura fácil y superficial ha desvirtuado este terreno. De la trilogía sólo ha dado a conocer dos obras: *El fulgor y la sangre* (1954) y *Con el viento solano* (1956). Falta, pues, la destinada a los toros, aunque parece ser que estaba ya escrita en 1953 y con el título de *Los pozos.* Tal vez la publicación en ese año de dos novelas que, muy probablemente, coinciden con la de Aldecoa en el enfoque antiheroico del tema —*Los clarines del miedo,* de Angel María de Lera, y *La última corrida,* de Elena Quiroga— tenga algo que ver con la interrupción de la trilogía. Aldecoa ha ofrecido luego algunos relatos breves de tema taurino verosímilmente extraídos de esa novela inédita. Incluso uno de estos cuentos —que puede leerse en el libro *Pájaros y espantapájaros* (1963)— se titula, precisamente, «Los pozos».

Según la ordenación del autor, *El fulgor y la sangre* sería la novela dedicada a la Guardia Civil. La acción se desarrolla en poco más de un día, y tiene lugar en un antiguo castillo convertido en puesto de la Guardia Civil, que alberga también a las familias de los números destacados allí:

> La casa cuartel está pintada de blanco y verde. La casa es alegre, pero está limitada de tristeza. Son dos mundos distintos y concéntricos el pabellón y el castillo. El castillo debía albergar la nada y sus espectros y, sin embargo, cobija y angustia la vida y sus quehaceres. En la galería descubierta, siempre hay ropa puesta a secar y carreras de muchachos y jaulas de pájaros y una pálida penumbra que en las habitaciones es un aliento de frescura.

A este lugar llega la noticia de que han matado a uno de los seis guardias de servicio —«hubo esta mañana lío en la feria»—, pero se ignora de momento cuál de ellos es la víctima. El lector asiste durante unas horas a la inquietud y desazón de sus compañeros y de las cinco esposas —el cabo es soltero— ante la trágica incertidumbre. Relatado así, el asunto parece prestarse a un fácil juego de *suspense* y, sin embargo, este aspecto es el menos interesante de la novela. Lo esencial es la contemplación de unas vidas —las de los personajes femeninos, sobre todo— evocadas fragmentariamente en rápidos saltos atrás que reconstruyen las ilusiones y proyectos de estas mujeres, finalmente encerradas en la inhóspita casa cuartel, con sus esperanzas desvanecidas en la más terrible atonía espiritual. Los diálogos, a menudo triviales y anodinos, dan la medida exacta de estos seres vulgares, truncados por la rutina y el tedio:

> —Yo, una vez estuve a punto de ir a Madrid, pero no pudo ser por fin. Estaba entonces sirviendo en casa de unos señores de cerca de mi pueblo. Me lo habían prometido [...]
> —Yo hace lo menos seis años que no he pisado las calles de Madrid [...] Si por lo menos nos trasladaran a un pueblo de las cercanías, pero aquí, a doscientos kilómetros, ¿quién va a ir?

Puede discutirse la necesidad del punto de partida. La muerte del guardia civil no era, tal vez, un elemento necesario para la caracterización de esos personajes, que en su mayor parte está hecha de recuerdos. Además, este planteamiento fuerza las cosas hasta rozar la inverosimilitud; es difícil, en efecto, admitir que los detalles de la noticia tarden tanto en llegar al cuartelillo. Salvado este escollo, la construcción es justa y medida. Son patentes ya, además, algunos de los rasgos que se harán permanentes en la obra de Aldecoa: la atención prestada a seres anodinos, nada excepcionales, cuya vida interior, cuando la hay, es una suma de renuncias y frustraciones; la mirada minuciosa, escrutadora, que pone de relieve los pequeños detalles —un gesto, una palabra, una sensación de calor— que ayudan a caracterizar unas conductas en cuyas motivaciones íntimas no suele entrar el autor. En *El fulgor y la sangre* no se encuentra todavía la técnica rigurosamente objetiva de obras posteriores, pero hay una clara tendencia en ese sentido. Otros caracteres de la novela, sorprendentes en un principiante, no lo son tanto si se recuerda que Aldecoa había escrito ya abundantes narraciones breves al componer *El fulgor y la sangre*. Así, la extraordinaria depuración expresiva y, sobre todo, la capacidad para sugerir por alusión, sin contar directamente —véanse, sin más, los ejemplos citados antes—, raras cualidades que vigorizan también el relato.

Con el viento solano (1956) recoge algunos hilos dispersos de la novela anterior y los complementa, lo que hace pensar que ambas obras fueron concebidas unitariamente. En ésta, el mismo hecho —el homicidio— se halla visto desde la perspectiva del gitano Sebastián, que, atemorizado por su crimen, huye a través de algunos pueblos castellanos en demanda de una ayuda que sus propios familiares le niegan, convencidos por un oscuro fatalismo de que el homicida acabará cayendo en manos de la justicia. Ebrio y enloquecido, el gitano concluye por entregarse él mismo a la Guardia Civil. Toda la novela es, por tanto, un itinerario hacia la desesperanza y la expiación, jalonado por un desfile de tipos vulgares o pintorescos —la prostituta, el ex presidiario, el faquir, etc.— que sirven de contrapunto al aislamiento de Sebastián y que revelan, al fondo, el recuerdo de Baroja. *Con el viento solano* es una novela menos discursiva que la anterior, más cuidadosa en la selección de rasgos caracterizadores, como se advierte, por ejemplo, en la descripción de la feria de Alcalá. Quizá lo más meritorio de todo sea la admirable sobriedad expresiva; Aldecoa siempre peca más de contención que de exceso. Tal vez Valle-Inclán y Cela rondan aún demasiado cerca de la prosa. Véase un pasaje de corte valleinclanesco:

> Chufla de los mirones. El agua bate la luz y la deshace en colores de vidriera. Las botas de goma y los coturnos de los empleados municipales chapotean al corro del árbol de agua de la cañería reventada. Juegan los últimos niños de la mañana con palitos, en el reguero acantilado de la acera. El Palacio Real tiene la palidez tradicional de los infantes que enternece el suspiro de las viejas pulidas —cintajo al cuello, tras el visillo terciado, el ojo alerta, bisbos de rosario, patriotismo colonial—.

Es indudable que, consideradas en conjunto, *El fulgor y la sangre* y *Con el viento solano* constituyen dos espléndidos relatos por su potenciación, sin efectismos ni retórica, de unos acontecimientos y unos tipos vulgares observados por una pupila perspicaz que no sobrecarga su mirada con juicios valorativos ni moralejas. Frente al esteticismo idealizador y pintoresquista, Aldecoa esgrime las armas de la veracidad y sobriedad; frente a la novela de «grandes problemas», el escritor fija su atención en tipos vulgares, grises, intrascendentes, sin más problemas que los de subsistir día a día y perderse a veces en el mundo añorado de las evocaciones.

Estos caracteres se harán mucho más evidentes en las novelas posteriores del autor. Inconclusa la primera trilogía, Aldecoa se lanza a elaborar un nuevo ciclo narrativo, cuyo ambiente es el mar. Pero —puntualiza el propio novelista— «no el mar de la aventura, sino el del trabajo, el de los pescadores». Ya en 1953 Aldecoa demostraba poseer una conciencia muy nítida de sus intenciones al declarar: «Después de la trilogía de los pescadores quiero hacer la del hierro. Primer libro, la mina; segundo, el trabajo en los altos hornos; tercero, la utilización de las herramientas. En líneas generales, mi propósito es desarrollar novelísticamente, en la medida de mis fuerzas, la épica de los grandes oficios.»

El primer libro de la trilogía sobre el mar es *Gran Sol* (1957), que el autor dedica «a los hombres que trabajan en la carrera de los bancos de pesca entre los grados 48 y 56 de latitud norte, 6 y 14 de longitud oeste, mar del Gran Sol». Se trata de una novela sobre la pesca de altura en esta zona —«Great Sole»—, situada al oeste de Irlanda. La narración abarca un tiempo breve —un par de semanas— y carece prácticamente de argumento en el sentido tradicional. El libro se halla —sin que ello prejuzgue nada acerca de su valor literario— más cerca del reportaje directo, inmediato, que de las creaciones de ficción. Las páginas de *Gran Sol* están repletas de menudos acontecimientos cotidianos a bordo de la embarcación: conversaciones, faenas de pesca, comidas, disputas. Aldecoa ha llevado hasta el extremo la objetividad apuntada en las novelas anteriores. Todo responde a una mirada aparentemente impasible que se limita a registrar actitudes, gestos, palabras y movimientos y a reproducirlos con fidelidad. Los diálogos son parcos, desnudos, entreverados incluso, de locuciones marineras, como corresponde a los tipos de pescadores retratados. Así cuando, por ejemplo, varios miembros de la tripulación hablan de Orozco, el patrón:

> —Este es como todos en peor —afirmó Sas—. En mucho peor. Calla, calla y hace las suyas. Buen bicho para poca red. Ya nos dará algún disgusto. Con él no hay marea sin disgusto.

En el mismo plano se halla el personaje que anuncia que «armará un naufragio» («escándalo»), o incluso fuera del diálogo, cuando Aldecoa escribe: «Manuel Espina y Juan Arenas dormían. Domingo Ventura lastraba el estómago con pan y chorizo en su camarote.» Y los refranes y locuciones marineras se ensartan con naturalidad en la boca de estos pescadores:

> —Norte, noble. Sur, albur. Este y Oeste, la peste. Si a Nordeste el Norte, al noble el patrón reste. Si a Noroeste, en mar de playa, la caña no preste. Al Norte, al Sur, al Este y al Oeste, Jesús a la proa, la Virgen al puente, San José a la popa. Yo creo que nunca se sabe si van a ser malos o peores.

En *Gran Sol* no ocurre nada importante, y ahí reside la principal dificultad que ofrece su tratamiento narrativo. Sólo al final, un accidente estúpido provoca la muerte del patrón. Es el único relieve que destaca en el conjunto de minúsculas peripecias que forman la novela. Y, aun así, esto se narra en el mismo compás, con idéntico tono apagado, sobrio y sin aspavientos que el resto de la obra. En ningún instante hay dramatización del incidente —y dramatización no significa aquí, claro está, énfasis retórico—, y probablemente habría hecho falta. La austeridad expresiva de un novelista no es incompatible con la ordenación y jerarquización de los materiales con que opera. *Gran Sol* es, sin duda, la obra más perfecta de Aldecoa: una lección de rigor, de precisión conceptual y constructiva. Es difícil lograr más con una docena de pescadores verosímiles metidos en un pequeño barco pesquero. Pero quizá en ese mismo rigor, en el prurito de ascético verismo que se ha impuesto el autor, residen algunas de las insuficiencias de la novela. Poco o nada se le puede reprochar si se aceptan los presupuestos estéticos de los que Aldecoa parte. Son esos mismos principios los que habría que considerar cuidadosamente. El novelista no puede reducir su tarea a elaborar un inventario notarial. *Gran Sol* no lo es, pero a veces está al borde de serlo. La misma insistencia en designar a los personajes mediante su nombre y apellido, cada vez que aparecen o se habla de ellos, ofrece una pista en este sentido. Es evidente que la caracterización de tipos como éstos, uniformes, de escasa hondura psicológica, ofrecería muchas dificultades para cualquier novelista, agravadas, además, por la escasez de incidentes relevantes que fueran jalonando la progresión del relato. Por eso se hacía necesario algo más que el rigor documental y la fidelidad a la minucia externa, agudamente captada pero quizá insuficiente como elemento caracterizador. Véase, como ejemplo, la forma en que se resuelve la noticia de que el patrón, tras una rápida agonía, se halla a punto de morir:

> —¿Cómo va?
> —Ya está en el fondo.
> Joaquín Sas agachó la cabeza. Los hermanos Quiroga se miraron fijamente. Manuel Espina se asió fuertemente de la barra de su litera. Juan Arenas se rascó los brazos. Macario Martín escupió furiosamente en el suelo y pasó su bota por el salivazo. No se oía más que los ruidos del mar.

Gran Sol se resiente, por un lado, de la excesiva uniformidad de sus personajes, con las únicas excepciones de Orozco, el patrón, y, a cierta distancia, Macario y Ventura; por otro, de la escasa atención prestada por el novelista a elementos imaginativos que podrían tal vez haber dado más relieve a los ya existentes sin disminuir por ello su veracidad testimonial. Aquí se encuentran sin duda las razones de que *Gran Sol* no haya trascendido más allá de un círculo minoritario de lectores, a pesar de su óptima calidad. Puede, sin embargo, señalarse una obra posterior en la que es patente el influjo de *Gran Sol*. Se trata de *La arrancada* (1963), de Héctor Vázquez Azpiri, donde, pese a la técnica faulkneriana de los primeros capítulos, el ambiente, el tema y el trágico accidente final despiertan inevitablemente el recuerdo de la novela de Aldecoa.

La última novela del escritor es *Parte de una historia* (1967). Diez años posterior a *Gran Sol*, esta nueva obra continúa, sin embargo, el ciclo acerca de los oficios del mar, destinado también a quedar irremisiblemente truncado. *Gran Sol* estaba dedicada a la pesca de altura; *Parte de una historia*, a la de bajura, de acuerdo con el proyecto que el novelista anunciaba ya en 1958. La acción se desarrolla en un pueblecito de pescadores situado en una reducida isla al norte de Lanzarote —descrita ya en las estampas viajeras de *Cuaderno de Godo* (1961)— a la que el narrador —la novela está contada en primera persona— vuelve, después de mucho tiempo, con la intención de recobrar su equilibrio espiritual. Aldecoa ha llegado aquí al extremo de su arte de escritor. La justeza expresiva, la capacidad para sugerir veladamente sin detenerse en minuciosas explicaciones, la incorporación sutil y nunca forzada de formas lingüísticas dialectales, son algunos de los elementos que hacen de *Parte de una historia* una obra absolutamente perfecta en ciertos aspectos.

También aquí, como en *Gran Sol*, el hilo argumental es levísimo. La cotidiana rutina de los pescadores de la isla se rompe por un suceso fortuito: un yate de recreo encalla en las rocas de la costa, con tres hombres y una mujer, turistas norteamericanos, cuya llegada constituye un fuerte choque en el pueblecito de pescadores. Los turistas, en espera de reponerse y arreglar su marcha, conviven con las gentes de la isla, aunque de un modo muy superficial. La prueba es que el narrador los contempla desde la lejanía, sin preocuparse de conocerlos. Hay, sin embargo, más elementos de contraste que en *Gran Sol;* así, el efecto causado por la turista en el joven Dominguillo, o la brutal mutilación del perro, alteran la monótona sucesión de escenas con mayor simplicidad que en *Gran Sol* y, al mismo tiempo, con más potente eficacia. En *Parte de una historia* se hacen perceptibles de manera depuradísima todas las virtudes de Aldecoa, pero también sus voluntarias limitaciones: la escasez de invención, la excesiva fidelidad a una concepción del realismo narrativo que puede frenar —o incluso podar— multitud de elementos que el novelista considera semánticamente accesorios. Queda, no obstante, nueva constancia de un prosista excepcional, quizá más dotado que ningún otro escritor contemporáneo para la creación de ambientes, como éste tranquilo y apagado de la isla donde destacan, perfectamente delineados, tipos como Roque y el señor Mateo, dos de las más admirables creaciones de Aldecoa.

Al final de esta historia contada sólo en parte, uno de los turistas rescatados se ahoga casualmente, con lo que la arquitectura de la novela adquiere una semejanza más abierta con respecto a *Gran Sol*. Las diferencias, sin embargo, son notables. *Parte de una historia* es superior en construcción y lenguaje —también en el modo más humano de acercarse a los tipos—, e inferior en novedad a *Gran Sol*. Ambas obras permiten alinear a Ignacio Aldecoa en la escasa lista de escritores españoles que se han ocupado del mar sin convertirlo en marco de hazañas y aventuras de piratas, si bien es cierto que tal vez ninguno de ellos puede ofrecer la sobriedad expresiva del escritor alavés. Desde la primera línea de la novela, el lector se siente sumergido en un mundo humilde y emotivo, y ello gracias a una sugestión verbal que recuerda en conjunto a Pavese y que hace de Aldecoa un escritor ya clásico.

El estudio de los cuentos y relatos breves de Aldecoa es algo que habrá que hacer urgentemente. Se impone para ello contar con una rigurosa bibliografía del autor que tenga muy presentes las fechas de publicación o elaboración de esas narraciones, que no siempre corresponden a la fecha de publicación del libro a que fueron incorporadas. Sólo así será posible estudiar con provecho la evolución de Aldecoa en cuanto a la elección de los temas y a su tratamiento. Es indiscutible que esa evolución existe, y se ha producido de manera muy semejante a la que puede observarse en sus novelas largas. Hay dos aspectos que merecen destacarse. El primero es la trayectoria rectilínea —y vertiginosa— hacia la objetividad y la simplicidad. En *Vísperas del silencio* (1955), el relato que da título al libro o «Los vecinos del callejón de Andín», por ejemplo, son todavía demasiado prolijos y heterogéneos. El primero de ellos es un auténtico macrocosmos en potencia, que abarca, en escenas alternadas, tipos de dos familias diversas —la de don Orlando y la de César— sin relación entre sí, por el simple hecho de contraponer dos clases sociales, según un viejo esquema que obliga a forzar la narración. Piénsese en que en ambas familias hay un niño enfermo de gravedad. Fonchi, el nieto del acaudalado don Orlando, se salvará, mientras que Paquito, el hijo del obrero César, acabará por morir, tal vez por falta de medicamentos, porque «se necesitaba dinero y nunca lo hemos tenido». Hay todavía en esta narración, pese al espléndido dibujo de algunos tipos, demasiada obediencia a fórmulas preestablecidas, así como una excesiva atención a elementos accesorios —como la historia del hijo de Orlando, que intenta una pueril «fuga» con su novia— que disminuyen los méritos del relato. En obras posteriores, Aldecoa ha eliminado este escollo mediante una sistemática y tenaz poda de hechos adjetivos, en busca de mayor concentración. Los cuentos incluidos en *Caballo de pica* (1961) constituyen una buena prueba de ello. Incluso *Patio de armas,* el más extenso de todos ellos, sigue una línea enormemente simple, a pesar de que su intención y su complejidad son de mayor fuste que las de *Vísperas del silencio.* Y algo semejante podría decirse de «Young Sánchez», relato incorporado al libro *El corazón y otros frutos amargos* (1959). Será imprescindible, pues, establecer la cronología exacta de todas estas narraciones antes de lanzarse a un estudio a fondo de sus características.

El segundo aspecto que quiero destacar en la evolución de los relatos de Aldecoa es de otro cariz: se trata de la progresiva incorporación de fórmulas valleinclanescas. Aunque, como ya quedó indicado, hay ecos perceptibles de Valle-Inclán desde muy pronto, es a partir de 1960, aproximadamente, cuando parece afianzarse este cambio de rumbo. En *Caballo de pica,* el cuento así titulado, que narra un accidente criminal provocado por unos señoritos juerguistas en un colmado, recuerda —hasta en el lenguaje y en los tipos— una conocida escena del Libro II de *La Corte de los Milagros,* de Valle-Inclán. En una obra posterior de Aldecoa, *Los pájaros de Baden-Baden* (1965), hay por lo menos un par de relatos concebidos y realizados con técnica de esperpento valleinclanesco. Así, «Un buitre ha hecho su nido en el café» comienza con una descripción del lugar que suscita inmediatas resonancias en cualquier lector medianamente familiarizado con Valle-Inclán:

> Bufaba la máquina exprés; cantiñeaba el aburrido cerillero; la señora de los servicios cultivaba sus emociones leyendo una novela de amor; el chicharreo de la llamada del teléfono no era atendido; esputaban en sus pañuelos, y por turno, los cinco viejos del friso de la tertulia de fondo; bajaba el cura jugador las escaleras de la timba; componía un melindre la pájara pinta timándose con un señor solitario y de mirada huidiza.

Valleinclanescas son aliteraciones del tipo «él era rubito, gordito, culoncito» o «su perfil fosco, tosco, morrosco» y otras semejantes que pueden leerse en el libro *Pájaros y espantapájaros* (1963). (Recuérdense algunos de los innumerables ejemplos de Valle-Inclán: «Don Celestino Galindo, orondo, redondo, pedante»; «la Majestad de Isabel II, pomposa, frondosa, bombona, campaneando sobre los erguidos chapines...»)

Como prosista, Aldecoa es un escritor de extraordinaria riqueza, preocupado siempre por resolver problemas lingüísticos de no escasa dificultad. Un estudio de su obra que no tuviera en cuenta este factor resultaría parcial y falso. Me limitaré aquí a ofrecer algunas muestras orientadoras.

Un rasgo destacable en el léxico del escritor es la incorporación de términos del caló. Aunque esto no es nuevo —procede del siglo pasado—, es inevitable recordar en este punto el antecedente inmediato de Valle-Inclán. En Aldecoa, el uso de gitanismos se introduce con naturalidad en el mundo de *Con el viento solano,* de igual manera que la jerga de los marineros invade el ámbito de *Gran Sol* o que las formas lingüísticas del canario se hallan presentes en *Parte de una historia.* No hay, pues, alardes en el vacío. Todo tiene un carácter necesario, funcional. No es extraño que el homicida Sebastián y las gentes de su raza digan *sornar* ('dormir'), *bato* ('padre'), *jeró* ('cabeza', 'cara'), *pañí* ('agua'), *peñascaró* ('aguardiente'), *churré* ('guardia civil'), *cholé* ('caza'), *gote* ('vaso'), *jindón* ('miedoso'), *boqué* ('apetito'), *lango* ('cojo'), *jucó* ('delgado'), *zarandela* ('enagua') o *puchar* ('llamar').

Algo similar podría decirse de las formas populares que tiñen inequívocamente los diálogos: *choteo, amolar, jeringar, pelagatos, fregado* ('dificultad'), *tajada* ('borrachera'), *toña* (íd.), *lila* ('tonto'); de verbales como *pierde* ('pérdida') o *enfrío* ('enfriamiento'); locuciones como «estar sin un clavo», «estar hecho la cusca», «pegarse un lingotazo»; derivaciones con sufijos populares, como *castizales* o *piltrosamen* (sobre *piltra).*

La búsqueda de formas derivadas que sustituyan a otras más frecuentes es una preocupación constante en la lengua de Aldecoa. Junto a vocablos de sabor dialectal, como *ahoritica, brisote* o *antañazo,* el lector atento tropieza con otras como *dinerete, dominguejo, quijarudo,* o *enanorro;* se habla de «la Isla Mayor, *violetada, dulzosa*» y de una «luz *licorosa y perlina*». [Subrayados míos]. En esta trayectoria habría que situar igualmente ciertos plurales de carácter popular: «Sus habitantes en *los antaños* salieron [...] a la pesca»; «acrecentándosele *los miedos*»; «que no beba agua para que no se le enfríen *los adentros*»; «a un caballo se le derritieron *los untos* del cuerpo»; «Orozco miró hacia *los amarillos* de la alta mar».

Junto a esto, admira en Aldecoa su rigor conceptual —gran ejemplo para muchos escritores—, su afán por hallar siempre el vocablo exacto, preciso, insustituible. Cuando, por ejemplo, escribe «el chapaleo de un remo» —y no «el chapoteo», voz más genérica a la que el diccionario académico remite—, tiene presente que en el léxico marinero existe *chapar* con el significado específico de 'remar de modo que salpique el agua'. Para hablar del «amarillecido recorte del periódico», evitando así el adjetivo *amarillento* —que no es lo mismo—, es necesario sentir con nitidez la diferencia entre *amarillear y amarillecer.* Los ejemplos podrían acumularse sin esfuerzo. Pocos escritores contemporáneos pueden ofrecer una postura semejante de severidad, de disciplina y de amor al lenguaje, y mucho menos en los últimos años, en que pululan de modo alarmante el borrón, la tosquedad y la prisa, erigidos en denominador casi común con el beneplácito de amplios círculos intelectuales. Un escritor como Aldecoa, absolutamente dueño de sus recursos expresivos puede sorprendernos con la novedad de un epíteto insólito: «la oscura desolación de la grava menuda» (como la «desolación azul» de Valle-Inclán); o con una audaz metáfora en que un sustantivo califica: «el acantilado, que es más *noche* que la noche» (subrayado mío); o con series interminables, novísimas, para matizar el color: «clorofílico cielo»; «su dulce color de otoño»; «luz de aguardiente aguado»; «el crepúsculo era gris, verde, sólo un reflejo naranja en la nube aislada en el cielo azul, cristalino del otoño»; «por el paisaje urbano de casas bajas pintadas de colores —amarillo plátano, verde plátano, crema de la carne del plátano, fresa de helado y celeste azul de voto mariano— avanzamos». Aldecoa puede —y lo hace— hasta deslizar entre sus páginas auténticas greguerías que bien pudieran haber salido de la pluma de Ramón, como en estos pasajes de *Pájaros y espantapájaros:* «En el campo, los grillos afilan la noche. El sapo, en la acequia seca, hincha los papos de trombón mayor»; «charcos de agua negra, tinteros en la noche»; «la tarde se acaba con un apagado toque de campanas [...] enfundadas en el almohadillado presagio de la tronada». O «aquel individuo, un amén de la miseria», en *Con el viento solano*. Basten estos casos, aunque hay muchos más.

Mucho habría que decir acerca de otros aspectos del escritor; sobre su imaginería, por ejemplo, donde los animales desempeñan un papel decisivo, desde las simples estructuras comparativas —«una bufanda verde como un lagarto»; «se lleva el dinero exacto, vivo y amargo como un pajarín, cogido en un puño»— hasta las metáforas puras: «el jergón chicharreó». También aguarda una consideración atenta la técnica de composición de los diálogos, con sus formas nominales, sus elipsis, sus repeticiones. Pocas veces un novelista de obra tan breve ofrecerá un muestrario de sugerencias tan estimulantes para el estudioso. Y todo ello porque, como es notorio, la fecundidad de un autor no es siempre algo cuantitativo. Afortunadamente.

«A mediodía murió Simón Orozco, cuando los partes de la BBC se oían en el puente como un moscardoneo sin sentido. A mediodía el motor calló. A mediodía el viento norte aumentó su violencia y la lluvia era un muro inabarcable y sonoro.»

Como el patrón del «Aril», Aldecoa ha muerto antes de acabar su navegación. Como la del «Aril», ha sido la de Aldecoa una navegación de altura. La novela española deberá beneficiarse —se beneficiará— de ese periplo, truncado súbitamente, en torno a la «pobre gente» de España.

[*Papeles de Son Armadans,* Palma de Mallorca, Año XV, t. LVI, número CLXVI, enero, 1970, pp. 5-24.]

JESUS FERNANDEZ SANTOS Y LA NOVELA ESPAÑOLA DE HOY

Se ha planteado últimamente, con notable insistencia, el problema de nuestra novela actual. Se ha hablado mucho, y más se ha escrito, en torno a una pretendida crisis del género. Trabajos de muy altos vuelos han abordado la cuestión desde diferentes perspectivas y han arrojado juicios de valor presididos, la mayoría de las veces, por un alarmante pesimismo. Quizá ese pesimismo venga respaldado, a su vez, por una abulia que, si bien está presente en los trabajos de creación, no menos lo está en los análisis críticos que se han venido haciendo y —muy especialmente— en la orientación que se le ha querido dar al fenómeno literario, a partir del final de la guerra, sobre todo de cara al lector. Ante lo sucedido en estos treinta años de literatura es necesario adoptar una postura decidida y procurar satisfacer las necesidades más perentorias que se presenten, aprovechando la existencia activa y efectiva de unos cuantos narradores de categoría que pueden, y deben, orientar nuestra novela hacia caminos nuevos y positivos. Y conste que decimos *orientar*. Toda vez que esos escritores aludidos serán importantes en tanto nos presentan soluciones ulteriores; en tanto plantean el problema en su inherente dinamismo; en tanto nos muestran que se puede seguir adelante, que la literatura es algo vivo, actuante y en desarrollo constante. No —ni mucho menos— en tanto se nos quieran presentar —éstos o cualquiera otros— como pontífices de dogmatismos cerrados. Existiendo ese grupo de narradores importantes que saben qué terreno pisan, debemos encaminar por ahí nuestras precisiones al hablar de nuestra novela y no dejarnos llevar por esa corriente de opinión que orienta falsamente al público y en la que tiene mucho que ver la comercialización del producto literario, y la presencia de intereses particulares, defendidos a punta de espada por cierto sector de la crítica.

A lo que parece, la discusión más enconada se circunscribe al problema eterno del *realismo* y la *imaginación*. Se acusa constantemente a nuestra novela actual de seguir aferrada a ciertos postulados realistas, estrechos, limitados, mientras otras novelísticas —y hay que citar la hispanoamericana porque nos toca muy de cerca— inician una prospección por terrenos más trascendentes, más profundos, acometiendo una visión de la realidad más completa, más dilatada y, a la vez, permitiendo la entrada en el relato de las situaciones más complejas —imaginativas, si se quiere —pero que forman también parte consustancial de esa realidad. Por eso, empieza a mirarse con cierto recelo y escepticismo, no desprovisto del todo de razón, nuestro realismo social de postguerra (tanto en la poesía como en la prosa); se le empieza a considerar marginado, desplazado de un ámbito que le viene, ciertamente, demasiado ancho. Pero no es menos cierto, y justo es decirlo, que existen unos escritores que, conscientes de este problema, han encarado la cuestión con valentía, poniendo el dedo en la llaga, y que, sin prescindir de los postulados «al uso», han sabido desarrollar un cuerpo de novela española actual que nos interesa, y que puede ser el comienzo de una revisión de nuestra literatura. Uno de esos escritores, con los que sin duda habrá que contar, Jesús Fernández Santos, declaraba no hace mucho: «Yo no veo crisis en la novela española. Si acaso crisis de crecimiento. Nunca, que yo recuerde, ha habido tantos autores dispuestos a experimentar, ni tantos editores dispuestos a publicar tales experimentos. Yo creo que hay que renovar la novela, como el cine, la pintura o la música; mas sin perder al público, porque si el público no nos sigue, ¿para qué vamos a renovarla?»[1]. Y aquí se plantea el que me parece problema fundamental de nuestra literatura actual: la disposición del público frente a la obra de creación y de crítica. Por una serie de circunstancias extraliterarias, nuestro público vive al margen de lo que la creación literaria pueda significar y de lo que de ella pueda sacar en claro. Obcecado por una constante propaganda; orientado por una determinada corriente literaria, por un determinado falso prestigio, por una determinada dirección politizadora —en un sentido o en otro, pero pretendiendo ser siempre la única correcta—, el lector se ve desorientado y lee aquello que se le suministra de la forma más atractiva. Por supuesto, todo lo que represente investigación, revisionismo, planteamiento de cuestiones debatidas, no lo entiende, le suena lejano. Y, naturalmente, no le interesará lo más mínimo. Es, sin lugar a dudas, el problema más difícil con que se enfrenta nuestra literatura hoy.

---

[1] M. Fernández-Braso: «J. F. S. y su última y excepcional novela», *Pueblo,* 30 de julio de 1969.

Hemos dicho más arriba que existe una serie de autores con los que se puede contar para ver con optimismo el panorama de un próximo futuro de nuestra novela, aunque ellos tengan que luchar buscando un *status* donde sus valores, reconocidos, sirvan para des-arrollar una labor subsiguiente digna e importante. De éstos, Jesús Fernández Santos, cuya última novela, objeto del presente comentario, acaba de aparecer [2].

Este hombre delgado, de tez pálida, con gruesas gafas de concha, tras la que se adivina una mente bullidora; de gesto algo irónico y expresivos ademanes, nació en Madrid en 1926, posee el título de director de cine y ha cursado estudios de Filosofía y Letras, dirigiendo durante algún tiempo el teatro de ensayo universitario; preocupado, en suma, por dar vida a la realidad, por plastificar el mundo en torno, transformándolo de cara a los demás con los medios más directos que encuentra. Ha publicado, hasta el presente, cinco libros (*Los bravos,* 1954; *En la hoguera,* 1957; *Cabeza rapada,* 1958; *Laberinto,* 1964; *El hombre de los santos,* 1969), y prepara una nueva novela, *Las catedrales,* de inminente aparición. Aunque algunos comentaristas hayan señalado una esporádica presencia editorial, la verdad es —como se ve— muy otra: Fernández Santos es un escritor metido de lleno en su labor, que sabe muy bien qué terreno pisa. «Escribo —dice— para sobrevivir, para que quede algo de mí aparte de mis hijos, y también por satisfacción personal, porque al hacerlo hago el mundo (mi mundo) en rededor, tal como es y a veces como me gustaría verlo» [3]. Me parecen elocuentes estas palabras porque, a través de ellas, intuimos la solución para muchos de los problemas citados al comienzo, a la vez que nos dan la clave de la postura de Fernández Santos frente al hecho literario de la novela, de la creación literaria. Si es cierto que existe una realidad de la que el escritor no prescinde, ni quiere prescindir, no es menos cierto que él hace de esa realidad materia literaria, tranformándola según su intención y su peculiar manera de observarla. Este es el camino que me parece interesante. Está aquí la solución de esa disputa tantas veces mantenida. Jesús Fernández Santos, como muchos otros novelistas actuales, ha comprendido que la materia novelística se le presenta bajo una forma determinada y que a él toca descubrir cuál sea el camino por el que dicha realidad puede ser elemento positivo de creación literaria y de posterior vitalidad para un público. Al decir de Manuel

---

[2] Jesús Fernández Santos: *El hombre de los santos,* Barcelona, Ed. Destino. Col. «Ancora y Delfín», 1969, 288 pp.

[3] *Pueblo,* 30 de julio de 1969.

García-Viñó: «... la visión de la realidad que nos ofrece es una visión estética, seleccionada, montada, potenciada, impregnada de su personalidad» [4].

«Mi formación literaria fueron los escritores americanos: Baroja... Entonces, la generación del 98 era como los hispanoamericanos ahora. Luego leí a los italianos. Sí, alguien ha señalado entre mis influencias a Pavese, pero cuando lo leí ya había escrito yo el primer libro» [5]. He reproducido estas palabras del novelista para trazar un cuadro más o menos aproximado de la labor de Fernández Santos desde *Los bravos,* su primera obra saludada con entusiasmo general como la primera novela social de postguerra, hasta el presente. En esas declaraciones nos dibuja nuestro autor un camino muy claro en su formación literaria y que es fácil adivinar en su obra. Era lógico que los del 98 abrieran perspectivas formales e ideológicas inéditas a los jóvenes escritores españoles de la postguerra, sobre todo en lo tocante a la sencillez expositiva y al estado de pesimismo y angustia que presidía su credo ideológico. Junto a ello la actitud inconformista y rebelde de un Baroja tenía que deslumbrar a la fuerza. Pero, a pesar de todo ello, y a la vista de la novela de Fernández Santos, creo importante señalar la presencia de Cela entre los novelistas sociales, porque —a pesar de sus limitaciones— la preocupación estética y el enfoque objetivo de los problemas tratados que obra en la novelística de Cela; es decir, el Cela más positivo está en estos escritores más jóvenes, aunque Pablo Gil Casado diga, y no sin razón, que «la influencia de Cela sobre los escritores de la novela 'social' es a contrapelo. Los jóvenes no dejan de reconocer que ha existido, pero la aceptan con desgana, pues rechazan la obra celiana por su tendencia a evitar el fondo de los problemas sociales, lo cual reemplaza con la perfección de la forma», ofreciendo «una visión regocijada de la triste realidad mediante el recargue de los aspectos truculentos y los rasgos humorísticos, proporcionando así un escape» [6].

Pero yo me atrevería a afirmar que la formación de Fernández Santos —y lo veremos más adelante— está conectada a una raíz literaria más profunda. No están lejos nuestros novelistas del XIX, ni tampoco —y esto es algo sorprendente— nuestra prosa clásica («... me gustaría estar... al lado de Cervantes, porque es el hombre que en su vida y su obra yo más admiro...»). No es sólo una postura intelectual, sino una aplicación práctica, aprovechando de aquellos autores

[4] M. García-Viñó: *Novela española actual,* Madrid, Ed. Guadarrama, Colección «Punto Omega», 1967, p. 149.

[5] Carmen Martín Gaite: «15 años después de *Los bravos*», *La Estafeta Literaria,* 1 de agosto de 1969.

[6] Pablo Gil Casado: *La novela social española,* Barcelona, Ed. Seix-Barral, Colección «Biblioteca Breve de Bolsillo», 1968, p. 12.

lo más viable desde nuestra actual situación cultural e intelectual. Fernández Santos ha sabido encontrar eficaces raíces estilísticas y conceptuales en la más genuina tradición literaria española.

Estamos, pues, ante un novelista de tradición realista pero que, ya hemos visto, se permite alguna que otra incursión en campos más dilatados. Que trasciende la realidad inmediata, vulgar si se quiere, para darle entidad literaria y remover desde ella la dinámica actuación social que pudiera tener. No desecha nunca esta postura y se identifica plenamente con lo que hace. Quizá el libro más limitado fuera *Cabeza rapada,* también por lo limitado de su temática —relatos del Madrid de la guerra—; pero desde *Los bravos* hasta hoy, la realidad es materia de trabajo en nuestro novelista y nunca un recurso de fácil transposición de lo vivido al relato. A pesar de acometer novela rural en su primera obra, no se enreda en el consabido ruralismo, sino que sabe trascender aquel problema a un plano más amplio, más general. En una palabra: lo revaloriza, en vez de girar en torno a una misma circunstancia ya manoseada. Hay, antes que una situación limitada, un amplio conocimiento de la realidad *hombre,* y una serie de ideas bien claras para transmitirla.

«EL HOMBRE DE LOS SANTOS»

La novela que hoy nos ocupa nos trae a consideración una cuestión de interés para toda la literatura llamada social. Normalmente, tópicamente, diríamos, el héroe de toda obra *social* era un hombre sacado de los estamentos sociales menos favorecidos. Los escritores reivindicaban, o intentaban reivindicar, la personalidad, la humanidad o la presencia eficaz de aquel hombre dentro de una sociedad que lo margina o, lo que era peor, que lo explotaba aprovechando su ignorancia o sus condiciones desfavorables (económicas, ideológicas, espirituales, etc.). La literatura de esta temática se iba convirtiendo, peligrosamente, en una reiterada muestra de la tristeza o la injusticia que habitaba en el seno de los referidos estamentos sociales. Se limitaba así la visión y los esquemas se repetían, dando a la novela, o a la poesía, una apariencia de fabricación *standard,* de clisés repetidos que obraban en el archivo de los escritores y que pasaban de unos a otros. En este sentido el realismo perjudicaba. Moviéndose en este terreno limitado, condicionado por una moda, el escritor se debatía por ser original, por trabajar aquella realidad, sin conseguirlo, pues tenía siempre bien presente ese temor a ser considerado *no comprometido, no implicado* en la realidad de su momento, *infiel* a la tarea del intelectual...

Sin embargo, había una fuente positiva de realidad que los escritores llamados «sociales» no supieron explotar adecuadamente. Un ser que se debatía en una encrucijada problemática: su capacidad de acción y realización y las limitaciones —externas e internas— que comprendía, que conocía, pero contra las cuales era incapaz de reaccionar, estaba allí, muy cerca de todos, por no decir que era cada uno de esos *todos*. Cuando —como en el presente caso— nuestros escritores han considerado la existencia, la realización del hombre medio, aun sin dejar de ser fieles a sus principios, aun sin alejarse de la realidad inmediata, han dado dimensión más amplia a su obra. La epopeya del hombre medio, de ese hombre que calladamente, en medio de su impotencia reconocida por él mismo, es capaz de modificar lenta y efectivamente el curso de la historia de un grupo social determinado. En este plano es donde me parece más interesante la novela de Fernández Santos. Don Antonio es uno de esos hombres, inteligentes pero apagados, derrotados por la vida, por las circunstancias que les han tocado en suerte (en mala suerte) y por el abandono intelectual y moral de que es objeto por parte de todos. De sus familiares, de sus amigos, de sus compañeros de profesión... Don Antonio, anulado por una serie de circunstancias que él no se proporcionó, se va agotando en un vivir inútil. A pesar de haber querido ser un intelectual, un artista; a pesar de reconocer dónde están los valores netos del hombre, don Antonio se ha visto absorbido por el mundo que le rodea y, por más que lo entiende, no puede liberarse de ese destino:

> Recién vuelto de Andalucía, después de tres meses de luchar con el calor, con el polvo del yeso aún en la garganta, supo que Anita iba a dejar la escuela. Quería estudiar idiomas, pero, eso sí, en casa seguiría dibujando.
> La madre y la hija debieron tramarlo durante largo tiempo y no podía decir que a sus espaldas, porque en todos sus años de casado apenas recordaba haber quedado allí, con la familia, más allá de cuatro meses seguidos.
> No había sufrido decepción. Tampoco se iba a entristecer por ello. A fin de cuentas, tampoco él estaba contento de sí mismo. (Pág. 21.)

Ahora bien, aunque se encuentra marginado, fracasado, este paciente restaurador de los frescos en iglesias perdidas, de pueblos también perdidos y difíciles, no capitula; aunque se reconoce impotente, nunca tuerce su camino íntegro, sencillo, bueno. Se agarra a los sentimientos que él cree más puros, aunque éstos le fracasen. Don Antonio, «el hombre de los santos», está escribiendo, día a día, la epopeya del hombre medio, la historia de esos oscuros personajes a través de los cuales el mundo vive y se asoma a los demás. Esto lo ha comprendido perfectamente Jesús Fernández Santos y nos ha dado en sus páginas el ejemplo dramático de una realidad tan inmediata que nos sorprende. Una realidad gracias a la cual es muy posible que el hombre —silenciosa, pero efectivamente— se vaya transformando y transforme, con él, al mundo que le ha tocado vivir.

Ante lo dicho es muy difícil comprender los dos planos en que discurre la narración. Es muy fácil observar cómo los objetos, personas y escenarios donde se desenvuelve la acción influyen en los personajes, los transforma, les hace reaccionar de una forma determinada, o les hace apetecer —en última instancia— otra realidad que no es, naturalmente, la que viven, pero en la que cifran una posible solución, y en la que también dudan. Se configuran así los dos mundos del protagonista: uno externo que, a pesar de ser suyo, le es ajeno y que se personifica en la vida que le arrastra, en los seres que le rodean. En él no piensa; su capacidad se ha atrofiado. Otro, interno: la realidad. Unas veces el hastío, otras la ilusión. Piensa y analiza críticamente —y éste es otro aspecto positivo— la vida que le ha tocado en suerte:

> Era la edad, el tiempo, la costumbre, y, sin embargo, por primera vez no sintió ganas de volver, no sintió esa falsa añoranza de otras veces, que tan bien conocía, que le empujaba a casa cuando ya el trabajo iba declinando y que una vez en ella, a las pocas semanas, renacía otra vez, volviéndose colérico, nervioso, hasta empujarle al campo de nuevo, a sus iglesias, ermitas y conventos, a sus colas y paños, con un nuevo ayudante.
>
> Quizá su casa no estaba allí, en Madrid, junto a las dos mujeres, en el blanco chalet a la vera del río, con sus dos parras cubriendo el jardín, cara a la vieja tapia de la Casa de Campo. Quizá su alcoba no era aquella ventana, bajo la cual, en los días de fiesta, bufaban alejándose rumbo a la carretera general, eternas caravanas de automóviles, sino la alcoba del parador, blanca y aséptica, como de un sanatorio. (Página 22.)

Otra circunstancia importante que incide en el relato de Fernández Santos es la presencia de la guerra como condicionante de toda una realización vital anterior y posterior al tiempo de la narración. En cualquier caso, la guerra sirve de fondo —en muchos casos la mención concreta de algún suceso referido al personaje, o personajes, nos explica por sí misma la actitud de aquéllos o bien nos lo definen—, o de punto de partida para iniciar un nuevo camino en la trama novelística. La vida de estos personajes, entonces, queda enlazada a tiempos distintos. Queda montada entre dos momentos-clave —la guerra entonces, la circunstancia producida por ella ahora—, salvando el paréntesis de un tiempo de espera, «hasta que la guerra termine». Pero no queda en mera referencia a una realidad evidente como es ésta de la guerra, sino que, con base en ella, se desenvuelve la novela atendiendo sucesivamente, en ocasiones de forma simultánea, a estos dos tiempos que influirán en el personaje desde un

11

punto de vista crítico; como en los planos de actuación personal de que hablábamos más arriba. Salvo que, en este caso, la multiplicidad es evidente y el novelista se ha visto en la necesidad de trabajar este aspecto, para darnos la sensación final de un montaje cinematográfico, llevándonos de una a otra situación sin que notemos desfases ni digresiones.

También en esta ocasión el protagonista tiene oportunidad de enfrentarse con su propia existencia y se pregunta, a la vista de lo que sucede, de lo que son los demás, qué hace él en un mundo que no es el suyo, que no pidió, que no lo hizo... La historia se repite, y nunca pasa nada. Su soledad se identifica con la de todos aquéllos que conoce: Agustín, el cura, los padres de éste; aquel médico de pueblo...

> Y es una tarde, mucho tiempo atrás, en un día de fiesta que puede ser domingo pero que está seguro de que es en primavera. No recuerda el nombre de la calle, ni su aspecto, ni si era amplia o estrecha, y sus casas altas o no, o si tenía árboles o tiendas. Y el balcón está abierto de par en par allá arriba, como en un tercero o cuarto piso. Suena música y a veces aparecen en él chicos y chicas que se apoyan en la barandilla, miran abajo, charlas, ríen o miran los tejados a lo lejos. Antonio está abajo, en la calle, mira y calla. No maldice porque no sabe, no odia porque no es capaz, pero se vuelve a casa despacio, vagabundo por las calles hostiles de su barrio, mirando escaparates para llegar a casa lo más tarde posible. (Pág. 147.)

Impotente como entonces, como cuando era muchacho o niño, como cuando oía la guerra en Barajas, don Antonio, «el hombre de los santos», no sabe odiar, no maldice tampoco, pero se aferra a la profesión, que no le gusta, como a esos escaparates de su juventud que retardarán la llegada a casa, con los suyos que cada vez lo son menos; que cada vez están más distantes de él, en su vacío interior y en su vida fácil y egoísta.

Es entonces cuando el protagonista, vuelto a su casa, a los suyos, se enfrenta con una realidad común, vacía, que, a fuerza de ser vista y conocida, no ha sido posible reparar en ella. Y «el hombre de los santos» se enfrenta con ella, como en el caso de la boda de su hija, y crece en él el hastío, la desgana, el sentimiento de frustración que le embarga en su trabajo, que le ha hecho pensar en dejarlo de una vez para siempre. Pero recapacita y decide volver a él para liberarse de todo este ambiente que debía ser amable, acogedor y que, no sabe por qué, se le muestra tan hostil, tan ajeno... Los capítulos referidos a la boda de Anita son de un interés grande en este sentido y también si recordamos la tendencia de ciertos escritores y, sobre todo, de ciertos directores y guionistas cinematográficos importantes (Berlanga, Azcona, Summers...), de reflejar ciertos ambientes de la vida española con un propósito crítico, satírico o irónico. Diálogos, escenas, objetos y personas forman un conjunto abigarrado que da a la narración un tono muy español, muy nuestro y que delata, implacable —como pudiera hacerlo un Larra—, ciertos falaces inventos de una sociedad que se contenta con la satisfacción material en situaciones que exigen una trascendencia y un contenido espiritual mayor. No me resisto a transcribir íntegro este diálogo, prodigio de captación y de profundización crítica.

De vez en cuando el Rubio alzaba la vista hacia el cartel y, automáticamente se atusaba también el pelo de la frente.

—Ahí le tienes —le señalaba melancólico su admirador—. Eso sí que es reírse de la vida. Con treinta años que tiene y noventa millones en el banco.

—Sí que tienes tú idea —apuntó el contrincante—, a ése no le cuelgan por menos de trescientos.

—¿Trescientos qué?

—Millones, digo. Y el hotel ése que se está haciendo en Córdoba, y una finca que vale qué sé yo cuánto.

—¿Y para qué se querrá tanto dinero?

—Para fundirlo, para vivir...

—¡Qué vivir! ¡Ni que viviera uno mil años para poder gastarlo!

—¡Que no me tocara a mí mayor trabajo! —suspiró Rubio—. ¡El aire que le iba a dar yo a esos millones! Lo primero un Mercedes.

—¿Y por qué uno?

—Bueno, dos.

—¿Y después?

—Pues después una buena gachí cada noche y venga juerga y el desmadre, vamos...

—Pues yo, si tuviera ese dinero —sentenció el del café...—, ni Mercedes ni nada. Lo metía en el banco y a reírme del mundo, a vivir como un señor.

—De eso, *usté*, nada. Para eso hay que nacer.

—¿Pues qué? —se ofendió el viejo—. ¿No empezó ése como nosotros?

—De albañil, que es peor.

—Pero fíjate si ha subido.

—¿Y qué? ¿Es que por eso es más? Pues un palurdo como tú y como yo, como todos nosotros.

—Sí, un palurdo con trescientos millones. Ande cállese *usté*, que me da pena oírle.

—Pues no te dé pena, hombre. El dinero vale lo que el gusto que da. Cuanto más gusto da, más vale, más se tiene.

—Pues no señor. Una peseta es una peseta aquí y en Lima (p. 157).

No quiero analizar de pasada el estilo y la técnica de novelas que están presentes en *El hombre de los santos,* porque en ello radica un elevado tanto por ciento de su valor. Merece la pena detenerse un poco y señalar las características más sobresalientes de la tarea del escritor. El extraordinario cuidado que pone en la estructura del relato y el acierto que logra a través de esta disposición de elementos, a los cuales hemos aludido ya parcialmente, hacen de esta novela un todo bien definido y, en su aparente desaliño y carencia de trama argumental, se reconoce una mano paciente y segura de novelista. De la abundancia barroca, se pasa a un escueto narrar directo, que gratamente nos sorprende.

Características singulares son, sin embargo, la sagaz objetivación que se imprime al relato, la calidad humana que lo impregna y el aprovechamiento de recursos literarios, como el ya aludido de nuestra prosa clásica, junto a un tono notablemente poético en las descripciones, preferentemente. Jesús Fernández Santos crea unas criaturas, les da vida propia y las presenta luego para que ellas, por su cuenta, responsabilizándose, vivan y actúen. En ellos está siempre, y no en el autor, la reacción última que adopten. Ahora bien, con astucia de viejo lobo de mar, el novelista navega entre ellos dando a todo el relato una calidad humana, un calor vital, que acercan la novela a la biografía sin serlo, aunque esté aprovechada oportunamente. Fernández Santos es capaz de crear unos ambientes donde todo tiene su lugar exacto, donde todo está teñido de vivas palpitaciones.

> La casa había cambiado. Ahora era una más, sin los chicos de los otros pisos, sin las chicas, casadas todas ya. Hasta Carmen parecía un poco más vulgar, sin aquella especie de aureola de reina de todos, de dueña de la casa. Los muebles, como los padres, parecían más viejos y el Ford era vulgar, sin los chicos del quinto fingiendo en él accidentados viajes (página 260).

Citaré solamente las páginas 252 a la 256, donde me parece existe una viva conexión con la prosa teresiana. Precisamente en el monólogo de una monja del convento donde trabaja don Antonio. Lo desbordado y tosco de la prosa de Santa Teresa, su aparente desaliño; incluso los esquemas sintácticos y morfológicos están recogidos a la perfección y, lo que es más importante, oportunamente, dando así actualidad a los valores clásicos —aprovechando su dinamismo— existentes en nuestra prosa. Anacolutos, diminutivos afectivos, saltos en la narración se prodigan en estas cuatro páginas de especiales sugerencias.

Y, por último, se puede notar como a captación visual de los ambientes y las cosas; la maestría de observador de que hace gala Fernández Santos se transforma en imágenes poéticas muy acertadas, sobre todo en las descripciones y en la definición de ciertos aspectos de la realidad, con una adjetivación estudiada y elegida cuidadosamente. También encuentra, por este camino, un modo de definir y transmitir la realidad igualmente válido e igualmente importante.

COLOFÓN

Sabemos de la vocación, honda, de Fernández Santos por la cinematografía; en especial por el cine documental. Hemos de pedir, desde estas líneas, que ello no sea obstáculo para que el Fernández Santos novelista quede marginado o desvinculado de la literatura de creación. Novelas como la presente, que reúnen una serie de características capaces de revitalizar nuestro panorama literario, deben prodigarse y esperamos interesados la paciente labor de Jesús Fernández Santos que, sin prisas, con trabajo como el que demuestra en la presente y sobre todo con esa sagacidad que, nos ha parecido, capacita al escritor para ahondar en la realidad y saber mostrarla transformada y revitalizada.

Sé que esta rotunda alabanza de una nueva novela podría parecer petulancia por mi parte, pero me creo obligado a ello por cuanto *El hombre de los santos* puede servir de aleccionadora encrucijada para dilucidar qué sea eso de la «nueva novela española» de la que tanto se ha hablado —y más se ha escrito— últimamente.

[*Cuadernos hispanoamericanos*, Madrid, número 242, páginas 437-448.]

JULIAN PALLEY

EL PERIPLO DE DON PEDRO
TIEMPO DE SILENCIO

Tiempo de silencio, la única novela de Luis Martín-Santos, muerto prematuramente en 1964, es una obra compleja y de muchas facetas aún no estudiadas por la crítica. Propongo probar en este ensayo que *Tiempo de silencio* muestra profundas resonancias míticas y fuertes recuerdos tanto de la *Odisea* como del *Ulyses* de James Joyce. Es, en efecto, el esfuerzo más logrado, en la novela española, de seguir las huellas de Joyce. Sin embargo, lejos de ser una imitación, es una obra fuertemente original en su visión y en su ejecución.

No quisiera relegar a segundo término la evidente crítica social y política que contiene *Tiempo de silencio,* una crítica profunda de todos los estratos del país, de las ineficacias y pequeñas tiranías, ajustada a las posibilidades editoriales de su época. Aún más, el libro examina histórica y críticamente el mismo carácter español, sus decepciones y debilidades. Juan Carlos Curutchet ha explorado con perspicacia su contenido satírico y crítico [1]. Es posible que Martín-Santos haya escogido el modo satírico e irónico para evitar dificultades de la censura; pero creo que el modo irónico del autor se relaciona con su visión personal del mundo y no depende, necesariamente de esta o aquella situación política. Precedieron su novela muchas obras «objetivas», cuya crítica social fue mal fingida. Logró volverse de espaldas al estilo pedestre, de grabadora de cinta, del objetivismo, y colocar una novela que es a la vez comprometida políticamente y altamente sofisticada estéticamente. Pero en este ensayo, me interesa más la «forma» que el «contenido», aunque en esta instancia, por lo menos, estoy convencido que son inseparables. Es decir: no podemos tener cierto contenido sin tener cierta forma. En las palabras de Susan Sontag: «There is certainly much that is valuable in the historicist approach. But if form may be understood as a certain kind

---

[1] JUAN CARLOS CURUTCHET: «Luis Martín-Santos, el Fundador», *Cuadernos de Ruedo Ibérico,* núm. 17 (1968), pp. 3-18.

of content, it is equally true (and perhaps more important to say now) that all content may be considered a device of form» [2].

Creo que la palabra «periplo», que aparece varias veces en la novela, es la clave de una posible interpretación del conjunto de la obra. Periplo es palabra griega que significa «viaje alrededor de una costa», u «obra en que se cuenta o refiere un viaje de circunnavegación». Don Pedro, el protagonista, rogado por el Muecas, se decide a «reemprender los periplos nocturnos hacia la aún no explorada Nausicaa» [3]; más tarde, Pedro y su novia Dorita «siguieron su periplo nocturno a través de la ausencia de la madre...» [231]. También, en la ocasión de la visita urgente del Muecas a su casa, «la misma decana acompañada por la criada introdujo a presencia de Pedro al mensajero que la noche enviaba para volverlo a englobar en su seno pecaminoso, por no haber cumplido aún la total odisea que el destino le había preparado» [100]. O sea, que las aventuras o desventuras de Pedro forman parte de un periplo y odisea que el destino le había proporcionado. Pero, ¿un periplo y odisea alredor de qué mar?

La hipótesis aquí propuesta es que la ciudad de Madrid en *Tiempo de silencio* corresponde al mar Mediterráneo; que algunos de los lugares y aventuras mencionados en la novela corresponden a lugares y aventuras en la *Odisea;* y que algunos de los personajes principales tienen un fondo mítico en la obra de Homero. En el *Ulysses* de Joyce cada episodio corresponde a un episodio de la *Odisea;* no es así en la novela de Martín-Santos: la estructura de la novela, aunque compleja, es mucho menos rígida que la estructura de *Ulysses,* y su paralelo con la *Odisea* es más general. Lo que se puede afirmar es que, al escribir *Tiempo de silencio,* Martín-Santos pensaba, consciente o inconscientemente, en la *Odisea* de Homero, y ciertos detalles de la estructura (además de la técnica del monólogo interior empleada) revelan un buen conocimiento de la obra de Joyce.

Aunque toda la acción transcurre en la ciudad de Madrid, esta acción, los lugares y los personajes, son vistos, metafóricamente, a través de unas gafas marítimas que prestan una luz de mar a las peripecias de la novela. Para apoyar este aserto, quisiera citar algunas de las abundantes imágenes marinas que ocurren a lo largo de la obra. En el episodio del café, «... la muchedumbre culta se derrama por aquella restringida playa y más felices que los bañistas que de un único y lejano sol con intensidad gozan...» [65]. «El jersey amarillo pareció ser arrastrado por el reflujo de una resaca irresistible» [68]. «Los tres... dispuestos a embarcarse en la nave del expresionismo y a franquear con ella el océano incierto de la noche» [70].

[2] SUSAN SONTAG: *Against Interpretation* (New York, 1960), p. 99.
[3] LUIS MANTÍN-SANTOS: *Tiempo de silencio,* Barcelona. Ed. Seix-Barral, 1965, p. 102. Los números de páginas que aparecerán subsiguientemente entre paréntesis remiten a esta edición.

O al salir de la casa del pintor alemán, exhorta Matías: «¡Abandonemos a su suerte esta nave encallada en los tejados de la noche! ¡La tempestad va a disgregar sus carcomidas tablas! ¡A los botes!... ¡hace demasiado tiempo que no bebo!» [75]. Cuando vuelve Pedro a casa esa noche, «Los serenos se habían ido a dormir a desconocidas guaridas de las que no lograban extraerlas las repetidas palmadas de los náufragos» [93]. Ya se ha referido a las palabras «periplo» y «odisea» que surgen durante la visita inesperada del Muecas a la casa de huéspedes. El Muecas, para proveer la «carencia de instrumental quirúrgico necesario», había llamado «al bien amado Amador, el cual a estas horas también surcaba lleno de buena fe la ciénaga nocturna madrileña para buscar... los materiales necesarios...» [103]. En la escena del salón de recepción del maestro-filósofo que es, sin duda, Ortega (como señalaré más tarde) hay varias imágenes del mar. «Pedro, con una sonrisa de contento ingenuo intentó aproximarse poniendo fin a su deambular de boya sin amarras por el salón lleno de desconocidos...» [138]. El profesor, «rodeado de su sabiduría como un gran navío se contonea lentamente antes de hacerse a la mar» [141]. Hacia el final de la obra, se habla de «la navegación imprevisible por calabozos, cárceles, tribunales de justicia...» que hacían el Muecas y el Mago de la aguja [211]. Y así, por el estilo, hay muchas imágenes que hacen pensar al lector en el mar durante el viaje o periplo por el paisaje urbano.

Uno de los *leitmotifs* de *Ulysses* es la metempsicosis, o la transformación de almas a distintos cuerpos. Esta palabra persigue a Bloom; y un aspecto de la metempsicosis en la novela es la re-aparición de figuras míticas en personajes contemporáneos: Circe, el Cíclope, Néstor, etc. «Thus, as the past renews itself, and civilization rise and wane, the figures of antiquity will, *mutatis mutandis,* be reproduced» [1] La transformación o la metamorfosis de las personas es también un motivo repetido de la *Odisea.* Circe convierte a los hombres en cerdos; Atenea se transforma o disfraza varias veces, por ejemplo, en Mentor; Ulises se disfraza cuando vuelve a Itaca.

La transformación en su sentido más estricto y científico es el origen de toda acción de *Tiempo de silencio:* Pedro es investigador de Medicina, y está estudiando la mitosis de las células cancerosas en los ratones. (La mitosis es la división de la célula.) Se le acaban los ratones, importados de Illinois, y Amador le informa que el Muecas ha robado algunos ratones y los está criando en las chabolas. Se dirigen allá y así empieza la odisea.

La transformación de las figuras míticas en sus avatares modernos y modestos ocurre también en *Tiempo de silencio,* como veremos.

---

⁴ Stuart Gilbert: *James Joyce's Ulysses,* New York, Vintage, 1955, página 41.

Pero, además, hay numerosos ejemplos, en la novela madrileña, de la transformación de los hombres en animales o en seres humanos distintos. Esta transformación o metamorfosis es, desde luego, metafórica, ya que no se trata de una novela fantástica.

En un momento Pedro se convierte en la misma clase de ratón que él estudia: «Yo, también, puesto en celo, calentado pródigamente como las ratonas del Muecas... pendiente de una bolsita en el cuello recalentador de la ciudad...» [99]. Durante la tertulia en casa de Matías, las personas allí presentes son transformadas en muchas especies de pájaros en los ojos de Pedro: «Los pájaros culturales... lanzaban sus gorgoritos en todas direcciones...» [135]. Un señor que opinó sobre la conferencia, «... era ya un gran pájaro sagrado de vuelo nocturno, búho sapientísimo...» [135]. «La señora de la casa volaba de ramo en ramo» [135]. «Así como infrecuentes mutaciones en el seno de una familia de perdices de matiz terroso, hacen brotar sin causa aparente otra de plumaje nacarino, o entre vulgares pardales un tataranieto inesperado presenta un precioso pecho de color de fuego, los pájaros-otreros, los pájaros-pintores y hasta, en más rara ocasión, los pájaros-poetas o escritores... podían... codearse allí con las aves de paraíso y con las nobilísimas flamencas...» [136].

El mismo Maestro, héroe de la fiesta, se ve convertido en «el gran macho cabrío» que «sigue presidiendo el inmóvil aquelarre» [141]. (Alusión a un cuadro de Goya.)

A doña Luisa, la *madame* del prostíbulo, se la compara con la reina de las abejas u hormigas, «capaz de transformar las jóvenes criaturas en potencia aptas para llegar a ser vestidas-de-largo-velo-blanco honestas danzarinas de vuelo nupcial, en infatigables obreras ápters» [147]. O sea, que las muchachas, aptas para el matrimonio, se convierten en prostitutas.

Cuando Pedro ingresa en la cárcel (descenso al averno), observa los rostros de los presos: «... ante los que Pedro podía inclinarse como ante un espejo que mostrara la naturaleza de la metamorfosis por él mismo sufrida, de la que aún no tenía total conocimiento» [168].

Tiempo de silencio es, en cierto modo, una novela de aprendizaje, *Bildungsroman,* en que el joven se da cuenta de su verdadera naturaleza, o su transformación en otro ser, en una epifanía o comprensión al final de la novela. Pedro se da cuenta de que él es una víctima de la sociedad y de sus propias buenas intenciones, que él se está «dejando capar» en silencio. «Hay algo que explica por qué me estoy dejando capar y por qué ni siquiera grito mientras me capan» [237]. Se compara a sí mismo con los esclavos de los turcos que fueron capados para fabricar eunucos, y luego enterrados hasta la cintura en arena para curarse las heridas; los eunucos gritaban a voz en cuello, pero ahora estamos «en el tiempo de la anestesia, estamos en el tiempo en que las cosas hacen poco ruido» [237]. Pedro no grita, sufre en silencio, y así se explica el título. Así que el título también se enlaza con el tema de la metamorfosis: Pedro se convierte en eunuco moral.

LA ESTRUCTURA Y RESONANCIAS MÍTICAS

Para mejor analizar la estructura de *Tiempo de silencio* y su posible relación con la *Odisea* y con *Ulysses*, conviene dividir la novela en capítulos o secciones. En la división provisional que sigue, pongo entre paréntesis los temas relacionados con la *Odisea*.

Págs.

1.	7- 13	Proemio. Problema de los ratones.
2.	13- 17	Madrid (el Mediterráneo).
3.	17- 25	Casa de huéspedes; las tres diosas. (Calipso y Penélope.)
4.	25- 35	Hacia las chabolas: empieza la odisea.
5.	35- 42	Tertulia en casa de Dorita.
6.	42- 45	Las chabolas.
7.	45- 48	Habla Cartucho (el Cíclope).
8.	48- 60	La chabola del Muecas y Florita (Nausicaa).
9.	60- 65	Meditación sobre Cervantes.
10.	65- 70	Café literario.
11.	71- 75	La pintura; casa del pintor.
12.	75- 79	La tasca y borrachera.
13.	79- 82	Monólogo de la madre de Dora.
14.	82- 92	Prostíbulo de doña Luisa (Circe).
15.	92-100	Pedro vuelve a casa.
16.	100-104	Muecas viene.
17.	104-105	Cartucho piensa en la venganza y se emborracha.
18.	106-114	Casa de Florita; aborto
19.	114-117	Pedro vuelve a casa.
20.	171-121	Cartucho y sus chabolas.
21.	121-130	Matías: alta sociedad. Cuadro de Goya.
22.	130-133	El Maestro y las esferas (Eolo).
23.	133-134	¿Dónde enterrar a Florita?
24.	135-142	Alta sociedad: Recepción (Eolo).
25.	142-147	Entierro de Florita (Libro de los Muertos).
26.	147-155	Doña Luisa (Circe).
27.	155-157	Amador.
28.	157-167	Procesión: Matías, Amador, Cartucho, Similiano. Monólogos y prendimiento de Pedro en el prostíbulo.

Págs.

29. 167-186 Pedro en la cárcel (Descenso al averno). Paréntesis sobre la fiesta nacional (182-183).
30. 186-193 Matías trata de librar a Pedro.
31. 193-195 Autopsia de Florita.
32. 195-199 La cárcel: interrogación de Pedro.
33. 199-203 Ricarda, la mujer del Muecas, salva a Pedro.
34. 203-206 Pedro sale de la cárcel.
35. 206-211 El director del instituto.
36. 211-213 Amador advierte a Pedro que Cartucho le anda buscando.
37. 214-225 Regreso de Pedro a casa: Sarao (Regreso a Itaca).
38. 225-233 Verbena y muerte de Dorita.
39. 233-240 Monólogo final de Pedro.

En el episodio inicial, en el laboratorio de Pedro, se plantea el conflicto que motiva la acción: la cepa cancerosa de ratones traídos de Illinois se ha acabado, y Pedro no puede continuar su investigación sobre el cáncer. Se inicia después el viaje hacia las «chabolas» donde vive el Muecas, empleado *sub rosa* del laboratorio, quien ha robado y criado los ratones. Pedro tiene frente a sí un cuadro de un famoso investigador español, sin duda Ramón y Cajal, y piensa obsesivamente en la lejana posibilidad de ganar un premio Nobel. «¿Quién podrá nunca aspirar otra vez al galardón nórdico, a la sonrisa del rey alto, a la dignificación, al buen pasar del sabio que en la península seca, espera que fructifiquen los cerebros y los ríos?» [7]. En efecto, otro tema fundamental del libro es la crítica de la España contemporánea, sobre todo con respecto a la ciencia: la falta de recursos, de laboratorios y de seriedad. España es un «país pobre, pueblo pobre» que no puede (o no quiere) patrocinar los estudios científicos con el apoyo que merecen.

En las páginas sobre Madrid [13-17] el autor intensifica esta crítica y nos presenta el escenario de la novela. Sin mencionar siquiera el nombre de la ciudad, y empleando una manera impersonal de hablar de ella en plural («Hay ciudades tan descabaladas, tan faltas de sustancia histórica, tan traídas y llevadas por gobernantes arbitrarios, tan caprichosamente edificadas en desiertos, tan parcamente pobladas por una continuidad aprehensible de familias...») [14]. Martín-Santos nos da una descripción espléndida de la capital española, donde resaltan tanto las grandezas como los defectos. Pedro y su fracaso particular se ven como productos de esta ciudad que es un microcosmos de España.

De este modo podremos llegar a comprender que un hombre es la imagen de una ciudad y una ciudad las vísceras puestas al revés de un hombre, que un hombre encuentra en la ciudad no sólo su determinación como persona y su razón de ser, sino también los impedimentos múltiples y los obstáculos invencibles que le impiden llegar a ser, que un hombre y una ciudad tienen relaciones que no se explican por las personas a las que el hombre ama, ni por las personas a las que el hombre hace sufrir... [16].

LAS TRES DIOSAS: CALIPSO Y PENÉLOPE

> ... mas el héroe se hallaba retenido en las profundas grutas de la ninfa Calipso, diosa augusta que pretendía hacerlo su esposo con ardiente insistencia.
>
> Odisea, Canto I

Pedro ha encontrado abrigo y refugio en una casa de huéspedes donde presiden tres mujeres: Dora, la madre de Dora y Dorita, la nieta. La historia y la naturaleza de esta casa y de sus habitantes están elucidadas poco a poco durante tres episodios [17-25, 35-42 y 79-82]. En el primero y tercero, habla la abuela en monólogo interior, sobre su pasado, el de Dora, y las esperanzas puestas en la nieta Dorita. La abuela es viuda de un militar, y el padre de Dorita abandonó a su mujer. Las tres mujeres consideran a Pedro, joven y con buen futuro, un candidato brillante y único para marido de Dorita y la salvación de la familia, y trabajan, más o menos discretamente, para retenerlo en casa y consumar la unión con la preciosa nieta.

> Para las tres él tenía carácter de enviado dotado de tal virtud que el destino total de familia —tras su roce mágico— se invertiría tomando otra dirección y nuevo sentido. La nieta podía ver en él el ángel de la anunciación dotado de su dardo luminoso; del mismo modo que la hija pudiera ver una epifanía un tanto rezagada ante el fruto de su seno y la provecta madre tal vez esperara su propia transfiguración gloriosa en lo alto de un monte sostenida por sus dedos. Dispuestas estaban las tres a ofrecer el holocausto con distintos grados de premeditación y de cinismo [37].

El ambiente de esta casa está dotado, algo burlescamente, de un aura mítica. Pedro es el «enviado mágico»; las mujeres son diosas: «Las tres diosas se encaramaban cada una en diferente podio» [37]. «...Pedro, después de cenar, se sometía al rito de la tertulia» [35]. Después las mujeres son «las tres parcas» [41]. Dentro de la estructura de la novela, si la comparamos con la Odisea, las tres mujeres hacen el papel de Calipso y Penélope, y la casa es Itaca y Ogigia. Al empezar sus aventuras, Pedro sale de la casa y al final regresa (Itaca). Calipso retuvo a Ulises durante siete años; el héroe hizo grandes esfuerzos para salir, pero lo detuvieron siempre el cariño y la cama de la diosa, hasta que, finalmente, la convenció que le dejara ir. La casa (Itaca, Ogigia) es el refugio, el consuelo y el amor; es el lugar a donde regresa el héroe después de sus guerras y peligros. En la novela de James Joyce, Molly Bloom también hace el doble papel de Penélope y Calipso [5].

Florita y Nausicaa

Dentro de la hipótesis en que comparamos la estructura de *Tiempo de silencio* con la *Odisea,* el episodio del Muecas-Florita-Chabolas puede corresponder a la visita de Ulises a la tierra de los feacios, su rey Alcínoo, y su hija Nausicaa. El autor sugiere esta comparación, al decir, como arriba notamos, que Pedro iba «hacia la aún no explorada Nausicaa» [102] cuando volvió a las chabolas para tratar de salvar la vida de Florita. El episodio del encuentro de Ulises con Nausicaa en la playa es uno de los más admirados de la *Odisea;* la frescura, belleza e ingenuidad de la muchacha frente al héroe maduro en años y experiencia; la paz y magnificencia del lugar contrastan con los peligros y hambre sufridos en los otros episodios. La relación amorosa entre Nausicaa y Ulises no es más que un coqueteo por parte de la muchacha; así es también el encuentro entre Bloom y Gerty MacDowell en la playa del episodio 13 de *Ulysses.* Pedro, en *Tiempo de silencio,* admira la belleza de la hija del Muecas, criada en tales circunstancias; pero hay entre ellos sólo un asomo de erotismo, cuando Florita, para demostrar el trabajo que le costó el cuidado de los ratones «desabotonó algo su vestido por el escote, y efectivamente mostró a todos los presentes en el nacimiento de su pecho, dos o tres huellecitas rojas que pudieran corresponder a las estilizadas dentaduras de las ratonas en celo» [52]. Sin embargo, aunque no existe relación amorosa entre ellos, tal relación sí existe en la mente de Cartucho quien, al pensar que Pedro era responsable de la preñez y muerte de Florita, jura vengarse y lo hace al matar a la novia de Pedro, Dorita, al final.

A Ulises le impresionan el sitio, los alrededores y los palacios de Feacia. «Ulises... mientras seguía adelante, admiraba los refugios para las naves, el lugar donde los héroes se juntaban, los grandes muros reforzados con empalizadas; todo ello magnífico». (*Odisea,* Canto VII) [6]. Pedro, también caminando hacia las chabolas, se ma-

[5] Véase Gilbert, *Ibid.,* cap. 4, «Calypso». Es interesante que, según Gilbert, Calipso era «española» de una isla cerca de Gibraltar (Gilbert, p. 142). Molly Bloom era hija de judía española, nacida en Gibraltar.

[6] Las citas de la *Odisea* provienen de la edición de Luis Santullano, México, Compañía General de Ediciones (octava edición), 1969.

ravilla del lugar y de sus «oníricas construcciones» [42]. Martín-Santos, con su estilo épico-burlesco, así describe la llegada de Pedro y Amador a las chabolas:

> Sobre un pequeño montículo en que concluía la carretera derruida, Amador se había alzado —como muchos siglos antes Moisés sobre un monte más alto— y señalaba con ademán solemne... el vallizuelo escondido entre dos montañas altivas, una de escombrera y cascote, de ya vieja y expoliada basura ciudadana la otra... en el que florecían, pegados los unos a los otros, los soberbios alcázares de la miseria [42].

El autor pinta al Muecas burlescamente, como si fuera gran rey o señor. Al llegar a la residencia del Muecas, «Allí estaba el digno propietario volviéndoles la espalda...» [48]. El Muecas, como un antecesor de Alcínoo, era «Arquitecto-aparejador-contratista de chabolas» [57]; «El ciudadano Muecas bien establecido, veterano de la frontera, notable de la villa, respetado entre sus pares, hombre de consejo, desde las alturas de su fructuoso establecimiento ganadero veía a los que... pretendían empezar a vivir...» [58].

El Muecas, como el rey Alcínoo de Feacia, estaba satisfecho con su tierra, su propiedad, su mujer e hijas:

> ...Y esta convicción de que el mundo estaba bien así aumentaba aún —más violentamente—, se convertía en evidencia para el Muecas cuando, ya de noche, saliendo de palacio, con calor en el interior del estómago, llegaba a la mansión residencial y tras comprobar la presencia de los tres cuerpos cálidos en el colchón, podía introducirse en aquel ámbito gratísimo con lo que su felicidad física aún crecía... [60].

La actitud ceremoniosa del Muecas al recibir a Pedro recuerda la ceremonia del rey Alcínoo frente a Ulises:

> El valioso Alcínoo tomó de la mano al prudente e ingenioso Ulises, le hizo levantarse de donde se hallaba y acomodarse en un hermoso asiento... Una esclava trajo servicio de aguamanos, en hermosa jarra de oro y de plata, y colocó delante de Ulises una lustrosa mesa con pan y abundantes viandas... (*Odisea,* Canto VII.)

Martín-Santos se mofa del tono épico-caballeresco en lo que pudiera ser una parodia de la escena homérica en Feacia:

> No de otro modo dispone el burgués los agasajos debidos a sus iguales haciéndoles pasar a la tranquila, polvorienta y oscurecida sala, donde una sillería forrada de raso espera el honroso peso de los cuerpos de aquellas personas que dotadas de análoga jerarquía que los propios dueños de la casa, pueden ocupar sus sitiales y disponerse durante lapsos de tiempo variables a una conversación que —aunque aburrida y vacía— no deja de confortar a cuantos en ella participan a título de confir-

mación indirecta de la pertenencia a un mismo y honroso estamento social. Así Muecas dispuso que don Pedro tomara asiento en una a modo de cama hecha con cajones que allí había y que en ausencia de sábanas cubría una manta parduzca [49].

Después llama el Muecas a Florita que les sirve una limonada de dudosa calidad, «... en un vaso un poco de agua en la que debía haber exprimido un limón a juzgar por una pepita que como pequeño dirigible flotaba» [50].

Ricarda, la «redondeada consorte del Muecas», que también aparece en esta escena, en verdad tiene poco parecido con Areté, mujer de Alcínoo. Pero Areté era sobrina del Rey, su marido, y el incesto era común en las chabolas, donde el Muecas iba a ser padre-abuelo del niño muerto en el aborto de su hija. Antes de dejar las chabolas, conviene señalar aún otro detalle que enlaza los dos episodios. Poseidón, enojado con los feacios porque dieron abrigo al náufrago Ulises, destroza el barco que llevó al héroe a Itaca, y amenaza alzar un cerco de montañas alrededor de su ciudad marítima. Asimismo, la familia del Muecas sufre una tragedia —la pérdida de la amada hija Florita— después de recibir a Pedro.

Cartucho y el Cíclope

El Cíclope, desde Homero, ha sido símbolo de la fuerza bruta y ciega. En el episodio 12 de *Ulysses* tal persona es Sinn Feiner, el «ciudadano», super-patriota, que se embriaga con sus compañeros en un *pub* de Dublín. Bloom, buscando a cierto cliente, entra en el bar, y el ciudadano arremete contra él, manifestando un antisemitismo primitivo y brutal.

Cartucho aparece como personaje principal en los episodios 7, 17, 20, en las páginas 45-48, 104-106 y 117-121. También se halla en la procesión hacia la cárcel (episodio 28) y al final, cuando asesina a Dorita [38]. En su monólogo del episodio 7, Cartucho habla un argot del hampa madrileña, así como el narrador del episodio del Cíclope en *Ulysses* emplea el *slang* de Dublín.

> ...Y él «Bueno, si no quiere priva, pañí de muelle». Y viene con el vaso de sifón y me lo pone en los naipes y yo lo bebo. Mirándole a la jeta. Y él, riéndose «Que me hinca los acáis». Y se va chamullando entre dientes. «No hay pelés.» «No hay pelés.» Pero a ella la tenía yo camelá y mira que te mira como si fuera marica... [46].

Cartucho es un personaje de psicología primitiva, casi salvaje, equivalente al Cíclope. Su nombre, Cartucho, recuerda al de Cíclope, que en griego quiere decir «ojo redondo». Es vecino del Muecas y

Florita (Nausicaa), como en la *Odisea* los Cíclopes habían sido vecinos de los feacios, aunque la ferocidad de los Cíclopes hizo que éstos cambiaran de tierra:

> Atenea se había ido al país y ciudad de los feacios, habitantes al principio de la espaciosa Hiperea cerca de los altivos cíclopes que, superiores en fuerza, no dejaban de molestarlos. El rey anterior los había sacado de allí y llevado a Esqueria; lejos de la desagradable vecindad, había levantado un muro alrededor de la urbe, construido casas, elevado templos a los dioses y repartido las tierras. *(Odisea,* Canto VI.)

El Muecas vive en las chabolas, pero Cartucho y los suyos viven en las subchabolas. La chabola de Cartucho era «casi nueva» [117]. «Estas chabolas marginales y sucias no pretendían ya como las otras tener siquiera apariencia de casitas, sino que se resignaban a su naturaleza de agujero maloliente...». Luego a Amador le parece un hombre «... vomitado de una mina». «Tiene un aire de fiera que puede suceder cualquier cosa...» [121]. Las palabras «Cueva», «agujero maloliente» y «mina» sugieren, desde luego, el aposento de Polifemo en la *Odisea*. Cartucho, como el Cíclope, era homicida y tiranizaba a los seres vecinos: «... al subbarrio de las subchabolas donde Cartucho reinaba como señor indiscutido después de algunas de sus más pronunciadas hazañas que habían llevado algún cuerpo a tierra...» [120]. Cartucho, como el Cíclope, se emborracha con vino [104-106], de un modo igualmente sucio y bestial. Finalmente, según la mitología, Polifemo mató a Acis por celos; por celos también, y por venganza, mata Cartucho a Dorita.

DOÑA LUISA Y CIRCE

El episodio más célebre de *Ulysses* es el de *nighttown,* el prostíbulo de Bella Cohen que corresponde a la aventura de Circe en la *Odisea*. Ulises y sus compañeros llegan a la isla de Circe, diosa hermosa que tiene la costumbre de transformar los hombres en cerdos. Los amigos de Ulises sufren esta transformación, pero el héroe, aconsejado por Hermes, toma una droga que le conserva su aspecto de hombre; después se acuesta con la diosa. La transformación es el motivo dominante del episodio *nighttown* de Joyce, donde los hombres se transforman en mujeres y los personajes centrales —Bloom y Stephen— dan rienda suelta a su fantasía erótica en una atmósfera cargada de magia.

En *Tiempo de silencio,* durante el primer día y noche de la acción, Pedro y Matías, después de emborracharse en una tasca, y de largas charlas sobre el arte y la literatura, visitan el burdel de Doña Luisa. (Stephen, Bloom y sus amigos también se embriagan antes de acercarse al prostíbulo de Bella Cohen). El primer episodio que corresponde a Circe se encuentra en las páginas 82-92. Más tarde, después del aborto de Florita, Pedro y Matías vuelven al prostíbulo al intentar esconderse de la policía [147-155].

Un ambiente de rito y de magia domina estos episodios. Doña Luisa es «sacerdotisa» [85]; «La inmediata proximidad de los lugares de celebración de los nocturnales ritos órficos se adivina en ciertos signos inequívocos» [82]; «... el comprador... podía... comprobar la naturaleza no fantasmal sino física del objeto alquilado, lo que debía ser seguido de la entrega ritual del ya citado billete de cinco duros...» [85]; «Así, pues, rompiendo el religioso silencio en que el salón estaba...» [85]; las émulas de Doña Luisa se precipitaron violentamente sobre «la pareja sacrílega» [86]; la sala de visitas es un lugar «donde la patrona vuelve a ser un reverendo padre que confiesa dando claras y rectas normas...» [86].

El motivo de la transformación también resalta aquí, y se enlaza con el ambiente de rito y de magia. Las muchachas se encuentran transformadas cuando el «sacrificante» vuelve al lugar:

> ¿Quién puede estar cierto de que en el momento de percibir su misma materialidad corpórea bajo un disfraz ligeramente modificado (falda negra ceñida en lugar de traje de baño rojo, bata rameada amarillenta en lugar de deux-pièces azul cielo, cabellera negra y dientes relampagueantes en lugar de pelo desteñido a dos tonos y boca fruncida con dentadura rota en mesilla de noche...) pueda ser reconocida por el aturdido sacrificante? [83].

La sala de visitas se transforma en túnel, laguna estigia, cabina de vagon-lit, log-cabin, camarote, etc. [85]. La vieja prostituta que entretiene a Matías, se convierte en «dulce servidora de la noche» y «diosa vencedora del tiempo» [87] y «maga» [89]. El mismo Matías se transforma en Edipo [90] y su amante en Electra.

En el segundo episodio la *madame* de la casa transforma a sus pupilas en «obreras ápteras» [147], como hemos notado antes. El sol es evitado porque transforma el carácter normal de la casa: «de esta actividad engañadora del sol, solamente una pieza había de ser preservada ya que en ella las potencias maléficas no habían de tropezar con los seres susceptibles de tales metamorfosis. Así en la cocina donde se ajetreaba la pincha, el sol penetraba por el patio interior...» [148]. Pedro y Matías, huyendo de la policía, se transforman en figuras caballerescas: «Ante ella estaban Matías y Pedro, como dos pajes viajeros de paso para Tierra Santa que solicitan yacija en el alcázar y prometen distraer con sus gracias a las damas de la Corte» [148]. Pedro es comparado a «ciertos animales cuyos ojos faltos de uso han llegado a permanecer atróficos...» [149]. Doña

Luisa se convierte en «... la gran madre fálica que convida a beber la copa de la vida...» [151].

Pedro, como Ulises (y Bloom), encuentra consuelo en los brazos de su «Circe», Doña Luisa [153]. «Envaina tu espada», le pide Circe a Ulises (Canto X) «y vámonos a descansar juntos, para que, unidos en el amor, se produzca entre nosotros una mutua confianza». Luego, después de jurar la diosa que no le hará ningún mal, «No tuve reparo», dice Ulises, «en disfrutar de su magnífico lecho». Don Pedro cae en el amplio regazo de doña Luisa como un verdadero náufrago venido a tierra:

> ...Doña Luisa hizo entonces el gesto durante tanto tiempo esperado, el gran gesto hacia el que había estado caminando durante toda la noche y desde hacía tantos años, rodeó con su robusto brazo el cuello del muchacho e hizo caer la cabeza en su regazo sobre los blandos almohadones de sus pechos, apretando su nariz contra la piel arrugada de su cuello, haciéndole respirar la mezcla residual de los perfumes que ella había echado sobre su carne... [153] [7].

El Libro de los Muertos o Descenso al Averno

En casi todos los poemas épicos hay relatos de un descenso al Averno o a la tierra de los Muertos: en la *Odisea,* en la *Eneida* de Virgilio y en la *Divina Comedia.* Incluso en el *Quijote* el capítulo de la Cueva de Montesinos desempeña esta función. En algún momento de la vida del héroe éste tiene que confrontar el misterio de la muerte y de la subconciencia, y escuchar las voces de sus muertos queridos, o entrever alguna prognosis del futuro.

En el *Ulysses* de Joyce se trata del episodio 6, llamado «Hades», cuyo lugar es el cementerio. En este capítulo, con más claridad que los otros, hay alusiones explícitas a la *Odisea* (véase Gilbert, capítulo 6). Leopoldo Bloom asiste al entierro de un amigo.

Hay dos episodios en *Tiempo de silencio* que probablemente tienen esta función del «Descenso al Averno». El primero es el entierro de Florita (episodio 25, pp. 142-147). El episodio empieza con la larga e irónica descripción de los «enterramientos verticales».

> ... que se practican con los cadáveres de las personas que, habiendo pertenecido en vida a las clases sociales menos pudientes, no han podido

---

[7] Hay otro detalle, posiblemente sin importancia, pero uno de esos pormenores que hacen sospechar que MARTÍN-SANTOS lo introdujera adrede para señalar el génesis verdadero de la obra y su ocultado significado. En la *Odisea,* Circe convida a sus huéspedes a comer, «... les hizo sentarse en sillas y sillones; después se ocupó de batir queso, harina de cebada y miel verde con vino de Pramnio...» (Canto X). En el burdel de doña Luisa, la mañana de la fuga, los refugiados piden «... latas de melocotones en almíbar, queso y vino tinto», entre otras cosas.

o no han querido adquirir una sepultura en propiedad y por ello están destinados a ser colocados de modo poco preciso en un terreno vago e indelimitado... [142].

y de los modos económicos y modernos que utilizan para enterrar a los indigentes con máxima eficacia. Este pasaje parece la realización de una inspiración grotesca que se le ocurre a L. Bloom mientras observa el entierro: «Holy fields. More room if they buried them standing. Standing? His head might come up some day above ground in a landslip with his hand pointing. All honeycombed the ground must be: oblong cells» (*Ulysses*, p. 107). Esta extraña coincidencia parece ser una alusión indirecta a Joyce y Bloomsday.

Alrededor del Cementerio del Este, «Una multitud vaga, ociosa y enlutada, por pequeños grupos, recorría los caminos, admirando las diversas maravillas...» [145]. La *Odisea*: «Llegaban de todas partes en masas y alzaban, alrededor de la fosa, tremendo clamoreo que sobrecogía el ánimo» (Canto XI). Llegó la orden de la exhumación del cuerpo de Florita, y «el cadáver de Florita inició su retorno a lo largo del camino por donde nunca se vuelve...» [146] para la autopsia exigida por la ley. Así que la muerta Florita, como algunos de los muertos en la *Odisea*, vuelven durante un rato breve a gozar de la luz del día.

Más tarde Pedro es detenido por la policía (Don Similiano, que le encuentra en el burdel de doña Luisa). Lo mandan a la cárcel, donde Pedro pasa un número indeterminado de días antes que la intervención de Ricarda, la mujer del Muecas, le absuelva de la muerte de Florita. Aunque Pedro no está presente en la escena anteriormente descrita (el entierro: es el autor omnisciente que la describe), es nuestro anti-héroe el que desciende al infierno de la prisión. Todo este episodio [167-186, 196-199] crea la impresión de un descenso al averno o infierno, palabras empleadas, en efecto, en el texto. «Cada una de las rejas, rastrillos y cerrojos que Pedro iba encontrando en su camino descendente, poseía un gnomo gris...» [167]. Habla del «... miedo que parecía reinar con dominio absoluto en tales zonas, habitadas además por los regidores y manufactureros de la angustia, por ciertos sutiles seres de color verdoso y barba crecida, nacidos de una raza todavía no antropológicamente clasificada...» [168] en esta visión dantesca del mundo carcelero. Luego «...Pedro, muy justa y naturalmente, fue privado de la augusta presencia y conducido al proceloso averno en el que la caída... se produjo a través de los meandros y complejidades que canta la fábula» [170]. El descenso es largo y laberíntico, hasta que llega «... al lugar exacto de su ubicación definitiva en este infierno en el que, a diferencia de aquéllos en que más hábiles demonios atormentan estridentes condenados, no se oyen los gritos de éstos sino que guardan un profundo silencio...» [171].

Estas páginas contienen una crítica social implícita del sistema de las prisiones (no sólo en España), y una descripción minuciosa e irónica, kafkiana, de las dimensiones físicas y atmósfera de una celda. El autor intercala aquí un paréntesis [182, 183] sobre la fiesta taurina, en la cual critica acerbamente esta tradición española. ¿Por qué aquí, precisamente, durante el episodio del infierno? Quizá porque ve las prisiones y los toros como modos de polarizar y encauzar el odio que Martín-Santos, como Unamuno, sentía como parte de la herencia española, una memoria racial infernal y atávica. El libro transciende la crítica político-social para lograr una indagación, a veces compasiva, a veces sardónica, en el carácter ibérico, sobre todo en aquellos episodios dedicados a Cervantes, a Goya y a la fiesta nacional:

> ¿Pero qué toro llevamos dentro que preste su poder y su fuerza al animal de cuello robustísimo que recorre los bordes de la circunferencia? ¿Qué toro llevamos dentro que nos hace desear el roce, el aire, el tacto rápido, la sutil precisión milimétrica según la que el entendido mide, no ya el peligro, sino —según él— la categoría artística de la faena? ¿Qué toro es ése, señor? [183].

Eolo y el Maestro de Filosofía

El episodio séptimo de *Ulysses* corresponde a la aventura de Eolo, dios de los vientos, en la *Odisea*. La escena es una oficina de periódico (Bloom es vendedor de anuncios), el Arte es la retórica y el Organo es el pulmón[8]. Un personaje principal es el profesor MacHugh, aparentemente maestro de filosofía, quien repite un famoso discurso como ejemplo de la retórica. En el palacio de Eolo abundan los ruidos, sobre todo el del viento. Ruidos diversos pululan por la oficina donde trabaja Bloom, y la retórica, el discurso, la lógica, el pulmón y las palabras humanas comprenden una metáfora del viento.

Matías y Pedro asisten a un discurso del maestro de filosofía, y después a una recepción en honor suyo. La retórica, la filosofía y el habla humana son temas de estos episodios. El maestro es

> ... dotado de una metafísica original, dotado de simpatías en el gran mundo, dotado de una gran cabeza, amante de la vida, retórico, inventor de un nuevo estilo de metáfora, catador de la historia, reverenciado en las universidades alemanas de provincia, oráculo, periodista, ensayista, hablista, el-que-lo-había-dicho-ya-antes-que-Heidegger... [133].

---

[8] Véase Gilbert, *op. cit.*, p. 177.

No cabe duda de que se trata de Ortega y Gasset. El discurso que sigue, sobre la manzana, es típico del «perspectivismo» orteguiano. En el salón de recepción se oye el siguiente comentario: «Lo de la manzana ha sido genial, nadie ha explicado con tanta precisión y tanta claridad que la *Weltanschauung* de cada uno depende de su propio puesto en el cosmos» [135].

Hemos visto anteriormente cómo los invitados a la recepción se portan como diversas clases de pájaros. La abundancia de ruidos en la recepción sigue esta analogía: los invitados se precipitaban «con excitación verbigerativa», «lanzaban sus gorgoritos»; las voces se distinguían «... por el matiz sonoro de los trinos»; se oía «... un graznido ronco»; la señora «entonaba canciones» [136-137]; el ramaje del *cocktail* ardía «... con llamarada de risas y chisporroteo de agudos gritos de cotorras» [136, 137]. Se interrumpe «el chismorreo confuso de las viejas» [137]. Se habla hueca, incesante y tumultuosamente hasta que, en un acceso de náuseas, Pedro ve el cuerpo desnudo y muerto de Florita sobre la alfombra del salón. La retórica, los ruidos y el habla dominan estos episodios, igual que el número siete de *Ulysses*.

Hay aún otros detalles que refuerzan el parecido con *Ulysses*. «... Tras la subterránea y mortífera odisea», como precisa el autor en la página 207, don Pedro vuelve a su Itaca, a los brazos de su dulce Penélope, o sea Dorita, con quien se propone casar. El sarao y la venganza de Cartucho frustran, desde luego, este esfuerzo para volver a la normalidad casi burguesa. (El episodio 17 de *Ulysses*, «Ithaca», describe la vuelta de Bloom a su casa.) Y *Tiempo de silencio*, como *Ulysses*, termina con un largo monólogo interior (de Pedro, en la novela española, de Molly Bloom, en la irlandesa).

El episodio 14 de *Ulysses* (Oxen of the Sun), cuyo arte es la medicina, órgano la matriz y escena el hospital, corresponde al episodio 18 de *Tiempo de silencio*, el aborto de Florita en la chabola. Sin embargo, en la malograda aventura de don Pedro todo sucede al revés: el quirófano es un cuarto de la chabola; no hay nacimiento, sino aborto, y la muchacha muere. Martín-Santos, como Joyce, dedica un episodio al arte de la pintura (número 11, casa del pintor; «Nausicaa» en Joyce), y otro episodio al arte de la literatura («Meditación sobre Cervantes» y «Café literario», pp. 60-70). Stephen Daedelus dialoga con sus compañeros sobre «Hamlet» y Shakespeare (en «Scylla y Charibdis»). Pedro, al pasar por la calle donde vivía Cervantes (p. 61) medita largamente sobre él y su creación.

El tema de la culpabilidad ocurre tanto en la *Odisea* como en *Tiempo de silencio*. Cuando Ulises conversa con su madre en Hades, ella, Anticleia, describe cómo ha muerto:

...Así le va llegando la penosa vejez, y así es como terminé yo mis días: no abatida por los suaves dardos de Artemisa, ni consumida por enfermedad alguna de las que agotan lenta y terriblemente las energías, sino que han sido mis cuidados y cariño por ti los que me privaron ·le la existencia dulce como la miel.

Al oír a mi madre y tenerla cerca, sentí el deseo de abrazar ·su espíritu. Tres veces hice un movimiento hacia ella, y otras tantas se me deslizó de las manos, lo que acentuaba mi dolor... (Canto XI.)

La ausencia de Ulises así provocó la muerte de su madre, y al héroe le subyugan sentimientos de amor, nostalgia y culpa. A pesar de toda evidencia que le absuelve, Pedro se siente culpable por la muerte de Florita. El estaba borracho cuando operó, hizo el raspado sin previa experiencia; debía haber llamado a las autoridades y no lo hizo. «Y era verdad que, por todo ello, sentía una culpabilidad abrumadora, una culpabilidad cierta y tremenda» [198]. «Sí. En realidad, yo la maté», confiesa al interrogador de Policía [199]. La imagen de Florita vuelve a surgir ante sus ojos (como la sombra de Anticleia) en la escena del salón. En *Ulysses* no se trata precisamente de culpabilidad por parte de Bloom, sino de cierta nostalgia melancólica por su pequeño hijo muerto, Rudy, quien aparece en sueños al final de la escena de «Circe».

Así es cómo la estructura general de *Tiempo de silencio* corresponde a la de *Ulysses* y la *Odisea*. No hay, por cierto, un Telémaco (Stephen Daedalus) en la novela española, y el tema de la paternidad, central a la obra de Joyce, no ocurre en la de Martín-Santos. En su «extended journey amid magical obstacles and Cyclopean assailants», en su viaje de descubrimiento, el héroe o el anti-héroe pasa por aventuras y peligros, su aprendizaje de la vida, y llega, al final, a un conocimiento más profundo de sí mismo [9].

[Traducción del original que apareció en *Bulletin of Hispanic Studies*, Liverpool, Vol. XLVIII, núm. 3, páginas 239-254.]

---

[9] Desde la aparición en inglés de este ensayo, se han publicado varios estudios interesantes sobre *Tiempo de silencio*. Entre ellos: CARLOS FEAL DEIBE, «Consideraciones sicoanalíticas sobre *Tiempo de silencio*, de Luis Martín-Santos», *Revista Hispánia Moderna*, XXXVI, 2 (1970-71), 117-127; P. A. GEORGESCU, «L'actuel et l'actualisation dans *Tiempo de silencio*», en *Le Réel dans la Littérature et dans la Langue*, ed. Paul Vernois (París, 1967); WALTER HOLZINGER, «*Tiempo de silencio*: an Analysis», *Revista Hispánica Moderna*, XXXVII (1972-73), 7390; y el capítulo sobre Martín-Santos en JUAN VILLEGAS, *La estructura mítica del héroe*, Barcelona, 1973, pp. 203-230.

VIAJE A REGION

Juan Benet ha escrito y publicado una novela, *Volverás a Región* (Ediciones Destino, 1967). Es una buena novela, con aciertos extraordinarios, con defectos ciertos, pero sobre todo es una novela sorprendente, insólita, en el marco actual de la novela en lengua española.

En una novela, como en cualquier otra obra literaria, todo, a mi juicio, es estilo. Estilo es el argumento, la manera de contarlo, el método de exposición, el lenguaje empleado, la sintaxis. Todo es estilo, y no es posible tratar por separado una cosa de otra sin en cierto modo mutilarla. Hecha esta advertencia, vamos a exponer el argumento de *Volverás a Región,* que es relativamente sencillo.

Un grupo de personajes pasados y presentes viven localizados y determinados por una extraña región geográfica, aislada tanto por la naturaleza como por su parte histórica. La guerra civil española se desarrolla como un contrapunto a la narración de esas vidas, que se hace desde tres planos: el narrador, un personaje masculino que es el Doctor, y un personaje femenino, que es la hija del que acaba siendo general Gamallo.

Si pudiera hablarse de un personaje central en la novela, éste sería el de María Timoner. Alrededor de María Timoner, por razones amorosas o filiales, están el Doctor, Gamallo, el jugador Hortera y el amor sin nombre de la hija de Gamallo.

María Timoner iba a casarse con Gamallo. Gamallo, teniente entonces, juega una partida inacabable con el jugador Hortera-Minero, que le gana el dinero y a María Timoner. La huída de María Timoner trastorna el orden de Región. En su persecución salen una cabalgata de jinetes, entre los que está el teniente ofendido. «La gente de Región ha optado por olvidar su propia historia: muy pocos deben conservar una idea veraz de sus padres, de sus primeros pasos, de una edad dorada y adolescente que terminó de súbito en un momento de estupor y abandono. Tal vez la decadencia empieza una mañana de las postrimerías del verano con una reunión de militares, jinetes y rastreadores dispuestos a batir el monte en busca de un jugador de fortuna, el don Juan extranjero que una noche de casino se levantó con su honor y su dinero; la decadencia no es más que eso, la memoria y la polvareda de aquella cabalgata por el camino del Torce, el frenesí de una sociedad agotada y dispuesta a creer que iban a recobrar el honor ausente en una barranca de la sierra, un montón de piezas de nácar y una venganza de sangre» (p. 2).

María Timoner tiene del jugador un hijo, que en la guerra civil militará en el lado republicano y será el amante sin nombre de la hija de Gamallo.

Una parte del argumento de la novela se explicaría por esta huída de María Timoner y la reacción que esta huída causa a los tres hombres que la rodean y a la sociedad de Región. La otra parte es la guerra civil. La liquidación definitiva de la vida, o de la esperanza, o de las posibilidades de todos y cada uno de los personajes. La hija de Gamallo huye con las fuerzas derrotadas y se entrega primero a un joven alemán, después a un cabecilla militar y a un miliciano sin nombre, del que ya hemos hablado, mientras su padre ocupa, lenta pero inexorablemente, con las fuerzas nacionales, la región. El recuerdo del amor que el joven alemán y, sobre todo, el miliciano desconocido, le han hecho conocer, le hace volver a Región en busca de su pasado y de su muerte.

«Supongo que vengo por todo esto —dice la hija de Gamallo—, en busca de una certeza y de una repetición, a volver a pisar el lugar sagrado donde al conjuro de un perfume y un exorcismo resucitarán los héroes desaparecidos, los que inocularon en mis entrañas estériles las células cancerosas de su memoria, para recuperar su presa postrera» (p. 311).

El Doctor, ese doctor que amó a la misma mujer, María Timoner, que su padre, la deja ir hacia la muerte sin oír los gritos sofocados del muchacho de las gafas, al que ató y puso una inyección para calmarlo. Mientras va ella hacia su pasado, simbolizado por el monte, y a su muerte a manos del viejo Numa, abre el Doctor la puerta donde lo tiene encerrado y este muchacho, que abre y cierra la novela, lo mata.

«Durante el resto de la noche en la casa cerrada y solitaria, casi los muros y hierros batidos, un sollozo sostenido que, al límite de las vencida por la ruina, sonaron los pasos apresurados, los gritos de dolor, los cristales rotos, los muebles que chocan contra las paredes; lágrimas, se resolvía en el choque de un cuerpo contra las puertas cerradas. Hasta que, con las luces del día, entre los ladridos de un perro solitario, el eco de un disparo lejano vino a restablecer el silencio habitual del lugar» (p. 315).

El disparo procede del terrible guarda, «de aquel viejo y lanudo

Numa, armado de una carabina, que en lo sucesivo guardará el bosque, velando noche y día por toda la extensión de la finca, disparando con infalible puntería cada vez que unos pasos en la hojarasca, o los suspiros de un alma cansada, turben la tranquilidad del lugar» (p. 12).

En el argumento así resumido he citado algunos de los personajes más importantes de la novela; pero no todos. Si bien es cierto que la estructura de la novela da un papel predominante al Doctor, o a la hija de Gamallo, no lo es menos que la novela no tiene protagonista en el sentido clásico del término. Igual que en lugar de argumento cabría hablar de argumentos o puntos de apoyo plurales para contar y plantear problemas y situaciones diversas.

Forzando un poco el término protagonista, diríamos que los que son de *Volverás a Región* tienen muy distinta naturaleza ontológica. Son protagonistas personas, las citadas anteriormente, y otras de las que hablaremos; una serie de sucesos, la guerra civil principalmente; la geografía. Quizá desde un cierto punto de vista el protagonista principal de la novela sea Región y la historia siempre presente del pasado, que determina a la sociedad y a los personajes. Historia que no tiene otro sobresalto profundo y otra posibilidad de ruptura total que la de la guerra civil. Terminada ésta, todo vuelve a su cauce, y para asegurar que el orden no se perturbará el guarda lanudo, temido y amado por los moradores de Región, mata de un solo y certero disparo a cualquiera que quiera alterar el ritmo establecido y mantenido a toda costa.

El paisaje es, sin duda, el centro de la novela, el *ritornello* continuo a lo largo de la narración que determinará a los seres humanos, sin posibilidades de acción, y que permanece mudo e inmenso en su silencio mineral, más allá de toda historia. Juan Benet describe un paisaje con nombres imaginarios, pero es real, y aun los nombres encuadran perfectamente al paisaje descrito. La región real inspiradora de la imaginaria se sitúa en el noroeste de España, entre León y Asturias. Es un lugar donde se produce «el encuentro de la cordillera cantábrica con el macizo galaico-portugués» (p. 37). Una sierra, la de Región, compone el paisaje físico de la novela.

Juan Benet describe el paisaje una y otra vez con gran precisión técnica, geológica y geográfica, y con una morosidad que a veces cae en el defecto. Con igual precisión y morosidad describe la flora de esos montes y esos valles.

Después del paisaje e íntimamente enlazado con él, el segundo personaje, el segundo gran tema de la novela, es la guerra civil española. En la descripción de los sucesos de la guerra, que se hace normalmente por medio de la descripción objetiva o por los relatos del hijo de María Timoner, alcanza la novela su clima y sus mejores momentos. En contraste con las descripciones del paisaje o con los monólogos del Doctor, el estilo suele ser conciso, vivaz, de una gran fuerza expresiva.

En un momento de la novela, el Doctor, hablando de la guerra civil, dice: «Fue algo más que eso, sin duda. La prueba de que no teníamos razón, de que no había lógica en nuestros actos ni juicio en nuestras predilecciones. Por tanto, había que volver al principio, era necesario borrar los últimos pasos que habían conducido a semejante atolladero. En verdad, si no existía ya una confianza en el futuro ni un apego a la tierra, ni una verdadera fe en las creencias, ¿por qué no volver al terreno del odio? Sólo de la derrota podría surgir algo nuevo; no ha sido así, pero eso no quita nada al hecho de que fuera la mejor razón para hacer la guerra: poderla perder» (página 159).

La guerra está contada desde tres puntos de vista, que se entrecruzan y se significan mutuamente con los demás planos o hilos de la novela. Uno es el de la narración objetiva de los hechos y campañas militares, en forma narrativa e impersonal; otro, los juicios de valor sobre la guerra, que normalmente corresponden al Doctor, y un tercer plano, narrativo también, pero desde su experiencia personal, de la hija del general Gamallo.

Salvo en el caso del jugador Hortera-Minero, o de la vieja barquera, los personajes más importantes de la novela son los de la guerra civil. El intelectual Aurelio Rumbal o Rombal (magnífica es la presentación de este personaje en las páginas 30 y 31) y su mujer; Eugenio Mazón, el viejo Constantino, Asián, Julián Fernández, que salen al hilo de la narración de batallas y situaciones, pero no se «explican» como el primero. Tampoco alcanzan el grado de presencia de Gerd, el joven alemán, el primer amor de la hija de Gamallo. La descripción de la muerte de Gerd es uno de los mejores momentos de la novela.

En ese pasaje (pp. 291 y 292) las mejores cualidades de Juan Benet se ponen de manifiesto. Un poder de descripción realmente asombroso. Una capacidad de decir y sugerir cosas diversas al mismo tiempo, como consecuencia de un estilo magistralmente dominado: «... Y sus ojos verdes y turbios habían perdido la serenidad para contemplar hipnotizados —sesgados por esa secreta y suprema aquiescencia de la muerte— el vértigo donde había desaparecido.» Un tratamiento perfecto en el ritmo y en el tiempo, en la solemnidad, de la desesperación del que va a morir, de la búsqueda del muerto, de la piedad con el cadáver y de la venganza dura y rápida con el perro.

Siguiendo una línea que empieza a ser ya clásica en la novela, Juan Benet, en *Volverás a Región,* superpone continuamente los tiempos de la narración. La novela se desarrolla en tres planos temporales. Los tres tiempos se entremezclan continuamente; pero sólo el primero y el tercero lo hacen de tal manera que, a veces, parecen uno solo, en un juego continuo de pasado-presente. La novela se divide en tres partes. En la primera se presenta el paisaje de Región, su realidad presente, su decadencia insalvable dentro de un equilibrio de ruinas y de un orden sin sentido, que mantiene el viejo Numa cruel y certero. En ella se presentan o se inician todos los temas que después se desarrollan en la segunda parte de la novela, y tendrán su epílogo en la tercera. Sin embargo, por el juego y mezcla de los planos temporales, muchos de esos temas se anuncian en su mismo final, adelantados sobre su planteamiento o entremezclados con él.

Esta técnica literaria, al complicarse con numerosos temas clave a los que se alude reiteradamente —(la cabalgata de los jinetes que persiguen al jugador que huye con María Timoner; el amor en la caja de una camioneta entre la hija de Gamallo y el hijo de María Timoner; la venganza segura de la montaña, personificada en el viejo guarda)— se acerca, tanto por su estructura como por su intención, a la técnica musical, cuando los temas son anunciados antes de su tiempo o recogidos de nuevo cuando ya han sido desarrollados. Creo que en el caso de Juan Benet, su afición musical y, sobre todo, wagneriana, son la clave más segura del empleo de esta técnica.

Decía antes que en una obra de arte todo es estilo, utilizando esta palabra en su acepción amplia y creo que exacta. Pero ahora quiero referirme al estilo como lenguaje utilizado por el escritor, tanto en cuanto a vocabulario como en cuanto a la sintaxis.

Utiliza Benet un vocabulario de una buscada precisión técnica, cada cosa está llamada por su nombre específico. Esta precisión se hace patente sobre todo en las descripciones geológicas y botánicas.

Por lo que hace a la construcción de las frases, dos modos utiliza Benet a lo largo de la novela. Uno de frases concisas, con poca utilización de oraciones subordinadas o coordinadas y amplia utilización del punto y punto y coma. Este estilo predomina en la narración de la guerra civil en las descripciones geológicas. Aunque en estas últimas abundan ya las metáforas y las imágenes poéticas. Otro modo es el que utiliza, sobre todo, en los monólogos del Doctor y la hija de Gamallo, hecho de oraciones continuamente cortadas por otras, ligadas o no gramaticalmente con la primera. Los párrafos son largos, a veces excesivamente largos y difíciles de leer, porque la idea expuesta en una oración se ve cortada y entrelazada con otra u otras, a menudo diferentes.

La sinuosidad y entremezclamiento de oraciones expresando ideas distintas, de metáforas e imágenes barrocamente ordenadas, hace a veces difícil la lectura de la novela, al mismo tiempo que le da su carácter personalísimo. Sin embargo, hay un cierto abuso de esta técnica, un cierto exceso de circunloquios, en los que el autor se deja llevar de su imaginación verbal —siempre asombrosa— y dice muchas más cosas de las que son necesarias. Este defecto y el que, a mi juicio, resulta de las demasiado pródigas descripciones geológicas del paisaje, son los dos principales que a la novela pueden ponerse.

Porque la justificación de este estilo —cuyo precedente hay que buscar no sólo en Faulkner, sino también en Kafka— es la de destruir el mito de la realidad lineal como consecuencia del lenguaje escrito, o la de reforzar con imágenes, metáforas y oraciones complementarias una idea principal. Pero carente de justificación, alarga a veces excesivamente las narraciones o las exposiciones y aleja al lector, sin compensación, de lo que la novela quiere o debe decir.

Quizá Juan Benet debió suprimir treinta o cuarenta páginas de su novela, tampoco más, y la obra hubiera quedado perfecta en su fuerza expresiva y en su desgarrado pesimismo.

Como casi siempre, donde están los defectos están las virtudes —cara y cruz de una misma novela—, y este estilo, nada fácil y por eso más abierto a la crítica que expresa el simple disgusto del lector perezoso, no sólo constituye la esencia de la personalidad de Juan Benet y lo que convierte a su novela en un hecho insólito en el panorama de la novela española actual, sino que también es la fuente de los mayores aciertos expresivos de la obra y, además, lo que le da su clima y su ambiente.

Volverás a Región está llena de la ideología de su autor, de sus juicios de valor sobre la vida y los hombres, de su visión, en fin, del mundo. Unas veces expresados clara y minuciosamente, otras dichos oblicuamente a través de los personajes o su significación.

Uno de los temas benetianos es el de la madre amada, lejana, distante, ausente. El tema de la madre así concebida, adorada por el hijo, que la ve como un imposible, se repite dos veces en la novela. En ambos casos el hijo queda marcado por esta experiencia y el resto de su vida será una consecuencia de la carencia del amor o de la ternura de esa madre inasequible.

En contraste con la figura materna, que tiene algo de terrible, está la de la criada vieja, dedicada totalmente al cuidado de la persona que la vida o el azar pone bajo su custodia, es la doble Adela del niño de las gafas o de la hija de Gamallo, y es esa extraña figura de Adela y Muerte.

También el padre vive de espaldas al hijo o desconocido por él (así, en el caso del niño de las gafas, o del hijo de María Timoner), o lejano y querido (en el caso del padre del doctor), pero siempre ausente.

Esta lejanía y la imposibilidad de comunicación afectiva total entre los seres, da a todos y cada uno de los personajes de la novela un sello de soledad radical. Incluso cuando entre ellos hablan no es una conversación lo que se anuda, sino monólogos que el que los pronuncia lo hace sabiendo que el interlocutor ni le escucha ni puede contestarle. Las escenas de amor de la hija de Gamallo se dan siempre en silencio, y los dos únicos momentos de ternura de la novela —la descripción de la vida del padre del Doctor, y la búsqueda del cadáver de Gerd por su hermano— se dan, o con un personaje lejano e inalcanzable para su hijo, o con un cadáver.

Esta impresión tan viva de la soledad radical de los personajes contribuye a dar a la novela su aire fantasmal y de ensoñación, sólo roto por la realidad de la guerra, tan bien descrita, y por los golpes de humor. Los personajes parecen moverse en un mundo de sombras chinescas cuyo aspecto irreal no hace sino aumentar con la detallada descripción de la realidad. (Aquí veo yo precisamente la influencia kafkiana.)

Esta presentación del individuo aislado sin posibilidad de comunicación con el mundo exterior responde a una íntima convicción de Benet, forma parte de su ideología. Hay un momento en la obra que hace decir al Doctor:

> *La familia,* es la verdadera trampa de la razón..., en la liquidación de la familia veía la emancipación de un instinto anquilosado y amordazado por una razón astuta...; para distraer al individuo de su afán original, la pasión...: por eso a veces me represento a la razón como la trampa a donde el hombre ha ido a caer, perseguido por toda una turba de pasiones inestables... Ya no será nunca más un individuo, un reducto de libertad. No sólo le exigirán la entrega total, la privación de los deberes para con ellos, sino que considerarán ultrajante, negativo y punible aquel gesto... mediante el cual pretende reservarse un pedazo de su vida para sí mismo... Y, sin duda, porque los códigos son redactados por la razón, un aparato al que apenas le intersa lo que el hombre es y desea. Una serie de principios de forma elaborados con abstracción de la naturaleza; no una regla de conciencia sino un estímulo a la sociabilidad, para enajenar y atrofiar ese inagotable afán de soledad y emancipación y libertad que constituye el tronco de su especie. Porque el hombre no es un monumento al amor sino al desprecio al otro.

En estos párrafos está la clave de la novela de Benet, y de la lógica sin concesiones de su estructura. Lo importante de esta novela, además de como están las cosas dichas, es que todo lo que ocurre en ella a sus personajes o al conjunto de la acción responde a una idea profunda de la realidad del hombre como ser social, y la réplica del hombre histórico en la circunstancia concreta que la novela plantea.

El hombre es pasión, instinto. Esa es su verdadera naturaleza; pero la razón, enemiga de la esencia del hombre, tiende las trampas de la familia y de la sociedad para convertirlo en una pieza más de la estructura y devorar su individualidad. La dialéctica pasión-razón es la clave del individuo y el origen de su desgracia, porque la razón vence inexorablemente. Es curioso que este planteamiento, en el que sería fácil identificar pasión con instintos y con la libido, es el planteamiento freudiano o el que, basándose en Freud, hace Herbert Marcuse. Y digo que es curioso porque doy por seguro que Benet conocía a Freud antes de escribir *Volverás a Región,* pero no creo que conociera *Eros and Civilization.*

A partir de la oposición instintos-razón, dos posturas son posibles. La de que la razón es la esencia de lo humano y que el instinto inestable debe ser dominado al servicio de la sociedad y de la civilización incompatibles con él. O la de que es el instinto la esencia del hombre y que se debe construir un tipo de sociedad en la que el «principio de realidad» y la «razón productiva» no estén en contra de la naturaleza del hombre. En otras palabras, no hay que racionalizar los instintos, sino erotizar la razón.

Juan Benet coincide con Marcuse, como hemos visto, en afirmar la primacía esencial de la pasión-instinto sobre la razón; pero su conclusión, patente en toda la novela, se acerca a la de Freud. El individuo llamado normal, lo es porque vive su dosis de «infelicidad diaria», porque la oposición instinto-razón no tiene solución posible.

Los personajes de Benet están determinados por esta insalvable contradicción, que radica en la misma naturaleza humana, y los más lúcidos —el Doctor, la hija de Gamallo— lo saben y-o se entregan al mero pasar sin ilusión alguna, hundiéndose cada vez más en la degradación de su condición, ayudados por el alcohol, o quieren romper la cadena de su propia condición y encuentran la muerte, porque la sociedad-razón no perdona a los que quieren trastocar el orden establecido, a los que intentan negar su condición humana y cambiarla.

A partir de este planteamiento, con una lógica inexorable, Benet destruye todos los personajes y todas las ilusiones. La narración constata una continua e irremediable degradación o decadencia. Este pesimismo radical procede de su planteamiento y del término de la alternativa elegido.

Pesimismo que sólo queda roto o aliviado por dos notas distintas, a menudo confundidas: la del humor y la del misterio.

El humor es una de las notas que caracteriza el estilo de Juan Benet. Según él, el humor es la actitud de quien ve con clarividencia la insoluble contradicción humana, y se ríe de los demás, a quienes ve ciegos y presos de su condición.

«Mejor dicho, este mundo no es una trampa, sino un escondrijo... que ese hombre se ha fabricado para ocultarse a su propio demonio. Incluso el humor procede de ahí, de la actitud de quien, quieto y oculto, ve cómo los demás corren frenéticos en pos del agujero que él ocupa» (p. 138). El humor sería, pues, algo parecido a la cazalla que el Doctor bebe, una manera de hacer sobrellevadera la trampa de la propia condición que no tiene remedio.

Es posible que esto es lo que crea Juan Benet; pero también es seguro que cualquiera que sea la causa, el hábito acaba creando sus propias leyes, y en el caso de Juan Benet así ocurre, su humor se produce y juega con independencia de su propia racionalización

Un caso típico sería la frase sobre los melocotoneros, que en el ambiente de decadencia total de Región, en lugar de dar melocotones, dan orejones (p. 142), o esa magnífica descripción de la generación de los padres del Doctor. «Y creo que también gozaban de una salud más corta, pero más completa; es decir, tenían tan buena salud que morían muy jóvenes» (p. 218).

Tanto el humor como la otra vía de escape, el misterio, están montados sobre el absurdo, la negación de la lógica necesaria para construir esa sociedad de opresión, y son formas no peligrosas y permitidas de huir de ellas, aunque en su propia esencia llevan el signo de la realidad de la que quieren escapar (y también la posibilidad de su superación).

El misterio —que es una constante en toda la novela— es un misterio buscadamente banal y expresamente pobretón; pero no por eso menos fuerte e impenetrable. Es el misterio del guarda terrible, o el del monte, o el de los presagios casi irrisorios, o el de la moneda de oro que la vieja barquera da al jugador.

Misterio y humor son el contrapunto en la novela del destino ineluctable de decadencia y degradación que hiere por igual a todos los personajes y a la sociedad en la que viven. Son la burla de ese destino, el atisbo de otra posibilidad y, al mismo tiempo, la confirmación de la realidad presente, cuyas leyes burlan de modo inofensivo.

He querido en estas notas dar una visión, forzosamente mía, de la novela de Juan Benet. He señalado lo que a mí me parecen sus principales características. La más importante de todas: el rigor de su planteamiento. Rigor que a veces queda intencionadamente oculto en la barroca construcción de estilo y estructura. He señalado

13

sus defectos —para mí— nacidos de los excesos de ese barroquismo. Y ahora vuelvo a insistir, en que se trata de una novela muy importante y totalmente insólita en el panorama de nuestra novela actual, aunque tanto su estilo como su ideología tenga nobles y ya decisivos antecedentes en la literatura y en el pensamiento europeo y americano.

[*Revista de Occidente,* número 28, pp. 224-234.]

RICARDO GULLON

EL NAUFRAGIO COMO METAFORA

La pretensión de los conductistas de explicar mecánicamente al hombre, dando por supuesto que toda conducta es respuesta automática a un estímulo, si no es una perfidia, es un ultraje. Según ellos, el hombre dejó de ser espíritu para reaparecer cosificado; manejarlo será empresa sencilla: bastará apretar un botón y el mecanismo se pondrá en marcha. La teoría estímulo-respuesta fue pulverizada por los neurólogos. El cerebro humano es tan complejo que a cada incitación puede responder de modos muy variados: de ahí su imprevisibilidad. Son los políticos y no los científicos quienes acogen y propagan las tesis conductistas; empeñados en organizar una sociedad tecnológica sin fisuras, se sirven de esas tesis como fundamento doctrinal, agregando, como engrase, variables dosis de coacción, adecuadas a las circunstancias. La respuesta deseable se obtendrá más fácilmente si el estímulo ha sido calculado con precisión: si en el punto y en la medida indicados se aplica la precisión necesaria se obtendrán (casi siempre) resultados. (Los inquisidores se anticiparon siglos a los conductistas).

Los poetas y en general los intelectuales gritaron «¡fuego!» al ver la hoguera. ¿Demasiado tarde? Demasiados sordos. En menos de medio siglo se sucedieron ocho o diez novelas en donde, como en el globo luminoso de la hechicera, fue posible contemplar anticipadamente el futuro: *La metamorfosis, El proceso* y *El castillo,* de Franz Kafka; *Un mundo feliz,* de Aldous Huxley; *Animal Farm* y *1984,* de George Orwell, son las más desgarradoras anti-utopías del ciclo futurizante. Pueden leerse como metáforas de nuestra condición en un —entonces— mañana, que ahora es hoy. Condición y condicionamiento a la soledad y a la incomunicación, consecuencias lógicas de una forma de vida inhumana.

Parábola del náufrago (1969), novela de Miguel Delibes, es una revelación de nuestra diaria progresión hacia lo inhumano, que queda, desde ahora, inscrita en la línea anti-utópica de las obras citadas. Situada en tradición tan distinguida, corre peligro de pasar por un ejercicio en repetición, cosa que no es, aunque las coincidencias temáticas puedan inducir a pensarlo así. Desde el título se define sin ambigüedad y postula un determinado tipo de lectura: parábola, narración ejemplar, selección de un caso personal para con él aleccionar al hombre que necesita ser aleccionado: tú y yo, lectores, agonistas y semejantes al sujeto de quien se habla. Parábola cuya lección puede aplicarse universalmente, y «del náufrago», alguien que, sin nada sólido en qué asentar los pies, se debate agónicamente, luchando con pocas probabilidades de éxito por mantenerse a flote.

Frente a la página inicial hay una cita del sociólogo alemán Max Horkheimer: «Mi sentimiento principal es el miedo». Se anuncia así el sentimiento prevaleciente en «el náufrago» y en la novela, y la clave para entenderla. Otra clave, nada hermética es la dedicatoria al protagonista de la narración { A Jacinto San José / A Giacint Sviatoi Jósif.

El libro va dirigido a los de esta lengua y a los de aquélla, a los de este lado y a los del otro. A cargo del sector queda tan fácil inferencia y su correlato natural: el miedo es hoy el sentimiento más generalizado, y, como en seguida veremos, inherente a la organización de la sociedad totalitaria, es decir, la que es o está siendo la nuestra.

Cita y dedicatoria son parte de la novela, escritura del narrador y signos del cifrado. Igualmente lo son las mayúsculas en que aparecen los eslóganes de don Abdón y la letra cursiva en que se recogen los monólogos de Jacinto frente al espejo. Los mensajes así transmitidos saltan, literalmente, a la vista, e imponen una lectura. En el signo se declara el sentido: el carácter de ley suprema de los eslóganes —en realidad son los mandamientos del hombre nuevo— o el fluir de conciencia del protagonista. Las consignas que rigen la vida entera imponen también visualmente su presencia; magnificadas y reiteradas en el texto, se revelan obsesivas, insidiosas, inesquivables. Lo que Jacinto se deja pensar en sus soledades se declara en el tipo de letra, y esta osadía de la conciencia operante surge, se pierde y reaparece visiblemente en el texto.

Algunas veces las claves son menos ostensibles. Por ejemplo, cuando se habla del perro *Gen,* el ex Genaro amigo de Jacinto, la puntuación, en vez de marcarse con signos ortográficos, se señala con las palabras correspondientes a esos signos —coma, punto y coma, punto...—. ¿Por qué? Para sugerir —creo yo— un ambiente de burocrática objetividad, en el que hasta los testimonios más atroces se dictan en frío. La burocratización de la escritura, sugiere la mecanización del espacio novelesco y oblicuamente la impasibilidad con que se registran acontecimientos tan horribles como la degradación del ser humano a la condición animalesca. En la segunda página, el descifrado explica la escritura mecanizada, que tan sólo se utilizará para referirse a quien padeció esa extrema degradación, y a la vez al deshumanizarse y ajustar forma a condición (servil) se liberó de la conciencia y del miedo.

La metamorfosis y sus razones, oscuras en la novela de Kafka, parecen «naturales» en la *Parábola;* los personajes y el lector no ignoran cuáles son los motivos que la producen. No es accidente, sino destino: etapa final en la evolución del ser deshumanizado por la sociedad y el Estado. Si el objeto de la peripecia descrita es Jacinto, la lección es universal. De ahí el alcance social de lo que, de acuerdo con el título, deberá calificarse de «ejemplo».

La estructura novelesca, complejo integrado por la red de comunicaciones establecida entre sus componentes, es claro está, parabólica, en las dos acepciones del término: implica una lección moral y describe una curva cuyo extremo quedará situado finalmente al nivel de partida. El discurso es discontinuo, pero las soldaduras están tan bien hechas que apenas se advierten. La eliminación de las soluciones de continuidad da impresión de continuidad en lo discontinuo: la narración no se divide en capítulos y las transiciones entre escena y escena casi se borran, enlazando el párrafo donde una se inicia con el último de la anterior, mediante un «Luego», un «Ahora sí», un «Mas», un «Pero», que funcionan como conjunciones, y no adversativas sino copulativas, engrase para facilitar el tránsito. Por otra parte, la escena precedente no concluye: queda interrumpida y como en suspenso, hasta un poco después en que reaparecerá con la misma suavidad con que desapareció.

El ejemplo sistemático de las técnicas de retroceso es un primer indicio del desinterés en la fijación del tiempo. El narrador se mueve en un espacio (que puede ser una fábrica y puede ser el mundo: plano del ejemplo y plano de la enseñanza recibida) sin preocuparse de la cronología: *Gen,* el perro, corretea por la segunda página de la novela, mientras de su antecesor, Genaro, y del proceso de la evolución a lo animalesco de tal sujeto, sólo lenta y fragmentariamente se dará noticia. Hasta transcurrida la tercera parte de la novela no sabremos que Genaro Martín pecó por exceso de curiosidad: buscó primero la adopción de un idioma universal y después osó preguntar por qué no subían el sueldo a los empleados de don Abdón. La desproporción entre la causa y el efecto, la arbitrariedad y gratuidad del acontecimiento sugiere lo innecesario de un discurso lineal y del orden cronológico tradicional. Ese orden, aquí, no tiene sentido.

Al fragmentar y dispersar los sucesos, al referir primero las consecuencias que los actos, la temporalidad cede a una continuidad en que el antes y el después no significan nada. En un espacio indefinido (y el espacio de la incomunicación puede ser cualquiera, incluso la habitación donde una mujer vela el cadáver de su marido, como en otra novela mostró el autor de ésta) fluye un tiempo vago y superfluo. El lector pasa con facilidad de atrás adelante y al revés, colmando sucesivamente los huecos del discurso. La sustitución de lo lineal por lo disperso no supone inconexión: con sólo reiterar una información, una referencia, una consigna, la convierte en motivo: hilo de la red estructural en que la novela manifiesta su sentido.

Habla el narrador con naturalidad, casi con indiferencia. En el mismo tono se refiere a lo familiar y a lo absurdo. Y la voz del protagonista se le parece, con una inflexión más: la del candor. Aquella naturalidad y este candor nos enfrentan con la realidad desnuda, más dramática por aparecer sin subrayado; y se la deja hablar por sí, a través de una retórica de tono menor y atenuación verbal.

El tema de esta novela es el punzante «tema de nuestro tiempo»: la alienación del hombre en el mundo industrializado y especializado que lo convierte en autómata, parte de un mecanismo cuyo funcionamiento no entiende y en cuyos beneficios no participa. En ese mundo el poder está encarnado en el omnipotente don Abdón, hermafrodita con grandes pechos y biceps bien desarrollados, «el padre más madre de todos los padres». Figura grotesca y mitológica, símbolo de la autoridad despótica que gobierna una Sociedad irónicamente «limitada» que, en realidad, es el universo concentracionario. Bajo don Abdón la vida está reglamentada, el trabajo reducido a la repetición incesante de un acto (en el caso de Jacinto San José, sumar, sumar, sumar, de la mañana a la noche, sin saber siquiera lo que suma), las conversaciones limitadas a unos pocos temas inocuos («hablar de deportes es más sano que practicarlos») y el lenguaje social reducido a consignas.

Don Abdón se ha beneficiado de las teorías conductistas, añadiéndoles un granito de sal: los castigos. Si se piensa que la conducta es consecuencia de condiciones ambientales y presiones exteriores, y se da por supuesto que «el agente autónomo» (lo que solíamos llamar el hombre) es una ficción, un ente vacío, la consecuencia lógica será declarar anticuadas e inoperantes en el mundo nuevo las ideas de libertad y dignidad humanas, habituando al ser humano a no pensar y a ajustarse a la situación que le corresponde. Los eslóganes de don Abdón lo declaran categóricamente: «El orden es libertad», «Eludir la responsabilidad es el primer paso para ser félices». Y Jacinto San José está en camino de entender el problema cuando funda el movimiento, «Por la madurez a la paz», basado en el hecho de que la palabra es de suyo un instrumento de agresión.

Lo malo de la condición humana es pensar: quien piensa, duda, y quien duda, pregunta, pecado casi mortal, pues la curiosidad es síntoma de desajuste, acaso de disconformidad con el orden previsoramente establecido y reglado por el Jefe. Querer saber lo que suma, interesarse en el sentido de su trabajo será la culpa de Jacinto, más grave que la de Genaro Martín, que se limitó a sugerir un aumento de sueldos. Jacinto no puede acabar bien; su costumbre de hablar con el espejo revela la persistencia de una conciencia. Dejarla fluir será separarse de la comunidad inconsciente, consentirse una grave diferencia que el narrador subraya al escribir en cursiva los pasajes de esa introspección, presentados estilísticamente como corriente de conciencia.

Tales monólogos, que llenan aproximadamente un 12 por 100 del texto (29 páginas, de 228), son diálogos interiores: la conciencia tratando de persuadir a la inconciencia simbolizada en la imagen del espejo. Fenómeno de transparente desdoblamiento y de enfrentamiento con el yo oscuro que no tiene cabida en el mundo nuevo. Una palabra, un recuerdo, suscitan esos monólogos, desde el comienzo presentados como costumbre (mala costumbre: tener conciencia). El esfuerzo de auto-persuasión es incesante: convencer al otro, a lo inconsciente, de que nada puede ser mejor que contar con «unos pechos de seguridad», como los de don Abdón, que a la tibieza maternal une la energía del padre. Seguir el debate íntimo de Jacinto San José (flor y hombre puro, por su nombre) es adentrarse en una problemática conocida, oír esos familiares: la angustia de vivir en la confusión (interior), de no entender el lenguaje de los demás, de sentirse cogido en la trampa y advertir la inutilidad de dar voces cuando el mundo está sordo...

Mediada la novela, el narrador sabelotodo dice que «Jacinto le teme a la incomunicación porque Jacinto, como todo hombre que piensa, es medroso». A continuación el lector es informado de cuáles son las únicas cuatro cosas que este personaje sabe hacer: «leer libros de mar, sumar, migar pan y regar plantas». Ni sabe restar, ni es capaz de hacer un pareado. Como bien se ve, es un especialista, según deben serlo todos los empleados (ya no súbditos) del prudente don Abdón, que sabe cuánto conviene la especialización como medio de liberar «al hombre de servidumbres emocionales». Hacer una sola cosa, incesantemente; convertirse en pieza del mecanismo y girar siempre en la misma dirección, con movimientos fijos, monótonos, regulados y regulables.

La emoción es un lujo y un estorbo. Quien vive en su mecanismo y se ajusta a su función hasta el punto de olvidarla, llega a la cumbre de la perfección. El hombre es instrumento y a la vez isla; metáforas estrictamente reveladoras de la cosificación situacional. Cuando Genaro primero y Jacinto después intentan hacerse entender del cómitre, Darío Esteban, se denuncian y atraen la sanción-recompensa que su actitud merece. Donde el lenguaje confunde y se confunde, las distinciones son ambiguas. La degradación, su etapa intermedia, el confinamiento, y hasta los «candorosos escarmientos» a que son sometidos los reticentes (abrasarles la cara, apalearlos, dejarlos tuertos) pueden parecer al lector, elemento ajeno al mundo de don Abdón, formas de castigo, pero quien está dentro de ese mundo considera los últimos como «correctivos» que darán ocasión a regocijos populares y los primeros le parecen remedios terapéuticos, o acaso muestras de la generosidad del Jefe. Después de todo, la regresión animalesca, al «despojar a un hombre de prejuicios y responsabilidades equivalía a abrirle las puertas del paraíso».

Gen, transformado en perro, prueba lo correcto del razonamiento. Vuelto al estado de naturaleza, es feliz, y ni siquiera lo sabe. Pues lo malo de la mecanización es que, a pesar de todo, deja subsistir en algunos hombres un resquicio de sentimiento, una partícula de espíritu que funcionará aún contra el deseo de quien lo albergue. ¡Quién lo diría! Ese espíritu, negado por los «científicos» de la conducta, súbita, hasta involuntariamente escapa al control, y se deja ver. Entonces lo indicado será encerrarlo, confinarlo en algún lugar de donde no pueda regresar.

En *Parábola del náufrago* el proceso de este extrañamiento, de este dejar fuera de la convivencia social al delincuente, es contado con tal parvedad de recursos estilísticos que el contraste entre el horror de lo contado y la naturalidad con que se cuenta resulta persuasivo e ilustrativo. En otras páginas, lo grotesco de ciertas escenas introduce una variante tonal cuyo sentido está en abrir una diversión estilística (lo que suele llamarse esperpéntico) en la narración de sucesos caricaturescos o de los que narrados en serio resultarían insoportables. Hay una diferencia entre el modo del narrador cuando directamente cuenta y cuando transcribe los monólogos, o mejor autodiálogos, de Jacinto: diferencia leve, desde luego, puesto que con frecuencia utiliza el estilo indirecto libre, que por ser reflejo de cómo el personaje habla se acerca ya al lenguaje de los fragmentos monologantes. Esa diferencia depende sobre todo de que la corriente de conciencia no se deja transcribir con fidelidad sin que la frase incurra en los zizgagueos, revueltas, vacilaciones y arrepentimientos propios del divagar a solas.

Cuando Jacinto siente la náusea del cero y comprueba alarmado que no puede trazar esta cifra sin marearse, desencadena un absurdo proceso que acaba con su confinamiento en la cabaña de recuperación número 13 (número de la mala pata), donde acontecerá, sin que él lo advierta, su regresión a lo animalesco. Se le ha ordenado sembrar un seto en torno al refugio, utilizando la semilla de un «híbrido americano» que se desarrolla prodigiosamente. El seto, regado por su mano, prolifera hasta encerrarle en la cabaña, y en esa trampa preparada por él mismo se consuma la metamorfosis.

En la novela descubrimos que Jacinto ama la naturaleza, amor manifiesto en su gusto por cuidar y regar las plantas. Irónicamente, un seto vegetal será su prisión. En la última página le contemplaremos feliz, convertido en un cordero que corre por la grama. La parábola ha descrito su curva: la metáfora del naufragio se ha consumado, después de marcar la analogía entre la situación de Jacinto, impotente ante la invasión del seto y la del marinero atrapado en el barco que se hunde. (¿Y quién no siente que *su* barco está hundiéndose?) El paralelo se establece en el más extenso de los monólogos interiores del protagonista, que para distraerse de su agonía personal piensa en que peor será la del marinero, y si no se consuela, imagina encontrar cierto alivio al compararse con él. Pero la agonía sigue, y el «otros están peor» no es más útil en el mundo novelesco que en el del lector.

Las últimas tentativas de comunicar (utilizando pájaros mensajeros) fallan, y nada consigue tampoco en sus esfuerzos por destruir el seto. Este es el espacio de la incomunicación total, la trampa, el ámbito de la regresión, donde las palabras no sirven porque nadie puede oírlas. Antes asistimos a diversas tentativas de destrucción del lenguaje: limitación en los términos, aceptación de una jerga (el esperanto), contracción de las palabras mediante eliminación de sílabas, empleo por el narrador de formas onomatopéyicas para sustituir a la descripción. Lo último que en la novela se oye no es una palabra sino el sonido que emite Jacinto dirigiéndose a su celador: «¡Beeeeeeeeé!»

Y así ocurre la caída parabólica. En el final trisca el cordero que fue Jacinto, como en el comienzo, al mismo nivel, movía la cola el perro que había sido Genaro. El «guau-guau» y el «beeé-beeé» testimonian la única forma de comunicación de que en última instancia es capaz el hombre degradado.

La significación de esta escena salta a la vista, y su carácter simbólico. El simbolismo es uno de los hechos estilísticos más reiterados en la novela. El lector lo identifica como recurso encaminado a hacerle ver con sugerente plasticidad fenómenos que desprovistos de carácter simbólico parecerían en contexto accidentes «naturales». Y esas escenas encajan bien en la lectura de la novela como metáfora de la condición humana en el mundo contemporáneo. Bastará referirse a tres de ellas.

Una es la novatada que gastan a César Fuentes sus compañeros de oficina. La castración del pobre tipo, campesino recién llegado a la ciudad, expresa con cruda brutalidad lo en otro plano acontecido al hombre sensible, obligado a abdicar de su dignidad de hombre para ajustarse al sistema. La significación simbólica del acontecimiento real es estremecedora, precisamente porque quienes castran a Cesáreo son sus compañeros, igualmente víctimas de don Abdón y bien adaptados a su régimen.

Otra escena escalofriante, contada también en el tono de lo normal y rutinario, es la entrevista entre Jacinto San José y el médico, después que aquél se ha mareado al hacer ceros. Tal página pudiera incrustrarse sin dificultad en una comedia de Ionesco, y sus implicaciones son transparentes. Ese médico, como los que reconocen a Jacinto después de su degradación, coopera con el régimen de don Abdón, a cuyo servicio está. La ciencia al servicio de la degradación es una ciencia degradada.

El tercer ejemplo es el episodio del mareo y la náusea sufridos por Jacinto al sumar. Me parece claro que en el cero se ve a sí mismo, se reconoce en la nulidad de un guarismo que le sugiere la nada del ser, de una persona reducida al hueco y condenada a no existir. (El Gran Cero llamaba Antonio Machado a Dios para dar a entender su inexistencia).

Metáfora, símbolo, uniformidad tonal, elementos estructurales de que fundamentalmente depende la eficacia del discurso, persuasivo por su objetividad, por la distancia psicológica de la narración a que se ha situado el narrador. Acercarse a ella hubiera sido perder la perspectiva que le permite considerar el universo concentracionario con la mirada abarcadora de don Abdón desde su Olimpo. El contraste entre la impasibilidad descriptiva y lo descrito, la puntuación explicitada al referirse a lo animalesco, por ejemplo, sugieren que, como el mismo Abdón, el narrador pertenece a este mundo, es su cronista y una pieza más del mecanismo: el automatismo descriptivo tiene algo de mecánico aunque la imaginería invalida hasta cierto punto la sugerencia. Hasta cierto punto, pues si las imágenes cumplen su habitual función reveladora, es el lector quien las descifra y pone, con el descifrado el sentido.

Un estudioso de la teoría de la comunicación, al plantearse el problema de quien cifró el mensaje, tal vez entienda que el cifrado aconteció mecánicamente y que es quien lo descifra quien descubre los valores simbólicos, la diversidad de planos novelescos y lee las imágenes como imágenes. El narrador, pues, sería, una vez más, parte de la estructura, y el tono de la narrativa, tan genuinamente objetivo, el propio de un mecanismo que desenvuelve la información recibida sin la menor inflexión emocional.

La eliminación de las palabras afectivas vinculadas a las emociones es consecuencia natural de ser el narrador quien es. Los hechos, por horribles o repugnantes que sean, se transcriben con impasibilidad. Cuando César Fuentes es castrado, *Gen,* el perro ex hombre devora la inesperada golosina. El narrador se limita a registrar el dicho de un personaje: «¡coño¡, ¿no se ha comido *Gen* las cosas del paleto?». Comentarios no los hay; al menos no en forma directa. El lector habrá de buscarlos entre las líneas de la imagen, notando que ésta sirve para destacar vívidamente una situación. En el proceso de su transformación animalesca, Jacinto «siente el brazo descuajaringado, como con un muelle roto [...], como si de la noche a la mañana se le hubiera criado moho». ¿El narrador crea la imagen para hacer ver al lector cómo se siente Jacinto, o se limita a registrar las sensaciones del personaje? Lo más acertado parece aceptar lo escrito como un ejemplo más de utilización del estilo indirecto libre, y el símil reiterado, como alusión a los primeros síntomas de la metamorfosis, según Jacinto los experimenta.

La perspectiva distanciada y las características de estilo que la distancia impone determinan el funcionamiento perfecto de la metáfora estructural, de la parábola como presentación de un caso individual aplicable a todos. Miguel Delibes escribió una experiencia pertinente para el hombre de hoy, y no digo para el español de hoy, sino para el hombre de cualquier parte. El mundo de Jacinto San José es el tuyo, el mío, el de cuantos en este momento se preguntan sin encontrar respuesta qué suman y para qué —o para quién—. Quizá un cirujano, algún día, nos aliviará la duda: apenas una incisión en los lóbulos frontales y triscaremos felices por las verdes praderas de don Abdón.

[*Homenaje a la memoria de Don Antonio Rodríguez Moñino, 1910-1970,* Madrid, Castalia, páginas 275-283.]

GEMMA ROBERTS

LA CULPA Y LA BUSCA DE LA AUTENTICIDAD EN *SAN CAMILO, 1936*

En su consagrada carrera de novelista, Camilo José Cela se ha destacado como un verdadero explorador. De ahí que al discutir sus novelas nos enfrentamos siempre con un problema de clasificación de sus temas y técnicas, dentro de un estilo que se caracteriza por la intrincada trabazón de forma y fondo. Por eso no estaría de más iniciar este trabajo con un contraste muy esquemático de su novela *San Camilo, 1936*, publicada en 1969, con su reconocida obra maestra, *La colmena* de 1951 [1]. En ambas surge el tema de la Guerra Civil, pero en *La colmena* la guerra es vista en sus desastrosas consecuencias sociales, que se reflejan también en el vacío de las almas que habitaban el Madrid de 1942, es decir, el momento de la postguerra. En *San Camilo, 1936* Cela se concentra en unos pocos días en torno al 18 de julio de 1936, para presentar la intensa conmoción espiritual vivida por los españoles durante esos días críticos de la historia de España. En *La colmena* Cela utilizó una técnica objetiva; en *San Camilo*, sin embargo, el punto de vista mismo es profundamente subjetivo, y contemplamos los sucesos exteriores a través del

---

[1] JOSÉ CORRRALES EGEA, que critica negativamente a *San Camilo*, señala que esta novela «viene a ser, por su forma y técnica, una especie de antítesis» de *La colmena*. (*La novela española actual*, Madrid, Cuadernos para el Diálogo, 1971, p. 218). Para este crítico «*San Camilo* tiene algo de *super-nouveau roman*. Malogrado, desde luego, por su propia demasía» (*Ibíd.*, p. 220). En su valoración, nos suscribimos, sin embargo, al juicio de GONZALO SOBEJANO, quien afirma: «*San Camilo* me parece una de las más poderosas creaciones del autor» (*Novela española de nuestro tiempo*, Madrid, Editorial Prensa Española, 1970, página 112). Recomendamos el estudio de esta novela en la segunda edición ampliada del citado libro (Madrid, Editorial Prensa Española, 1975), pp. 125-136. También es favorable a *San Camilo* la opinión de ANDRÉS AMORÓS, para quien: «No hay... gratuidad técnica ni fácil esnobismo, sino utilización del procedimiento más adecuado para producir una finalidad concreta». Sobre «Camilo José Cela: *San Camilo, 1936*», en *Revista de Occidente*, núm. 87 (junio, 1970), página 380.

alma angustiada del narrador-protagonista que parece ser el propio autor. Si *La colmena* estaba estructurada sobre la base de un personaje colectivo, fragmentada en una multiplicidad de episodios y con predominio de la técnica del diálogo, *San Camilo, 1936* está estructurada como un solo largo monólogo del protagonista, en el cual se dirige a sí mismo en segunda persona, «tú», y trata de sondear en su conciencia para encontrar su parte de responsabilidad personal en la terrible contienda que dividió a los españoles en dos bandos antagónicos e irreconciliables. Según la teoría psicoanalítica de Theodore Reik [2], la voz de la conciencia es el eco del otro, de la persona que nos reprende; de ahí que el personaje de *San Camilo* utilice el pronombre *tú* para oír los reproches que su *yo* no le haría [3].

Como en *La colmena*, también en *San Camilo, 1936* la colectividad deja ver su existencia ciega, amorfa, incierta; pero esa confusión de la vida colectiva se contrasta con la constante búsqueda interior del narrador-protagonista por encontrar su salvación espiritual en medio del caos social que, por todas partes, lo rodea. Con *La colmena* Cela se convirtió en precursor del realismo social de la novela de postguerra. Con *San Camilo, 1936* se incorporó a la línea del realismo dialéctico iniciada en España por Luis Martín Santos en los años 60. Es así que en esta novela el tema bélico se estructura sobre una distintiva dialéctica entre el yo y el mundo, el individuo y la colectividad. No se trata solamente de padecer los acontecimientos por fuera, sino de hacerse conciencia plena de los mismos, sufrirlos en un verdadero proceso de apropiación y de interiorización [4].

Un libro sobre la guerra, que pretenda ser más que un mero reportaje, implica, en un sentido o en otro, el problema de la culpa. En *San Camilo, 1936* este tema alcanza singular relevancia. Pero hay que advertir que Cela elude el escabroso terreno de la culpabilidad política que sólo podría llevar a mutuas acusaciones y sangrientos

---

[2] Véase Theodore Reik, *Myth and Guilt: The Crime and Punishment of Mankind*, New York, Grosset and Dunlap, 1970.

[3] Para algunas observaciones interesantes sobre el tú autorreflexivo en la novela española más reciente, véase la segunda edición del libro de Sobejano, página 601. También Santos Sanz Villanueva en su excelente libro *Tendencias de la novela española actual (1950-1970)*, Madrid, Cuadernos para el Diálogo, 1972, se refiere atinadamente a este aspecto estructural de *San Camilo, 1936*.

[4] Diferimos, por tanto, de una opinión como la siguiente de Sanz Villanueva: «Es otra novela en la que no existe protagonista individual, sino que es la ciudad la que realmente constituye el eje de la narración...» (*Op. cit.*, página 63). Es cierto que el panorama ambiental de *San Camilo, 1936* es muy amplio. Por otra parte, el protagonista no está definido en términos psicológicos precisos, pero también opinamos que su desesperación personal, su búsqueda de la identidad y su preocupación por el problema de la culpa poseen tanta intensidad, que su conciencia adquiere verdadero carácter de protagonista individual. Según nuestra interpretación, el conflicto entre el individuo y la sociedad representa un aspecto estructural y temático esencial en *San Camilo*.

rencores en el seno mismo de la nacionalidad española, dejando inalterada la interioridad y la conciencia profunda de cada individualidad culpable. Más bien, el novelista parece estar convencido de que ese inquietante problema de la culpa no puede ser espiritualmente trascendido si no se proyecta en un sentido moral; es decir, como una cuestión que atañe, sobre todo, a la conciencia individual de todos y cada uno de los españoles. De acuerdo con este criterio que prevalece en la novela, todos los españoles deben empezar por reconocerse culpables; pero el primer imperativo moral para reconocer la culpa radica en su singularización desde el fondo personal de la conciencia de cada cual:

> Sí, mírate en el espejo y si eres capaz sonríete casi con asco, haz oídos de mercader de los cantos de sirena, de los soplos de los apocalípticos mesías, y mírate en el espejo, todos los españoles debiéramos pasarnos horas y horas ante el espejo, haz almoneda de todo cuanto falazmente te dicen y mírate en el espejo una vez y otra sin descanso y sin cerrar los ojos, tú eres culpable, todos los españoles somos culpables, los vivos, los muertos y los que vamos a morir... (p. 108) [5].

La afirmación categórica de «todos... somos culpables» indica explícitamente el carácter también colectivo de la culpa en esta novela. Cela utiliza un contrapunto constante entre la conciencia del narrador y los sucesos externos que narra. No hay punto y aparte en la construcción de los capítulos, con lo cual se intensifica la estrecha relación entre el individuo y lo que ocurre a su alrededor. Cela no ha escrito —como se afirma en la solapa de la primera edición— «una novela *de* la guerra sino *en* la guerra».

Aunque el narrador no es un agente activo en los acontecimientos trágicos que relata, podemos comprobar que está profundamente inmerso en ellos a través de la recreación imaginativa que actualiza el pasado. No es meramente un testigo indiferente a los hechos, sino un participante involucrado emocional e imaginativamente mediante el recuerdo. Lo que hace que el tiempo de la novela esté estructurado en una fusión de presente y pasado. Esto es fundamental al tema de la culpa, porque la culpa es un sentimiento que se refiere siempre al pretérito, a algo ya acontecido, pero que pesa sobre el presente con una fuerza que el tiempo no puede borrar: «No, no vuelvas la cara, de nada ha de servirte, la memoria es un planeta del que nadie podrá echarnos jamás ni aun uno mismo...» (p. 171). En *San Camilo, 1936*, la Guerra Civil, vista desde la distancia de la historia, está vivida, sin embargo, con la intensidad que da la intimidad del recuerdo.

La memoria es, pues, un elemento temático reiterado en la na-

---

[5] CAMILO JOSÉ CELA, *Vísperas, Festividad y Octava de San Camilo del año 1936 en Madrid*, Madrid, Alfaguara, 1968. Todas nuestras citas serán tomadas de esta edición.

rración, dentro de la disyuntiva de evadir o aceptar la culpa: «no le des vueltas a la noria de la memoria, a la noria de la memoria, a la noria de la memoria, a la noria, huye, todavía puedes huir...» (p. 60). Pero más adelante: «haz lo posible para no huir, mantente firme...» (página 63), «no huyas, mírate al espejo cada mañana y procura mantener el tipo como el torero o como el gladiador...» (p. 83). «Nadie sabe qué es mejor si recordar u olvidar, el recuerdo es con frecuencia triste y el olvido en cambio suele ser muy compensador y cicatrizante, aleja los malos pensamientos...» (p. 95). Como Hamlet en su célebre monólogo, Cela sabe que la conciencia nos convierte a todos en cobardes. Sobre todo en relación con la muerte. Pero también en eso descubre un sentimiento angustiante de culpa, y de ahí que el narrador quiera mantenerse firme ante el espejo para no escapar de sí mismo, de su memoria recriminadora: «la gente no suele dar importancia a la memoria y al final se estrella contra un muro de muertos impasibles, de muertos acusadores, hieráticos e impasibles, la gente no suele creer que la memoria lastra y da aplomo al sentimiento» (p. 156).

San Camilo, 1936 comienza, precisamente, con el narrador enfrentado con su propia imagen ante el espejo, hurgando en la profundidad de su conciencia y viendo en ella reflejado al otro, a ese otro que es él y no es él al mismo tiempo. El mirarse en el espejo se convierte en *leitmotiv* y principal recurso estructural de todo el relato. Pero el simbolismo ontológico del espejo, tan frecuentemente usado en la novela contemporánea en relación con el tema de la búsqueda de la identidad, adquiere aquí un significado adicional: el ser imagen de la conciencia culpable. Culpabilidad y auto-conocimiento están profundamente relacionados en esta novela. El individuo se siente perdido en medio de las circunstancias caóticas del mundo, y por eso busca desesperadamente encontrarse a sí mismo mediante la práctica precaria e inquietante de verse uno mismo convertido en objeto. Frente al espejo, el narrador-protagonista se angustia debido al fenómeno de enajenación y desdoblamiento propio de la conciencia reflejada, y en este sentido él mismo se tutea con duda y desconfianza. Enfrentado con el abismo insondable de su yo, metido como él mismo dice, «en un hondo pozo de oscuridad» (página 428), el espejo tiene para él la paradójica fascinación doble de la vida y la muerte. El motivo literario de «mírate en el espejo» va acompañado de la tentación de la huida, pero la conciencia-espejo ofrece su llamada irrevocable al hombre de buena fe que se dispone a asumir su responsabilidad y su ser-culpable en medio del mundo: «tú no puedes librarte de tu espejo pero tampoco quieres...» (p. 304).

Tiene razón Gonzalo Sobejano al señalar el tipo de estructura que él denomina *sí/no* o *deshojamiento de la margarita*, pero quisiéramos añadir que la lucha entre el *sí/no* se origina también del antagonismo que existe entre las cosas que dependen de uno mismo y las que no. El personaje se plantea el *debí* o *no debí,* lo que lleva al autor de la obra a presentar una de las situaciones más angustiantes para la conciencia individual: el pasado con su tremenda carga de irreversibilidad: «Mírate al espejo y no te eches a llorar, no merece demasiado la pena que te eches a llorar porque tu alma está ya más que condenada...» (p. 57). Esto posiblemente explique la observación de Sobejano de que el conflicto *sí/no* va «dejando al sujeto en un estado de perplejidad sin progreso ni salida»[6]. Cuando el problema del deber moral ocurre en el presente, hay tensión, pero todavía existe la posibilidad de elegir acertadamente. Por ello, la temática central de la culpa en *San Camilo* es extraordinariamente interesante y compleja, al combinar dos aspectos de la problemática humana: la elección y el remordimiento.

En los momentos críticos de la vida, cuando el hombre, sin fe ni apoyo trascendental, siente desmoronarse el mundo a sus pies, su existencia toda es convocada a responder a las llamadas más íntimas de su ser, al imperativo de la verdad o, al menos, a su búsqueda apasionada y sincera, que comienza por la afirmación de la finitud humana. Reconocer la culpabilidad humana supone igualmente la admisión de su ser-mortal. Enfrentarse al espejo consigo mismo es también enfrentarse con la propia muerte. Y de este modo la muerte de todos y de cada cual se encuentra presente en toda la novela como la llamada más importante al sentido de la responsabilidad:

> Tú mírate en el espejo y no sonrías, mantén la serenidad, la muerte ha pintado con su tiza la calavera y el aspa de dos tibias en tu espejo, no las borres con vaho y con un pañuelo o la manga de la chaqueta, es la señal de quienes vais a morir y de nada ha de valerte salir huyendo, no cierres los ojos, contémplate entero y verdadero (o entero y falso) en el espejo, aprovecha que estás como hipnotizado... (p. 177).

El tema de la culpabilidad lo encontramos, pues, profundamente relacionado con el anhelo de autenticidad personal en *San Camilo, 1936.* «El sentido de la culpa —afirma Berdyaev— nos libera de los fantasmas y nos devuelve al verdadero ser»[7]. Declararnos responsables es un modo de garantizar la autonomía de nuestro espíritu y de nuestra voluntad frente a las fuerzas subyugantes que amenazan con absorbernos totalmente: «la gente —observa el narrador de la novela de Cela— abdica de sus conciencias y se adapta a la conciencia común con demasiada rapidez...» (p. 242). Su monólogo desarrolla, por tanto, dentro de su afán de mantener su independencia interior, la visión crítica de una sociedad alienada en donde la voluntad, la

---

[6] *Novela española...,* p. 135.
[7] NICHOLAS BERDYAEV, *The Destiny of Man,* New York, Harper and Brothers, 1960, p. 187.

14

conciencia culpable y la libertad moral, como premisa indispensable para la libertad política, han sido reemplazadas por la costumbre y la inercia mental, por el sentimiento farisaico de la propia virtud, por el mesianismo engañoso o por el ciego gregarismo [8].

En la superficie visible de la historia, Cela nos presenta a la masa humana como seres vaciados de sí mismos y sumidos en la inconsciencia del monótono vivir diario. El hábito, la costumbre, la rutina, con todo su poder enajenante, constituyen el fondo ambiental de *San Camilo* al igual que en *La colmena,* pero ahora el protagonista medita sobre su sentido existencial y el concepto se convierte en un importante motivo literario reiterado en ritmo angustiante:

> la inercia atenaza demasiado, la costumbre también, la inercia y la costumbre son casi lo mismo, tú no sabrías distinguirlas, y están rebosantes de amenazas que caen sobre quienes las rompen.
>
> . . . .
>
> La tontera y el crimen también son una inercia, una costumbre, casi todo es una inercia, una costumbre que no deja ni respirar a la voluntad... (pp. 141-142).
>
> se abusa demasiado de la costumbre, los conceptos más nobles, la patria, la libertad, la justicia, son convertidos por la costumbre en sepulcros blanqueados... la costumbre iguala lo que la vida distingue... (página 215).

Cela se propone, precisamente, levantar la tapa de los sepulcros blanqueados en *San Camilo,* para que los lectores podamos mirar dentro. Es así que sin dejar de tocar, con lucidez y sutileza el tema histórico-político de la guerra civil, la novela se desplaza constantemente al terreno de la psique humana, coincidiendo el autor con la psiquiatría moderna que el peligro mayor que amenaza al hombre contemporáneo no proviene tanto de la naturaleza y del mundo en derredor, sino de su propia interioridad y cómo ella afecta la vía colectiva. Cela no utiliza en su novela la técnica del análisis psicológico, sino que se limita a enfrentar al lector, no sin temor y temblor, con algunas de las facetas más oscuras, violentas e irracionales del alma humana. A lo largo de la novela sentimos la admonición casi profética de Carl Jung para quien la aberración psíquica del hombre es el peligro: «el peligro anida —escribe el propio Cela en *San Camilo*— dentro de cada cual, se toma el camino fácil pero nadie se para a buscar el verdadero...» (p. 214).

El verdadero camino es un camino estrecho como demuestra esta

---

[8] SOBEJANO, que enfoca toda la obra de Cela bajo el tema general de la enajenación, afirma que en *San Camilo* «la enajenación está expresada con tan honda y auténtica repugnancia que llega a imponerse sobre la superficialidad de la conciencia del sujeto, invadiendo la del lector con un aluvión de imágenes de náusea, crimen, miedo y sinsentido» (*Op. cit.,* p. 125).

desesperada novela, con más interrogaciones angustiosas que claras respuestas: «Te enfrentas con el problema pero es inútil, tú no sabes resolverlo...» (p. 17). Pero el deber del hombre sincero consiste en no abandonar la lucha por la autenticidad, a la cual nos acercamos con el reconocimiento honesto de nuestras deficiencias, de nuestra finitud, en suma, con el descubrimiento de que en el esquema general del universo somos más culpables que inocentes.

La escatología celiana, la abundante pornografía, la vulgaridad y los excesos verbales adquieren, desde este enfoque, un sentido nada caprichoso en *San Camilo, 1936,* en donde el novelista va revelando las más espantosas realidades, con la intención de llegar a la raíz misma de los más primarios instintos del hombre, con esa urgencia de sinceridad que caracteriza la mayor parte de la producción literaria contemporánea. El lenguaje frecuentemente grosero —esto no es nuevo en Cela— le sirve para mostrar el alma humana sin los velos de ocultación de falsos puritanismos, y representa un aspecto esencial del profundo resentimiento del protagonista frente a una sociedad con la que está en pugna y a la que no puede asimilarse, porque la asimilación significaría la enajenación, la pérdida de la autenticidad. Por otra parte, el lenguaje celiano es síntoma de su desesperación íntima, de su profunda rebeldía: su modo más característico de desahogarse y de protestar contra la sociedad:

> escupe de tu boca las palabras, vacíate de palabras, desnúdate de palabras, lávate de palabras, que todas quieren decir lo mismo, sangre y estupidez, insomnio, odio y hastío... perdónate a ti mismo las pocas palabras que pronuncias y guarda silencio, ya sabes, la palabra llama a la sangre, es su espoleta (p. 109).

La denuncia y la búsqueda de la autenticidad se realizan, por tanto, dentro del contexto literario de la novela, por medio de las palabras, detrás de las cuales, sin embargo, yace un anhelo de silencio, en cuyo fondo insobornable sólo puede verificarse el encuentro con la conciencia [9]: «guarda silencio respetuosamente como si estuvieras ante un muerto de hambre y no pienses en el suicidio...» (p. 57), «¡viva la república!, guarden silencio, ¡viva España!, guarden un poco de silencio, nadie debe distraer al sepulturero...» (p. 139).

El ataque a la hipocresía moral de todo un sector de la sociedad española (y de la sociedad burguesa, en general) va acompañado, en *San Camilo,* de un ataque no menos mordaz a la hipocresía lingüística. Cela sabe que la palabra puede ensuciar o purificar el espíritu: pero lo esencial es que sea usada no para ocultar sino para

---

[9] «Conscience discourses solely and constantly in the mode of keeping silent». (MARTIN HEIDEGGER. *Being and Time.* Transl. by John Marquarrie and Edward Robinson, New York, Harper and Row, 1962, p. 318).

revelar, no para tapar la inmundicia del «sepulcro» sino para desnudar el alma y descargarla del peso de la mentira. En este sentido el lenguaje impúdico y las palabras obscenas en la novela contrastan con la vacua retórica farisaica que solamente sirve para encubrir la culpa y el sentido de responsabilidad humanos. Cela se propone rescatar el derecho del lenguaje para las clases desposeídas y las almas desesperadas: «cada cual —afirma —habla el español como le da la gana que para eso es de todos...» (p. 70). El deseo de democratización del idioma corre parejo al mensaje de caridad que hallamos en *San Camilo* hacia el hombre común y sus pecados francos e instintivos, casi animalescos. La corriente de simpatía celiana hacia las infelices prostitutas y hacia los pecadores angustiados (como el homosexual Matiítas) contrasta con la dura ironía que el autor despliega hacia una clase de la sociedad que vive el pecado en la sombra y en la falsedad, en un ambiente de hipocresía donde «las horas del domingo por la mañana son de mucha farsa y comedimiento» (página 74) [10]. Por eso, el anhelo de sinceridad lleva también en la novela a la más cruenta auto-crítica, a sondear la conciencia en busca de la propia culpa, llegando incluso a la auto-degradación y al auto-improperio. El narrador se percata de que el primer paso para la salvación, para la regeneración y el logro de la autenticidad radica en vernos nosotros mismos sin vendas ni auto-engaños, a la luz de la más dolorosa y humillante realidad:

> tú eres un piernas, tú eres un piernas pintado de disimulo, con la sesera llena de ideas gregarias, de ideas redentoras, de ideas de los demás... (p. 57).
> tú no eres San Pablo ni Búfalo Bill, tú eres carne de catequesis capaz de matar a cambio de una sonrisa del que manda, carne de horca capaz de ahorcar al hermano por miedo a que pueda pensarse que tienes miedo, carne de fosa común capaz de desearte ya muerto para evitar el trance de la muerte... (p. 58).

Insistimos en llamar la atención sobre el uso de la segunda persona del singular en la estructura narrativa de *San Camilo, 1936,* porque ello cumple una valiosa función formal-temática que hay que destacar. Vale la pena observar que fenomenológicamente la culpa es casi siempre concebida como un agente parlante. Al efecto, el lenguaje común habla de *voz* interior; Heidegger se refiere a la voz de la

---

[10] Sin afán de señalar influencias, nos parece interesante señalar que Cela, en *San Camilo,* adopta una posición similar a la del narrador de *La Chute* de ALBERT CAMUS, no solamente en lo que se refiere a su aguda conciencia de la culpa sino también en su preocupación por la autenticidad y su preferencia por el pecador franco y declarado en contraste con la farsa social: «Si les souteneurs et les voleurs étaient toujours et portout condamnés, les honnêtes gens se croiraient tous et sans cesse innocents, cher monsieur». (*Théâtre, Récits, Nouvelles,* París, Gallimard, 1962), p. 1496.

conciencia (*Stimme des Gewissens*). Claro que se trata de una voz paradójicamente silente, pero basta un pequeño auto-análisis para percibir que la culpa habla desde la posición del *otro,* aunque ese *otro* sea uno mismo y el sentimiento sea de naturaleza interior. Por otra parte, el hecho de que el narrador se considere a sí mismo como el hombre corriente, anónimo, —«tú estás entre el público» (p. 15)— permite que el sentimiento de la culpa se mantenga latente en la conciencia de todo español y, por extensión, de toda la humanidad, de todo lector consciente de la condición humana.

Moralmente el hombre no puede cerrar los ojos a los acontecimientos exteriores, pero tampoco debe dejarse arrastrar por ellos. La línea divisoria entre el entusiasmo ideológico, la obediencia y el crimen es demasiado ambigua y tenue, y el hombre común, dice el narrador:

> se encuentra convertido en héroe, en mártir o en asesino... si gana es héroe, si pierde es mártir, si no se contiene y dice no, no, esto no, esto que lo hagan otros, yo no, entonces es asesino, la frontera es delgada como un pelo, los hay tan miopes que no ven el pelo pero también los hay que cierran los ojos para no verlo... (p. 317).

Encerrado en la soledad y el silencio de su espejo y por el camino de una acerba y despiadada auto-inquisición, el protagonista de *San Camilo, 1936* parece coincidir con un postulado existencial básico en lo que atañe a su concepto último y más radical de la culpa: la intuición de que en el fondo más recóndito de nuestra psique todos somos capaces de todo, y, por tanto, culpables, por solidaridad humana, del pecado de todos:

> Tú no has sido probablemente ninguno de los hombres que asesinaron a Calvo Sotelo pero pudiste serlo, tampoco estás entre los que se cargaron al teniente Castillo pero también pudiste haber estado... (página 120).

> hay asesinos obtusos que no llegan a ver jamás su marca pero también hay asesinos que no lo son todavía aunque la danza de la marca no les deje dormir, sí, es fácil ser asesino, todos los hombres llevan dentro del pecho una bombillita de fragilísimo cristal en la que se agazapa el huevo del asesinato... (p. 82).

Resueña aquí un inconfundible eco nietzscheano, que no nos extraña si recordamos cómo al principio de la novela el narrador declaraba: «Ibarra y tú habéis fundado una religión confusa pero bonita detrás de la que se adivina a Nietzsche y al budismo...» (p. 17). Es Nietzsche precisamente quien en su *Voluntad de poderío* pronuncia las siguientes palabras aterradoras:

Which of us, if forced by circumstances, would not have gone through the entire gamut of crime?

One should never say on that account: «You should not have done this or that», but always: «How strange that I should not have done that a hundred times before!» [11].

En definitiva, el motivo mismo del espejo es ya un tema nietzscheano:

> Lleno de duda en tu propio saber
> entre cien espejos
> falso para ti mismo
> entre cien recuerdos
> inseguro
>
> . . . .
>
> ahorcado con tu propia soga.
> ¡Conocedor de ti mismo!
> ¡Verdugo de ti mismo! [12].

Pero la mirada en el espejo no debe ser, sin embargo, hasta tal punto hipnótica que nos impida salir de nuestro ego y nos lleve a desconocer la existencia de los otros. El narrador-protagonista de *San Camilo* se dirá a sí mismo, es decir, a ese tú que es su otro yo subconsciente: «Tú estás en una esquina del mundo y no puedes volverle la espalda al mundo...» (p. 195). La dialéctica yo-espejo se transforma en la dialéctica yo-mundo. Dentro de ésta, Cela va más allá de un planteamiento de la responsabilidad histórica y política e incluso de la ética personal para proyectarse en un sentido trascendental que roza el concepto de la *culpa metafísica* definido por

---

[11] FRIEDRICH NIETZSCHE, *The Will to Power*. Transl. bv WALTER KAUFMANN and R. J. HOLLINGDALE, New York, Random House, 1967, p. 136. [«¿Quién de nosotros, bajo la fuerza de las circunstancias, no pasaría por toda la gama de los crímenes?

Por eso nunca hay que decir: 'No debiste haber hecho esto o aquello', sino, siempre: '¡Qué raro que yo no haya hecho esto antes, miles de veces!'»].

[12] NIETZSCHE, «Zwischen Raubvögeln», en *Dionysos-Dythyramben, Werke*, III, München, Carl Hauser Verlag, 1966, p. 125:

> zwiesam im eignen Wissen,
> zwischen hundert Spiegeln
> vor dir selber falsch
> zwischen hundert Erinnerungen
> ungewiss
>
> . . . .
>
> in eignen Stricken gewürgt
> Selbstkenner!
> Selbstkenner!

Traducción española tomada del libro de KARL JASPERS, *Psicología de las concepciones del mundo,* trad. por Mariano María Casero, Madrid, Gredos, 1967, p. 378.

Karl Jaspers: culpabilidad común derivada de la condición y esencia misma del hombre [13].

El protagonista de *San Camilo* intuye que sólo sustrayéndose de la turba, de la barahúnda colectiva, puede lograr su más auténtica individualidad: «tú sal huyendo antes de que sea tarde, cada minuto que pierdes es un minuto que das de ventaja al mundo, ese enjambre hostil y venenoso...» (p. 168). No obstante, la tentación de la huida, la posibilidad del encierro total en sí mismo, son actitudes reconocidas angustiosamente como culpabilidad: «no vuelvas la espalda a nada, no le pierdas la mirada al mundo, quizá merezca la pena que te esfuerces, si se le vuelve la espalda a la dignidad se corre demasiado de prisa y alocadamente...» (p. 196). Siente que como hombre está condenado a vivir en compromiso con el mundo y que no puede evadirse de esta ligazón fundamental sin frustrar su propia realización como un ser auténtico. «Soy culpable —dice Jaspers— si evito la realidad» [14]. Por ello la culpa individual se convierte también en culpa social. «Sociológicamente —escribe Berdyaev— el individuo y la sociedad son correlativos: el individuo no puede concebirse aparte de la sociedad, y la sociedad presupone la existencia de individuos. La sociedad es una cierta realidad y no meramente la suma total de sus miembros. La sociedad tiene un meollo ontológico que no posee el Estado; el Reino de Dios es una sociedad, una comunión ontológica real entre personas» [15].

Claro que parecerá un poco extraño traer a colación una cita de Berdyaev en relación con un escritor tan nihilista, o aparentemente tan nihilista, como Camilo José Cela. Pero siempre hemos pensado —y perdónesenos la digresión— que el escepticismo y el pesimismo celianos tienen un fondo de desesperación y rebeldía metafísicas que lo alejan del ateísmo absoluto. Es así que Dios está en su novela, si no como una presencia, sí como una ausencia inquietante:

no escribas cartas a Dios... no seas necio ni fatuo... Dios sabe todo lo que acontece sin necesidad de que tú se lo escribas... lo que pasa es que se abstiene de intervenir en estas cuestiones que ni le salpican... Dios ni entra ni sale en lo que hacemos los hombres... no deben extrañarte las actitudes de Dios, tan poco humanas, las actitudes de los hombres son con frecuencia inhumanas, ésta es una manera de hablar, las actitudes de Dios no son ajenas, es muy difícil, es imposible querer aplicar módulos finitos y terrenales a conceptos infinitos... el hombre no sabe nombrar el infinito y se conforma con cerrar los ojos y asustarse, aunque abras bien abiertos los ojos no podrás verte en el espejo porque estás a oscuras (pp. 143-145).

[13] «Existenz ist als solche schuldbewusst», KARL JASPERS, *Philosophie*, III, Berlín, Springer-Verlag, 1956, p. 111.
[14] «Schuld aber ist das Vermeiden der Wirklichkeit», *Ibíd.*
[15] *The Destiny of Man*, p. 198.

Dios es esencialmente un misterio para el protagonista, al igual que el último reducto de su yo. Pero ni la existencia ni la inexistencia de Dios elimina el problema de la culpabilidad humana, la responsabilidad del hombre hacia el hombre. En la filosofía sartreana, por ejemplo, al negar la existencia de Dios, el problema de la culpabilidad se hace mayor; el hombre es, entonces, responsable de todo lo que ocurre en la tierra.

Por eso ante el espejo la conciencia va haciéndose más y más acusatoria, más y más sangrienta, hasta reflejar un estado ontológico ambiguo en que el protagonista se ve al propio tiempo repelido y paralizado, en extraña fascinación ante el espectáculo de horror que contempla en derredor. El espejo (los cien espejos del poema nietzscheano) que en la novela de Cela ha venido adoptando formas diferentes y cambiantes («el espejo plano, paralelepípedo, ovoide, casi esférico») se convierte, en el Capítulo III de la Tercera Parte, en «medusa sangrienta» que ejerce su «blando y venenoso» maleficio sobre la conciencia y la voluntad del individuo. Llegado a este punto el narrador descubre que el espejo no refleja ya su figura, y se siente manchado de tanta sangre ajena, atrapado y fundiéndose en la imagen de su espejo, que ya ni siquiera es suyo: «la señal no es buena —medita— hay demasiada sangre para tan poco corazón...» (p. 347). La náusea y el miedo, el deseo de la huida, lo invaden, porque la conciencia se ha hecho —para decirlo en términos sartreanos— viscosa. Sobre él pesa ahora la culpabilidad del mundo, la culpabilidad de todos, aunque trate de evadirse egoístamente de la acción y del compromiso. El joven narrador se evade así de participar en el ataque al Cuartel de la Montaña, opta por la vida frente a la posible muerte, pero esta opción la siente oscura y difusamente como culpa:

> tú pudiste haber muerto dentro del Cuartel de la Montaña al lado de Guillermo Zabalegui o fuera del Cuartel de la Montaña al lado de Andrés Herrera... sí, todo pudo haber sido pero no fue, tú piensas que la verdad es múltiple y plegadiza pero no es verdad, tampoco es verdad que lo pienses, por lo visto la verdad es un acantilado destrozador e inhóspito, es lástima que esto sea así y nos destroce (pp. 356-357).

El sentido de la culpa metafísica que presta su dimensión trascendental al tema de la guerra en esta novela de Cela implica el bochorno de haber sobrevivido a la contienda, a tanta sangre y tanto crimen. Esta es la convicción que encontramos en la filosofía de Jaspers de que se incurre en culpa no sólo por participación sino por omisión. En la dialéctica yo-mundo todos somos culpables porque todos somos humanos.

> A través de la más profunda decisión en la realidad de mi Existencia (Existenz) incurro en una culpa que me es objetivamente incompren-

sible, en tanto se esconde en el fondo silencioso de mi alma. Es ésta la culpa que más radicalmente destruye el sentimiento de la propia virtud en cualquier Existencia que se hace real [16].

El padecimiento pasivo de la opresión de la sociedad que caracterizaba *La colmena* da paso en *San Camilo, 1936* a la desesperación activa, a la angustia que despierta la conciencia individual en un sentido de culpa y responsabilidad. En *San Camilo* la guerra es vivida como situación-límite que afecta profundamente la interioridad misma del ser de cada hombre. La guerra (y particularmente las guerras civiles) es un fenómeno sumamente doloroso y complejo, en el cual el individuo tendrá que debatirse entre el compromiso y la apropiación de la culpa o el egoísmo y la evasión que son no menos culpables. La novela de Cela es una llamada a la autenticidad en medio de la enajenación social que rodea al hombre contemporáneo. Como el protagonista de *La Chute,* esa obra maestra cuyo tema central es también la culpa, el narrador-protagonista de Cela podría afirmar: «le portrait que je tends à mes contemporains devient un miroir» [17].

En *San Camilo, 1936,* Cela busca la salvación no en la historia sino unamunianamente en la intra-historia, en la interioridad del individuo, y por eso su mensaje se aparta en lo fundamental de las más radicales ideologías sociales. El autor se ha esforzado, en esta novela, por mantener una posición políticamente independiente. Esto ha provocado cierta incomprensión y hasta rechazo de esta magnífica obra por algunos críticos parcializados. En definitiva, se percibe el mismo aborrecimiento que sentía Unamuno por los conceptos abstractos y las ideas fijas, por la ideocracia que conduce al fanatismo y a la intolerancia y, en última instancia, a la imposición de las ideologías a sangre y fuego. La huella del 98 se siente, además, en muchos pasajes de la novela, y en ningún momento se hace más evidente que en el Epílogo, con su explícito rechazo de la historia. Dice allí el tío Jerónimo al narrador, su sobrino:

«el peligro ya lo señaló Unamuno, es más fácil al fuego hallar combustible que al combustible fuego... a tus veinte años basta con defender el corazón del hielo, esfuérzate por creer en algo que no sea la historia, esa gran falacia, cree en las virtudes teologales y en el amor, en la vida y en la muerte...» (p. 436).

Porque en nuestra desquiciada edad moderna, en la que el hombre ha sufrido el torbellino de incontrolables acontecimientos y circunstancias, acaso el único principio válido para romper la fatídica cadena de causas y consecuencias de la historia sea la regeneración interna y libre del individuo. Esta es, en parte, la lección que el narrador-

---

[16] Jaspers, *Philosophie,* II, p. 247.
[17] *Op. cit.,* p. 1547.

protagonista de *San Camilo, 1936* descubre enfrentado con la conmoción de la guerra y con el espejo de su conciencia.

Con esta novela Camilo José Cela no sólo vuelve a revelarse como uno de los mejores estilistas de la narrativa española de postguerra, no sólo demuestra su maestría en el dominio de las últimas técnicas formales de la novelística contemporánea, no sólo sigue siendo un escritor preocupado por los conflictos sociales de nuestro tiempo, sino que también se manifiesta como un escritor hondamente consciente de la problemática condición del hombre.

[Versión aumentada del artículo que apareció en *Journal of Spanish Studies Twentieth Century*, Colorado, Kansas, Vol. 3, número 1, Spring, 1975, páginas 73-84.]

MANUEL DURAN

EL LENGUAJE DE JUAN GOYTISOLO

El poeta —y un novelista de la talla de Juan Goytisolo «funciona» también, en muchas páginas de sus obras, como poeta— es, lo sabemos, quien puede dominar el lenguaje, moldearlo, dar una forma más pura y más brillante a las desgastadas monedas del lenguaje cotidiano, transformar el cobre en oro. Como ha escrito Octavio Paz:

> hazlas, poeta,
> haz que se traguen todas sus palabras.

De todos los novelistas españoles activos hoy, Juan Goytisolo es, quizá, el que más tiempo ha tardado en conquistar un lenguaje propio, en domesticar el idioma hasta transformarlo en servidor fiel. En estos últimos años, y antes de que Goytisolo llegara a la plenitud expresiva de sus dos últimas grandes novelas (*Señas de identidad* y *Reivindicación del Conde don Julián*) hemos visto formarse, entre los novelistas españoles de hoy, estilos coherentes y eficaces: el de Francisco Ayala, por ejemplo, ácido, amargo, socarrón, quevedesco; el de Cela, grotesco y caricatural pero no exento de finura y melancolía en algunas páginas; las fuertes y dinámicas imágenes de la prosa de Ana María Matute; o los párrafos densos, misteriosos, elusivos, de Alvaro Cunqueiro, para no dar más que unos pocos ejemplos. Goytisolo, hombre tenaz y paciente, ha tardado más que sus compañeros en encontrar su estilo. Y ello no solamente por cuestión de edad o por circunstancias personales —si bien es cierto que es mucho más joven que Ayala o que Cela, y que además le tocó educarse en la España de la postguerra, mala época para un escritor en formación— sino quizá porque el campo novelístico por él escogido al principio, la novela «realista» de crítica social, con toques naturalistas y grotescos, ha solido ser una escuela de veracidad y de sentido moral pero en ella el «estilo artístico», el cultivo de un estilo refinado y elegante, ha sido deliberadamente desdeñado, con resultados a la vez positivos y negativos (pensemos en Zola, en Gorki, en tantos otros novelistas de esta escuela). Claro está que la crítica social o ideológica no es incompatible con la creación de un estilo rico y original: bastaría con el nombre de Quevedo para disipar toda duda sobre este punto.

Quizá la evolución del estilo de Goytisolo, su creciente variedad y fuerza, se deba, ante todo, a que los sentimientos de Goytisolo se han agudizado y exasperado. Ante la realidad española de hoy, que antes se contentaba con describir, hoy se indigna con una obsesión exasperada y desesperada. Antes —en *Juegos de manos,* en *Fiestas,* en *La resaca*— Goytisolo corría el telón, mostraba la escena, subrayaba uno o dos ángulos particularmente sombríos, y dejaba que el lector llegara a sus propias consecuencias. Ahora, en sus dos últimas novelas, asistimos a un *crescendo* de ira: no basta con criticar, es preciso fustigar verbalmente, subvertir, violar, profanar. La honda excitación del autor se comunica al estilo y a los lectores.

Claro está —para mayor gloria de la cultura española— que la indignación de Goytisolo no es una voz única clamando en el desierto. Recordemos al último Valle-Inclán, el de *Tirano Banderas* y *La hija del capitán.* A Max Aub, Francisco Ayala, Luis Buñuel. En *La nueva novela hispanoamericana,* Carlos Fuentes señala algunas de esas voces rebeldes: «Si Luis Buñuel representa, en el más alto grado, nuestro reencuentro con la verdadera e inmutable tradición española, Juan Goytisolo, a su vez, significa el encuentro de la novela española con la que se escribe en Hispanoamérica. Hay una frase que el propio Buñuel —hombre de terribles y magníficas obsesiones— acostumbra reiterar en su conversación: 'Es preciso que los españoles aprendan de nuevo a ser rebeldes'. Sabemos lo que el camino de la rebeldía significa para Buñuel: no un viaducto pavimentado con programas e iluminado por dogmas, sino un oscuro laberinto en la selva. Recorrerlo es asumir el riesgo de una libertad nueva, es decir: desconocida. *Señas de identidad,* la novela de tránsito de Juan Goytisolo, obedece en todo a esta concepción. No en balde los gurús personales de Goytisolo son Buñuel y un poeta secreto, Luis Cernuda, que espera aún ser reconocido en Europa y que en España sólo lo fue al morir hace pocos años. Como Buñuel en el cine, Cernuda representa en la poesía la profanación de todo lo consagrado por la inercia, la culpa o la ilusión españolas: *La realidad y el deseo* es el título de su obra única y total; título que proclama las dos ausencias de la cultura española contemporánea, en la que la realidad se confunde con la mistificación y el deseo con la nostalgia». Goytisolo puede haber aprendido de Buñuel y de Cernuda que el camino que lleva a la libertad conduce forzosamente, en ciertos casos, como etapa previa e insoslayable, a la profanación. Otras voces, y en otras épocas, se han atrevido a decir lo mismo: entre ellas la del Marqués de Sade, citado en epígrafe por Goytisolo en *Reivindicación del Conde don Julián,* y cuyo espíritu parece animar algunas de las páginas más significativas de esta última novela.

Señas de identidad (México, J. Mortiz, 1968, 2.ª ed., 1969) planteaba un problema; *Reivindicación* (México, J. Mortiz, 1970) lo resuelve. El problema consistía en la identidad —como autoconciencia, como manera de hallar un camino en la vida, de saber quién se es y adónde se quiere ir— del personaje central de la novela, Alvaro, «miniulises hispánico», como le ha llamado Fuentes. Vemos a Alvaro a través de una descripción objetiva, en tercera persona: la de su pasaporte. Escuchamos su monólogo angustiado, buceamos en sus recuerdos de infancia, lo vemos moverse por España y por París, testigo fiel de todo lo que ocurre a su alrededor pero hombre todavía sin vocación. Asistimos a su enamoramiento y al fracaso de ese amor, lo acompañamos a Cuba. Poco a poco la identidad se va robusteciendo, en la medida en que Alvaro decide —paradójicamente, puede parecernos— separarse de sus orígenes, cortar con su pasado, renunciar a la vida española: el último capítulo es un largo y suntuoso poema sinfónico, un coro con muchas voces discordantes, una visión abigarrada en que contemplamos desde lo alto la ciudad de Barcelona, y —entre las observaciones triviales de los turistas y las voces de la reacción— Alvaro decide marcharse para no regresar jamás. La vocación de Alvaro es llegar a ser, definirse, y no puede hacerlo sin renunciar a su patria. (No en vano Jung, en su estudio *Símbolos de transformación* —que conozco por su versión inglesa— ha incluido dos largos capítulos sobre los mitos y símbolos que giran en torno a la difícil separación del hijo y la madre. La madre, en este caso España, es un obstáculo a la vida verdadera del hijo, impide con su obsesionante presencia que el hijo madure y llegue a ser el que tiene que ser. Si es preciso —y Jung da de ello numerosos ejemplos— hay que llegar hasta la destrucción de la madre. Este es el programa mental que adivinamos al final de *Señas de identidad* y que encontramos plenamente realizado en *Reivindicación del Conde don Julián*). En ambas novelas, el individuo se define frente a —y en contra de— la sociedad que le ha dado el ser. Para conocerse, le es preciso conocer a fondo esa sociedad. Para madurar, para adquirir su plena identidad, le es indispensable oponerse a esa sociedad, a esa madre cruel y obsesiva, y —en último término— planear su destrucción.

El arma de que dispone este individuo es doble: la conciencia y el lenguaje. Pero la conciencia del héroe de *Señas de identidad* está todavía en formación, es una nebulosa de conciencia. En la segunda novela la conciencia aparece ya firme, decidida: el delirio que con frecuencia la trastorna es también un arma ofensiva, una imaginación que se desboca como un caballo de batalla o se alarga en forma de daga. Y el lenguaje, la otra arma, es, sin embargo, parte de la realidad española que se trata de combatir y de negar; de ahí que en *Reivindicación* el lenguaje español se vuelva contra sí mismo, en extraño boomerang, quizá sin paralelo en la literatura española. (Rastrear fuentes es tarea tan enojosa como, con frecuencia, intrascendente. ¿Hay o no huellas de Cortázar, del Cortázar de *Rayuela,* y de Fuentes, el Fuentes de *Cambio de piel,* en *Señas de identidad?* La respuesta, afirmativa o negativa, no deberá preocuparnos demasiado. En cuanto a *Reivindicación,* hay abundantes fragmentos de otros autores, identificados o identificables, sembrados a lo largo de la obra; su presencia —casi siempre— se debe a que el autor los exhibe un instante ante nosotros antes de destruirlos).

Chiste, parodia, visión onírica o profética: tres etapas de la destrucción de esa «madre-madrastra» que es la tradición hispánica. Un chiste es ya una subversión del lenguaje, es torcerle el rabo a una palabra o una frase. Y los chistes abundan en *Reivindicación,* a veces inocentes («O tempora! O Moros!» —p. 55: acabamos de aludir a Séneca y a los romanos, y estamos en Tánger) y otros maliciosos, como cuando Goytisolo habla de los «hors-d'oeuvre completos» de José Ortega y Gasset. Las *Sílfides,* de Chopin, se transforman en labios del adocenado locutor de radio, que transmite desde España, en «la sífilis de Xopén». (Nos parece a veces hallarnos en el alegre y despreocupado ambiente de «orgía lingüística y cultural» que ofrecen los capítulos centrales de la novela *Tres tristes tigres,* de Guillermo Cabrera Infante; y, sin embargo, el clima emocional es aquí bien distinto; lo que en el novelista cubano es ejercicio de estilo y alegría de vivir se ha transformado aquí en protesta y ataque a fondo contra toda una tradición cultural). La actividad más visible y sistemática del héroe es, en cierto modo, un chiste, una broma pesada llevada a cabo contra el espíritu mismo del idioma: después de matar y recoger cuidadosamente un buen número de insectos, se dirige repetidas veces a una biblioteca de Tánger en la que deposita estos insectos entre las páginas de los dramas calderonianos o los florilegios de poemas del Siglo de Oro, o, mejor dicho, del Siglo de Cartón Dorado: «... con los libros apilados en el pupitre, erigiendo una protectora barrera entre ti y el guardían: que bosteza abismáticamente otra vez mientras tú buscas en el bolsillo izquierdo de la americana y sacas la fúnebre y recatada bolsita; tu pequeño capital: cifrando velozmente el modesto, pero salutífero haz de posibilidades: moscas, hormigas, abejas, tábanos: quizá alguna araña opulenta y velluda: vaciando el contenido sobre el hule, en apetitoso montón: insecticida catástrofe no registrada en los anales que tú observas y abarcas con resolución pronta y fría: alcanzando el primer volumen de la pila y depositando entre sus páginas una hormiga y seis moscas: en el quintaesenciado diálogo de Casandra y el duque: esto disponen las leyes del honor, y que no haya publicidad en mi afrenta con que se doble mi infamia: cerrando de golpe, ¡zas!, y aplastándolas: ojo avizor, cuidado que el guardián no te descubra: mientras abres el libro y compruebas morosamente el resultado: con el prurito aperitivo del viejo catador: ¡espachurradas, la masa abdominal por de fuera!: indelebles manchones que salpican la peripecia dramática y la contaminan con su difluente viscosidad: cabos, ensenadas, bahías...» (página 37). Incluimos esta larga cita por creerla muy representativa del estilo y la intención de Goytisolo: detallada descripción de una actividad en apariencia absurda e infantil, en el fondo significativa y simbólica. Profanación de textos clásicos, de actitudes «castizas», que continuará a lo largo de la novela. No son los dramas de honor conyugal calderonianos las únicas víctimas de Goytisolo; para que el lector comprenda que no se trata únicamente de combatir lo rancio, el pasado, lanzará ataques variados contra toda la generación del 98, contra *Platero y yo*, contra Ortega y los «adelantados y precursores de Heidegger» (p. 138), y se burlará del «españolísimo vínculo existente entre el estoicismo y la tauromaquia» (p. 139), pasando por Isabel la Católica y desembocando en las inefables páginas de Corín Tellado. (No se escapa ni siquiera el ilustre «Don Garbanzote de la Mancha»). El gesto del joven español que la novela describe es, en el fondo, una operación de homeopatía: la cultura española está anquilosada, es una inmensa fachada, un caparazón vacío; hay que combatirla con algo semejante, con el caparazón de insectos muertos. El estilo —rico, entrecortado— une el vocabulario de la biología y el de las ideas abstractas o literarias mediante una serie de frases en mosaico, parte de un larguísimo monólogo interior, entrecortado por una puntuación muy especial, a base de los dos puntos, con muy pocas comas, y sin puntos. Las páginas de Goytisolo, en su inagotable variedad, y con múltiples efectos de sorpresa, describen ante todo una actitud interior, un vasto ensueño, un delirio muy personal; pero es un delirio no exento de base, de punto de partida, de lógica inicial; nos describen la «razón de la sinrazón» de su héroe, esta vez más «miniorestes» que «miniulises». Las páginas de Goytisolo son una prolongada venganza, una traición, una subversión de las raíces de la cultura española, de las propias raíces del autor; por eso escribe Fuentes que «la escritura de Goytisolo es un ejemplar suicidio, una violación permanente de lo que hasta ahora ha pasado por 'lenguaje' en la prosa novelesca española. En cierta forma, Goytisolo utiliza esas armas tradicionales para destruirlas. Y su explosión del 'lenguaje escrito' de los españoles es la destrucción de una España sagrada, basada en la posesión de un léxico pútrido como las tumbas de El Escorial: el léxico de una literatura que, en la feliz expresión de Octavio Paz, ha oscilado entre la academia y el café, entre la oratoria y el chisme».

Creo prudente dejar a un lado, de momento, todo lo que en la actitud de Goytisolo frente a la tradición hispánica pueda parecernos una «injusticia» —y también lo que pueda irritar al lector, por las mismas razones, en las opiniones paralelas de Fuentes y de Paz— ya que lo que nos interesa aquí es la literatura, la obra de arte y el lenguaje en que está escrita. El infierno de la mala literatura está pavimentado de «buenas intenciones»; en cambio, de lo aparentemente —patentemente— absurdo, o injusto, o para llegar al caso extremo de lo criminal (¿y no es la traición un crimen castigado por todos los códigos?) puede surgir una obra maestra. Creo que *Don Julián* lo es, y que en todo caso su carácter excepcional de obra sin paralelo en la literatura española, y con poquísimos paralelos en otras (nos hace pensar a ratos en Sade, o en Kafka, o en el Burroughs de *The Naked Lunch,* que también tiene lugar, por lo menos en parte, en Marruecos) exige del lector, incluso del lector español, hispánico, o hispanófilo, una actitud de calma lúcida y comprensiva que, descartando la indignación irritada, nos permita saborear los frutos de una imaginación a la vez espléndida y sumamente controlada. Criminalidad y «decencia» son dos vertientes de una misma realidad, adquieren su sentido en mutua simbiosis, lo mismo que el amor y el placer carecen de sentido sin el dolor y la muerte, como Georges Bataille —tras otros— nos ha señalado. (Y, para aludir a otro escritor francés de hoy, ¿no es acaso Jean Genet, criminal de profesión en su juventud, y que ha exaltado como pocos el crimen y el vicio, uno de los «santos» más ilustres en el santoral de la literatura contemporánea, creador indiscutible e indiscutido de un número considerable de obras maestras?). Con buenos sentimientos —según la tan repetida frase de Gide— suele hacerse mala literatura. No juzguemos los de Goytiolo según las normas tradicionales de los cursos de patriotismo para párvulos o los discursos moralizadores de una escuela dominical provinciana. Fijémonos ante todo en lo esencial: la relación entre un clima tenso, emocionalmente muy cargado, que es el que el autor ha vivido y sentido, que es el que ha querido expresar, y el estilo —los estilos múltiples— o el lenguaje —una serie de lenguajes— con que ha querido expresar dichos sentimientos: comprenderemos así la profunda y creadora relación entre lo que solíamos llamar «el fondo» y «la forma» en esta novela. El lenguaje de Goytisolo estalla en todas direcciones, salta ágilmente a una serie de niveles, precisamente porque trata de expresar una situación emocional explosiva, a la que nos remite una y otra vez; y nosotros, los lectores, comprendemos esta situación, y en gran parte la revivimos al leer estas páginas, precisamente porque el lenguaje del autor ha sabido estallar y desdoblarse. No es posible hablar del continente sin aludir al contenido: la novela de Goytisolo no es un mero «ejercicio de estilo» (aunque en ella, como veremos más adelante, desempeñe el *pastiche* un papel importante).

Claro está que el nuevo estilo de Goytisolo no ha surgido de pronto, espontáneamente, como Minerva de la cabeza de Júpiter. Hay en el resto de su obra una serie de significativos tanteos que van en esta dirección, y en particular nos ofrece con frecuencia un fuerte contraste irónico entre dos tipos de lenguaje: el de la gente del pueblo, ignorante y vulgar pero que se expresa sinceramente, y el lenguaje florido y falaz de los discursos oficiales, la prensa, radio y televisión, en que nadie cree: entre estos dos polos tan distantes salta la chispa de la ironía trágica, tendiente a destruir el lenguaje oficial y a crear un ambiente en que —como señala el personaje Abel Sorzano en la primera novela de Goytisolo, *Juegos de manos*— «los símbolos perdían su valor y no quedaba más que eso: el hombre, reducido a sus huesos y a su piel». En *La resaca* todo el último capítulo es un largo contraste entre el lenguaje de un absurdo discurso oficial («Ya resuenan las martellinas que labran los alcázares de nuestra libertad...») y las palabras balbucientes del niño que debería leerlo, pero que, embargado por el dolor de sus problemas personales, no acierta a decir más que: «Delegado... somos pobres... mi padre...» mientras las autoridades siguen desfilando, y una música marcial envuelve a la muchedumbre indiferente, en medio del «fastuoso ondear de las banderas y el ritmo alegre... de las marchas». Otro personaje, Evaristo, expresa las rebeliones frustradas y las trágicas contradicciones de una sociedad hipócrita al suicidarse, desesperado, frente a un letrero que proclama: *«Ni un hogar sin lumbre, ni un español sin pan.»*

El programa literario de Goytisolo, desde el principio, había, pues, avanzado hacia una dirección clara: continuar la labor desmitificadora iniciada por Baroja y los mejores noventayochistas, arrancar la máscara de hipocresía que todavía ostenta el Estado y llevan muchos españoles: «hay que humanizarse o perecer», señala en *Problemas de la novela* (1959), pues se trata ante todo de «abordar los diferentes aspectos y problemas de la creación literaria desde el punto de vista... de su motivación social». La novela objetiva, «basada en una apreciación sintética y real de su conducta [la del hombre de hoy] se ha convertido... en el único medio eficaz de nuestro tiempo». Quizá el único error de esta actitud consistía en que Goytisolo creía que «el tema debe determinar la técnica», lo cual es cierto sólo en parte; más de una vez lo que pudiéramos llamar la «autonomía de la técnica», las leyes internas de la organización y del lenguaje, hacen posible una mejor expresión del tema. Hay interacción, no dependencia absoluta o sujeción de arriba hacia abajo, entre tema y técnica. El último Goytisolo, el de *Señas de identidad* y el *Conde Don Julián*, parece haberlo entendido así. Ha llegado con ello a la mayoría de edad, edad literaria, claro está. Y como él mismo señala con frase certera y muy significativa (en el capítulo 7 de *Fiestas*), «*hay algo más triste que envejecer; es continuar siendo niño*». (Subraya Goytisolo). La súbita madurez de algunos de los adolescentes de Goytisolo es adquirida a través del dolor, del derrumbamiento de las ilusiones. La del propio Goytisolo —en las dos novelas últimas— está marcada por el dolor, la rabia, la impotencia, la indignación, el delirio, todo ello provocado por la clara conciencia del fracaso de una sociedad y un estilo de vida. Sainte-Beuve ha subrayado que una de las funciones del crítico literario, quizá la esencial, es la de revelar las obsesiones del autor estudiado. Siguiendo este precepto, apuntemos que una de las obsesiones centrales de Goytisolo es precisamente la de pintarnos el despertar de la adolescencia frente a la injusticia, la hipocresía y la crueldad sociales; la adolescencia se convierte en madurez rabiosa, en algunos casos dispuesta a la lucha, en otros abrumada por su nueva conciencia. De *Juegos de manos* a *Fiestas,* el tema es constante. En las dos últimas novelas, *Señas de identidad* y *Don Julián,* el amargo despertar ocupa un papel esencial, y en torno a él se organiza cada obra. Esta evolución va acompañada de un proceso de creciente introversión. El héroe de *Señas* se mueve todavía, durante la mayor parte de la obra, en un ambiente objetivo, objetivado u objetivable; el de *Don Julián se hunde* —y hunde, al mismo tiempo, a sus lectores— en la introspección, el monólogo interior, y, formando un *crescendo* al final, en la elaboración de los pocos datos que podemos juzgar objetivos, hasta convertirlos —como la ostra convierte en perla su grano de arena— en un espléndido sueño de destrucción simbólica y poética.

Y el desdoblamiento de los estilos, la multiplicidad de los lenguajes empleados, parte del interior del héroe, no es algo impuesto por el autor. No es la primera vez, evidentemente, que en una novela encontramos estilos muy diversos. El caso más claro de esta riqueza lo encontramos, en la tradición hispánica, en el *Quijote*. El caballero no habla como Sancho, los comentarios del autor son a veces irónicos, otras paródicos, otras relativamente directos y objetivos. El contraste irónico entre los estilos grandilocuentes y el lenguaje llano y vulgar lo notamos desde el principio, y en particular en la conversación entre el caballero y las mozas del partido. Pero tras este contraste se producen otros muchos, y a niveles diferentes. Contraste irónico existe también en algunas páginas de Baroja o de Valle-Inclán, por ejemplo, al final de *Paradox, rey,* entre el relato objetivo de la destrucción de una ciudad de Africa por las tropas coloniales francesas y las hinchadas e hipócritas palabras de un diputado francés que, en el Parlamento, y al mismo tiempo que las tropas siguen saqueando y destruyendo, puede definir lo que ocurre en Africa como gloriosa misión civilizadora. Pero en estos casos —y en el caso de las primeras novelas de Goytisolo— la diversidad de estilos se limita a este contraste radical entre la verdad objetiva y la hipocresía oficial. Se diría que nos hallamos ante un contraste del tipo «blanco frente a negro», un grabado de Posada o de Goya. El último Goytisolo, en cambio, escribe en «tecnicolor», con una paleta rica y luminosa que es digna de los grandes pintores coloristas de ayer y de hoy. Con todo lo cual no queremos insinuar en modo alguno que las novelas de Goytisolo anteriores a *Señas de identidad* hayan de ser consideradas como un semi-fracaso literario. En todas ellas hay poder creador, imaginación, sensibilidad, abundancia de talento. Todas interesan al lector desde el primer momento. Goytisolo tiene el sentido de lo dramático, a veces en forma espectacular. Desde su primera novela, críticos como José María Castellet y Eugenio de Nora reconocieron el gran talento de Goytisolo; lo que constantemente se le reprochaba era no haber conseguido plena eficacia en el dominio de su lenguaje. Castellet, por ejemplo, en su artículo «Juan Goytisolo y la novela española actual» *(La Torre,* enero-marzo de 1961) juzgaba el lenguaje de *Juegos de manos* «vacilante... envarado, poco espontáneo y eficaz». Es ésta una opinión que hay que cambiar radicalmente cuando llegamos al último Goytisolo. El recorrido ha sido largo, pero en continuo ascenso: Goytisolo se ha convertido en uno de los grandes estilistas de la literatura española contemporánea.

Hagamos un recuento: en *Reivindicación del Conde Don Julián* es posible identificar por lo menos siete clases de lenguaje, siete modos de expresión. Clasificados por orden de intensidad emocional —y empezando por los más «fríos» para terminar con los más «cálidos»— hallamos, primero, un estilo escueto, de inventario o de clasificación científica y descriptiva, que podríamos a su vez dividir en dos variantes: el «estilo inventario» y el «estilo libro de texto». Vendría a continuación la larga serie de textos literarios puestos en epígrafe a los diversos capítulos de la novela: los epígrafes funcionan aquí con un poder inusitado, son como pequeños «collages» que ayudan a contrastar con el resto de la obra, enmarcándola de historia y haciendo posible que la ficción se inserte en la historia; en un delicado arabesco, algunos de los temas tocados en estos textos (por ejemplo, el de los árabes invasores descritos como sierpes) reaparecen en el relato en formas muy variadas. El tercer estilo es el del monólogo interior del autor en sus momentos —relativamente abundantes primero, más escasos al final— de normalidad y objetividad. Hallamos después dos clases de estilo paródico: parodias del lenguaje hablado y parodias de textos literarios. Finalmente, el monólogo interior —como todo buen vehículo— tiene «cambio de marchas»: tras el monólogo normal, objetivo, de que ya hemos hablado, aparecen otros dos, un monólogo que pudiéramos llamar exaltado, discursivo, efusivo, y, finalmente, un monólogo interior totalmente delirante. Este recuerdo dará una idea de la riqueza estilística de la última novela de Goytisolo, pero no de su complejidad; para ello sería preciso mostrar cómo pasamos con rapidez, en muchos casos, y sin previo aviso, de un estilo a otro, y cómo algunos temas —el tema del homosexualismo, el de la invasión de España, el de la transformación negativa de los valores españoles— reaparecen una y otra vez, desarrollados por estilos diferentes, como variaciones sinfónicas de un número limitado de melodías.

Esta multiplicidad de estilos es utilizada por el autor no solamente para dar plena expresión —a través de variaciones, matices, contrastes— a la vida interior de su atormentado héroe, sino también para modelar y estructurar el ritmo y la composición de la obra, que tiene una estructura perfectamente circular y se apega incluso —a pesar de su carácter onírico, exaltado, de visión entre surrealista y apocalíptica— a la clásica regla del teatro de Corneille y Racine —y de Moratín—, la regla de las Tres Unidades. Unidad de lugar: todo ocurre en Tánger, frente a España, y en la experiencia interna y externa de un solo protagonista. De acción: todos los hilos se juntan, convergen en un solo haz de obsesiones. Y de tiempo: la novela comienza con el despertar del héroe, dura un solo día, y termina cuando el protagonista, fatigado por sus aventuras —físicas pero, sobre todo, mentales—, al caer la noche, se acuesta y se duerme. El carácter circular de la novela resalta todavía más por la simetría en el uso de los estilos, al principio y al final. La novela se inicia con un monólogo interior cargado de emoción, pero que deriva poco a poco hacia la minuciosidad descriptiva: «tierra ingrata, entre todas espuria y mezquina, jamás volveré a ti; con los ojos todavía cerrados, en la ubicuidad neblinosa del sueño, invisible por tanto, y, no obstante, sutilmente insinuada; en escorzo, lejana, pero identificable en los menores detalles, dibujados ante ti, lo admites, con escrupulosidad casi maniaca; un día y otro día y otro aún, siempre igual; la nitidez de los contornos presentida, una simple maqueta de cartón, a escala reducida, de un paisaje familiar...» El protagonista, en su duermevela, piensa en la tierra de España, tantas veces contemplada desde la atalaya de Tánger. Un poco más tarde pasamos a la descripción-inventario (que no deja de recordarnos a Robbe-Grillet) de la habitación en la que sueña y medita; «tres metros, incorporarse, calzar las babuchas, tirar de la correa de la persiana, mirando a tu alrededor en un apurado y febril inventario de tus pertenencias y bienes: dos sillas, un armario empotrado, una mesita de noche, una estufa de gas, un mapa de imperio jerifiano escala uno-un millón, impreso en Hallwag, Berna (Suiza); un grabado en colores con diferentes especies de hojas: envainadora (trigo), entera (alforjón), dentada (ortiga), digitada (castaño de Indias), verticilada (rubia); en el respaldo de la silla, la chaqueta de pana, un pantalón de tergal, una camisa de cuadros, un suéter de lana arrugado...» (p. 14). La novela termina igual, pero invirtiendo simétricamente los dos estilos, el objetivo y el monólogo interior angustiado. Vemos una vez más la habitación, el mapa del imperio jerifiano, el grabado en colores con diferentes especies de hojas, tras lo cual el fatigado protagonista se acuesta: «después tirarás de la correa de la persiana sin una mirada para la costa enemiga, para la venenosa cicatriz que se extiende al otro lado del mar; el sueño agobia tus párpados y cierras los ojos; lo sabes, lo sabes, mañana será otro día, la invasión recomenzará» (p. 240). La novela termina así, sin punto final, circular y recurrentemente abierta, larga serpiente que se muerde la cola y sigue girando ante nosotros.

Puede ocurrir que un objeto demasiado brillante nos ciegue, no nos permita discernir su perfil verdadero. Sería lástima que tal cosa ocurriera con esta última novela de Goytisolo, y que sus lectores no vieran en ella más que una serie de «ejercicios de estilo», como los que Raymond Queneau ha desarrollado. Los ejercicios de estilo equivalen a escalas y arpegios: preparación, pero no obra completa. Czerny no es Chopin o Schumann. Importa, pues, subrayar que estos estilos diversos de la última novela de Goytisolo se apoyan mutuamente, produciendo un efecto de distancia, de graduada y armónica profundidad, que va desde la visión subjetiva hasta el marco histórico de la evolución de un país y una cultura. De ahí que el empleo de estilos tan diversos no produzca una sensación de caos o de vértigo. Variedad, pero también unidad: las partes ayudan a definir el todo, y éste, a su vez, desde un centro invisible pero activo, ayuda a reforzar y vitalizar las partes. ¿No será ésta, acaso, la definición de una obra maestra? Sabemos bien que en nuestro acercamiento a la literatura contemporánea debe existir forzosamente una buena dosis de provisionalidad. Quisiéramos aquí dejar constancia de que para este lector, para este crítico, la última novela de Goytisolo alcanza una cumbre, probablemente la más alta, en el desarrollo de la novela española de la posguerra, posiblemente también en toda la novela española de nuestro siglo.

Toda obra bien organizada en arquitectura, en pintura o en las artes literarias, no puede mantenerse en pie sino gracias a una serie de columnas y bóvedas, a una serie de centros de interés, secundarios o principales. Ya que hemos insistido en la elaborada organización de esta última novela de Goytisolo, nos toca ahora señalar que, como en los buenos cuadros clásicos, podemos hallar en ella un centro de interés secundario y otro principal. El secundario es fácil de definir: consiste en una serie de parodias, parodias de obras literarias —a veces breves frases auténticas que, fuera de contexto, cobran interés cómico—, o bien parodias del español hablado. El castellano, en tanto que lengua «imperial», es cuidadosamente destruido al mostrarnos Goytisolo en qué forma lo habla un árabe españolizado (por ejemplo, en las pp. 23-25) y cómo lo transforman un mejicano, un argentino y un cubano (pp. 194-195). Muy probable es que a estos hermosos *pastiches* hispanoamericanos haya contribuido la eficaz ayuda de Carlos Fuentes, Julio Cortázar y Guillermo Cabrera Infante, cuya «amistosa y solidaria colaboración» es agradecida en una nota final. En cambio, la regocijada escena en que un doctor Pedro Recio de Tirteafuera —en este caso árabe de pura cepa— le retira al castellano, al idioma español, sus ingredientes de origen árabe, es una pequeña obra maestra de ingenio y de verdad histórica.

Hemos reservado para el final el plato fuerte, la *pièce de résistance* en este suntuoso banquete que nos ofrece la novela que comentamos: el «estilo delirante» que constituye la clave de la bóveda, el auténtico centro de atención y que, si bien se desarrolla en múltiples formas a lo largo de la obra, culmina en una triple manifestación hacia el final, formando una curva ascendente, un *climax,* una cordillera con tres cumbres cada vez más elevadas. Nos referimos a tres visiones espectaculares que tienen lugar en la tensa y morbosa conciencia del protagonista. En la primera, el filósofo Séneca se transforma en el torero Manolete. En la segunda llevamos a cabo una visita turística a una gruta gigantesca que resulta ser el aparato genital de una monja. Finalmente, la nueva versión del cuento clásico: Caperucito Rojo —aquí símbolo de España— llega a casa de la Abuelita y se encuentra con que el Lobo es un moro bigotudo que lo sodomiza. Explosiones oníricas, claves de bóveda o, mejor, inmensas bóvedas delirantes que a su vez están sostenidas —como en una catedral gótica— por arbolantes y contrafuertes igualmente delirantes, pero menores, subordinados: la extraña muerte de una turista norteamericana, la transfiguración de Don Alvaro, la perversión de un niño, la profanación de una imagen sagrada. Cumbres, laderas, valles: una arquitectura interna anima, levanta, ordena, explica y exhibe cada uno de los detalles de la obra total. Obra única, repetimos, en la literatura española de nuestro siglo. Obra de la que se hablará durante muchos años. Con estas páginas no tratamos —modestamente, honradamente— más que de iniciar esta larga tarea de análisis y evaluación que las últimas obras de Goytisolo reclaman con urgencia.

[*Cuadernos Americanos,* París, noviembre-diciembre, 1970, pp. 167-179.]

PERE GIMFERRER

CIRCULOS Y METAMORFOSIS

Las primeras páginas de *Recuento* sorprenden a la vez por su concisión y por su sensorialidad. Es, quince años más tarde, el mismo mundo de algunos capítulos de *Las afueras* (1958), primera novela del autor, sometido aquí a síncopa y elipsis: destellos, fogonazos discontinuos. La prosa es de una sequedad admirable y nunca desmentida, pero al propio tiempo lo que en ella adquiere mayor relieve es la precisión en los datos del entorno accesibles a los sentidos. No hay anécdota: hay jirones, momentos aislados de anécdotas. Es, sólo entrado el capítulo caeremos en la cuenta, la perspectiva de la percepción infantil. La conciencia del narrador es impersonal, pero su ámbito es el mundo de la infancia. Nos hallamos en el primer círculo: la lectura de *Recuento* es traicionera, porque cada capítulo abrirá un nuevo círculo, un nuevo nivel estilístico, y las sucesivas apariencias que ofrecerá la novela (costumbrismo, confesión generacional, controversia civil, sátira social, por citar quizá las más llamativas) sólo se revelarán engañosas o parciales en la medida en que advirtamos el sentido de las metamorfosis denotadas por cada círculo narrativo, y el valor de los elementos reiterados o emblemáticos que subsisten y reaparecen a lo largo de todas ellas. En este sentido, las últimas páginas del libro son decisivas; *Recuento* es otras cosas, pero en el plano estrictamente argumental no es lo que más parece ser —una novela sobre Barcelona o Cataluña, o sobre la clandestinidad política en la España de posguerra—, sino una novela sobre una etapa de la vida de un individuo que, de la crisis neurótica, le llevará al intento de resolver su problema fundamental —la relación con el medio— a través de la creación literaria. De ahí, en estas páginas finales, la vuelta al pasado: todo empieza de nuevo, hay que volver a recapitular desde los días de Vallafosca, hay que redescubrir la identidad de cada ser y de cada instante, rescatarlo una vez más, indagar en su creencia mediante la escritura.

Centrado así lo que para mí es el eje narrativo central de *Recuento,* me consideraré dispensado de atender a otra cosa que lo que es negocio propio del crítico literario; esto es, el examen de los recursos y procedimientos empleados por el autor para estructurar su novela, recursos y procedimientos cuya funcionalidad básica acabo sumariamente de indicar. Pocas novelas castellanas recientes se prestarían probablemente tanto como *Recuento* a la polémica, en razón de la naturaleza misma de los elementos de los que se vale el autor para evidenciar el proceso anímico de su protagonista, y en razón del peculiar punto de vista en que se sitúa Luis Goytisolo (el de un catalán de expresión castellana, o sea, de alguien ajeno por igual a Cataluña y a la idea de España, lo que es tanto como decir crítico con respecto a una y otra colectividad). Puesto que el papel de tales elementos es funcional respecto al sentido general de la obra, puesto que no lo explican, la polémica a que aludo no puede ser sino extraliteraria, y centrar en ella el interés de *Recuento* sería desfigurarla como obra artística. Que mi personal punto de vista respecto a los problemas del catalanismo sea divergente en ciertos aspectos, e incluso en algunos de ellos del todo opuesto, al perceptible en Goytisolo es, por ejemplo, un dato al que, en tanto que crítico literario, no concederé lugar en la exposición que sigue. Con ello trato de decir que una lectura política de *Recuento* no sería en mi opinión más pertinente que una lectura política de *Volverás a Región* o de *Reivindicación del conde don Julián;* lo que tales libros requieren, cualquiera que sea el papel que lo político tenga en sus páginas, es una lectura estética y moral, precisamente porque no se proponen ser otra cosa que una obra literaria.

No he citado al azar estos dos títulos: con dichas novelas y con *Tiempo de silencio,* de Luis Martín-Santos, *Recuento* es, en mi opinión, una de las cuatro obras más importantes de la narrativa española de posguerra. De todas ellas es *Recuento* la que más difícilmente hace visible su novedad: el patrón elegido por Goytisolo —la sucesión, y posterior intercomunicación y permuta, de grandes bloques estilísticos diferenciados— es un procedimiento de índole temporal, por oposición, no ya a la espacialidad de los microcontextos versales de *Don Julián,* sino incluso al patrón homogéneo, tan distinto, que da el tono en los casos de Benet y Martín-Santos y la diafanidad con que los incidentes de la trama, sujetos a los cauces de la narratividad usual, pueden ser captados —mientras que en *Volverás a Región* o en *Don Julián* son precisas varias lecturas para reconstruir la sucesión de los hechos—, tiene su contrapartida en la exigencia ineludible de que el lector se halle en disposición de reconocer el tránsito de un área de estilo a otra, y el sentido de sus relaciones: un arte del tiempo y de la estructura. A primera vista el género preferido de Luis Goytisolo —por lo menos el que se halla presente de modo más constante en las páginas de *Recuento*— parece ser lo que podríamos llamar la parodia impasible. Es decir, la parodia basada no en la deformación o caricaturización de los datos del caso, sino en su transcripción fidelísima y escueta, pero descontextualizada, de modo que, al aislarla de su contexto habitual y confrontarla con otros, se convierta en un ejemplo de discurso irracional bajo su apariencia o, mejor dicho, pretensión, de máxima racionalidad. Este procedimiento requiere, de una parte, capacidad singular de observación, de recreación del lenguaje hablado (es el aprendizaje del behaviorismo que presidió la anterior producción del autor, y del que aquí son clara muestra los diálogos del capítulo dedicado al campamento militar) y, de otra, aptitud para el *pastiche,* ya sea de un género literario existente o de la convención lingüística de un grupo social determinado. El área social acotada por *Recuento* es relativamente reducida (la burguesía catalana castellanizada en primer término, más algo de la ruralía y el proletariado urbano), pero en ella abundan, en cambio, los idiolectos caracterizados: el de Mr. H-Escala (todos los personajes importantes del libro tienen dos nombres; son dos, es decir, no son nadie, no poseen caracterización psicológica particular: son tipología, no individuos) es, por ejemplo, el de la línea del partido comunista español en los años cincuenta; los parlamentos de Escala son una sátira implacable, y extremadamente lograda en el plano literario, de la retórica oficial del marxismo de la época, y ello precisamente por que Goytisolo tiene buen cuidado de no ridiculizar al personaje: es la distancia entre sus palabras y la realidad, entre su designio de extrema trabazón racional, entre la estructura mental así erigida y los hechos concretos, lo que da a cada nueva intervención de Escala un carácter más delirante y fantasmagórico. La tía Montserrat, aunque formada en el falangismo, tiene un idiolecto más individualizado: no es una falangista impersonal, sino un personaje concreto, resultado de una determinada concurrencia de circunstancias; pero sus tics verbales, sus obsesiones y manías, sus giros propios terminan, como en el caos de Escala, por otorgar autonomía a su discurso. No es ya el discurso de Montserrat —personaje, por otro lado, muy bien caracterizado, a la vez ridículo, tierno y patético y, a fin de cuentas, uno de los más simpáticos del libro, quizá, con Raúl, la única excepción a la ausencia en él de individualidades definidas que apunté antes—, sino el discurso de una voz inidentificable, que podrá suplantar a la voz narradora o confundirse con ella. Pero veamos qué es aquí la voz narradora y la relación esencial que con ella guarda el empleo de lo que he llamado la parodia impasible.

En cada tramo de *Recuento* no es, sólo aparentemente, un problema saber quién está hablando. Un narrador impersonal, y diríase que colectivo, al principio y hasta el capítulo del campamento militar; no un magnetófono —como pudo decirse de El Jarama—, sino varias cintas magnetofónicas superpuestas. Pero a partir del momento en que Raúl y Aurora buscan refugio en las torres de la Sagrada Familia, irrumpe una voz extraña, alguien a quien no se había invitado y que parece incluso ajeno a las necesidades de la narración: un cicerone o un intempestivo lector de una guía histórico-monumental de Barcelona. Sucesiva o alternadamente tomará la palabra dicha voz, o la de un arqueólogo, o la de un medievalista, o la de un sociólogo; estas voces se mostrarán cada vez más indisociables de las de los hablantes del libro, ya sean éstos Escala, el padre de Raúl o la tía Montserrat, por citar sólo a algunos de los más locuaces. La diferenciación entre tales voces y las de los cicerones o eruditos del pasado barcelonés será cada vez más difícil de delimitar, en virtud de una progresiva neutralización, en las transiciones de una a otra, de las particularidades expresivas que las distingue; por lo mismo, los diversos hablantes podrán fácilmente confundirse. Así, una gran parte del libro descansará en un empleo homogéneo y constante de la parodia impasible. Como en algunos de los más logrados relatos de Nabokov —baste recordar Pale Fire o la misma Lolita—, la credibilidad (ideológica, estética e incluso factual) del narrador desaparece. El funcionamiento de la obra descansa en el divorcio entre el autor y la voz narradora, y la ironía es ininterrumpida y sistemática: los personajes o las voces hablan en serio, pero el autor no espera de nosotros que nos tomemos en serio lo que dicen, sino todo lo contrario. Los grandes períodos discursivos en que en su segunda mitad tiene tendencia a agruparse la exposición de Recuento, se configuran así como amplios segmentos paródicos de irracionalidad, de falsa racionalidad, y ello no sólo cuando hace irrupción la parodia explícita (como en la imitación de los clichés de la literatura pornográfica), sino cuando parecemos estar cerca del discurso narrativo normal; la presencia de determinadas muletillas de la conversación convencional de la burguesía (el constante recurso al «por ejemplo» o al «sin ir más lejos») o, sobre todo en el último capítulo, el empleo de amplias comparaciones, parecidas a las que gustaba de hacer Proust, pero que en vez de cumplir una función de síntesis, de raccourci, como en la Recherche, se traducen en amplificaciones e insistencias, y en último término en demoras del ritmo —es decir un uso inverso al proustiano— son algunas muestras de las distancias que el autor se toma con respecto a la voz narradora, incluso en los momentos en que ésta no cae en lo grotesco involuntario de un modo patente.

Sin embargo, y pese a que Luis Goytisolo posee quizá como ningún otro escritor peninsular actual el don de la observación y transcripción de la estupidez, lo ridículo o desaforado, la convención vacua o la incoherencia, Recuento no es ciertamente una farsa, como quizá algún lector pudiera haber inferido de la rápida caracterización que he tratado de hacer de algunos de sus procedimientos estilísticos. No lo es, ante todo, porque el procedimiento que acabo de resumir no es el único que aparece en *Recuento,* aunque domine su segunda mitad, y también porque su papel aparece subordinado a un proyecto más vasto. El tema de *Recuento* es, esquematizando, el que domina la literatura española de posguerra, y concretamente las otras tres novelas capitales de dicho período, que no guardan con ésta relación estética ninguna. Lo enuncié al principio: el conflicto del individuo y el medio. No solamente el medio social, sino la relación humana, lo exterior: crisis de la individualidad, de la familia, de la cohesión social, de la idea de comunicación y de la colectividad, que hace converger el mito psicoanalítico del claustro materno, el mito represivo de la educación familiar infantil y adolescente, el mito de la tabulación de la sexualidad, el mito del grupo humano —núcleo de amigos, partido, ciudad o nación. En *Tiempo de silencio* y *Volverás a Región* triunfan destructoramente estos últimos elementos, mientras que en *Reivindicación del conde don Julián* lo esencial es el enfrentamiento, la rebelión del individuo contra ellos, la opción transgresora; lo exterior, la contrafigura odiada, es un desdoblamiento de la individualidad del narrador, pero en su simultánea posesión profanadora (episodio de la violación) y arrasamiento (invasión de las huestes de Tariq, aniquilación de Alvarito) el narrador se libera de ella.

Dicha liberación se produce también, por otro camino, en el Raúl de *Recuento.* En los primeros capítulos la voz es colectiva, porque hasta que toma su primera decisión adulta —la entrada en el partido comunista— Raúl es uno más, un individuo como otro en un medio determinado: la infancia, el colegio, el veraneo en Vallafosca, las amistades juveniles. A partir de la adhesión al marxismo Raúl discurrirá fundamentalmente entre tres órdenes de voces: la ortodoxia que ha elegido —discursos de Escala o del padre de Leo, que son el negativo degradado de los de Escala—, la que trata de hacerle suyo, es decir, la supervivencia del núcleo familiar y social —discursos del padre o de la tía Montserrat—, y la del pasado de la colectividad, pasado al que, a diferencia del protagonista de *Reivindicación del conde don Julián,* no se enfrenta, sino que queda como asumido en él, porque responde a la vez a las dos corrientes polarizadoras que se lo disputan: las descripciones históricas y arqueológicas, urbanísticas o sociológicas, participan tanto del mundo de Escala (análisis de la historia, datos concretos) como del mundo familiar, en la medida en que la burguesía barcelonesa se inserta en este ayer y se considera su legataria. La desaparición final de todas las voces e incluso del escenario de Barcelona, sustituido por Rosas, marca el momento en que Raúl resuelve por su cuenta el problema: desde ahora ha de ser la escritura lo que dé sentido al mundo. Significativamente, Raúl llega a esta solución después de dos episodios capitales: su intervención en el asunto Plans, tras la muerte del padre de Nuria, suceso que lo convierte, objetivamente, en agente de una conducta que le hubiera sido impensable en su época de adhesión al marxismo, y su tardía segunda detención, cuando se halla ya alejado de la militancia y sólo desea romper amarras con su pasado. Es en la cárcel donde empieza a escribir. En adelante el conflicto neurótico de Raúl deberá plantearse en otros términos. Sólo dos problemas esenciales quedan para él en pie: el papel que la literatura, recién descubierta, desempeñará de modo efectivo como catalizador, y la continuidad de la relación con Nuria. La transición hacia este nuevo punto cero del protagonista viene señalada, en el terreno estilístico, por la adopción de una escritura más abstracta y metafísica, que tenderá a la divagación y a la alegoría y podrá confundirse con las propias anotaciones de Raúl para el libro que proyecta escribir. *Recuento* es el primer volumen de una serie de un ciclo de cuatro novelas; la situación final del personaje habrá de ser, sin duda, el punto de partida del título que siga.

He sintetizado, espero que no con excesiva tosquedad, lo que a mí me parece puede ser un hilo conductor de la lectura de *Recuento*. En una obra tan extensa y tan amplia en sus implicaciones, tan replegada y desplegada en correspondencias internas, en resonancias y juegos de equivalencias (véase el papel del caballo blanco, desde el que aparece en las primeras líneas hasta el «White Horse» del campamento, el caballo blanco de Santiago o el de San Jorge), sólo un detenido estudio estilístico estructural podría dilucidar el papel, la proporción y los contagios de los distintos niveles de estilo. Aquí me he propuesto únicamente indicar algunas pistas o vías de lectura y dar idea de ciertas líneas de fuerza de la obra. Verdaderamente definible como *work in progress, Recuento* cuenta con la temporalidad, con el recurso de la lectura, para hacerse ante los ojos del lector, para configurarse o encarnar en diversas entidades estéticas sucesivas. Relato de un itinerario, de una recapitulación —de ahí el título, voluntariamente ambiguo por lo demás, que remite también a la noción del relato, de *racconto*—, la novela es en sí misma un itinerario: itinerario hacia la identidad de Raúl, itinerario hacia la formulación estética que englobe y cohesione los distintos estilemas procedentes. Luis Goytisolo ha conseguido no sólo la obra maestra que de él cabía esperar desde *Las afueras,* sino una de las novelas más importantes de la literatura castellana de las últimas décadas.

[*Plural,* México, número 36, septiembre, 1974; páginas 80-83.]

CARMEN MARTIN GAITE

LA SAGA/FUGA DE J. B.

Al acabar las 585 páginas de letra pequeñita que constituyen el texto —o, por mejor decir, el laberinto de textos— de esta impar novela que me atrevo a llamar «de magia», sale uno a la vida cotidiana con una mezcla de aturdimiento y fascinación comparable a la que de niños invadía nuestro ánimo en las ferias al salir de la casa de las brujas, que no sabría uno decir si miraba de nuevo la luz de la calle con desencanto o con alivio ni si las cosas que le parecían creíbles eran ya las de fuera o las de dentro. Y en el caso de que, recién abandonado aquel inquietante recinto, algún niño de los que afuera aguardaban turno para entrar nos preguntase, movido de ese afán de informes previos, tan frecuente como pernicioso para la disponibilidad de la fantasía, «Oye, ¿qué es lo que hay?», no sería posible responderle más que diciendo, «Entra y lo verás». De la misma manera, resulta punto menos que imposible hacer de esta novela extracto alguno para el aficionado ansioso de resúmenes, y de antemano aviso a aquél que acostumbre sólo a hojear los libros o a decirse enterado de su contenido por referencias ajenas que desista de la pretensión de acceder a las sorpresas que encierra Castroforte de Baralla, lugar donde se sitúa este relato singular, porque es un premio únicamente deparado a quienes se entregan sin prisa y con atención al entramado de crónicas y testimonios, muchas veces contradictorios, casi siempre inventados, que poco a poco nos van dando noticia de él. Noticia, por otra parte, imprecisa y a cada momento cuestionable, ya que viene a ser puesta continuamente en entredicho por la sucesión de nuevas puntualizaciones, datos y testimonios. Castroforte de Baralla va surgiendo así de entre la niebla que sube al atardecer de los dos ríos que la circundan, niebla gris la del Baralla, azulada la del Mendo, y se va perfilando titubeante, trabajosamente a los ojos del lector como un dibujo de nubes cambiantes en perpetua rectificación. ¿Cuándo nos atreveremos a decir que hemos tomado conciencia de la real esencia de esta ciudad condenada a buscarse a sí misma? Tal vez en las últimas páginas, cuando tiene cumplimiento el prodigio —profetizado en diversas ocasiones a lo largo del texto— de su levitación, ascenso y desaparición por los aires; pero estas últimas páginas, sin haber pasado por la confusión y la congoja de todas las pesquisas anteriores, sin haber asumido paso a paso y hasta el fondo la tendencia al ensimismamiento de esta ciudad que vivía empantanada, de espaldas al mundo, sería un mero detalle argumental, no tendría la fuerza de catarsis que tiene. Lo siento, pero debo repetirlo, no hay más remedio que estar a las duras y a las maduras y leer la novela. Que tiene sus «duras», qué duda cabe, y en muchas ocasiones desespera. Como desespera entregarse en cuerpo y alma al esclarecimiento de cualquier proceso embarullado; el que carezca de dos pasiones fundamentales para este tipo de empresas, a saber, la paciencia y la curiosidad, mejor sería que este libro no lo compre, sobre todo porque a la complicación que tiene ya de por sí la historia misma se ha añadido el deliberado y diabólico designio de despistar que tiene desde el principio el verdadero artífice de ella, Gonzalo Torrente Ballester, el cual, desparramándose y fragmentándose entre todos los pseudocronistas que aparentemente levantan la construcción, se ha divertido como dios y jefe de todos ellos, descolocando a propósito las piezas de este rompecabezas gratuito, de esta sinfonía disparatada. Y, naturalmente, sólo logra divertir al que se coge fuerte de su mano y le dice: «¿Qué te crees, que ibas a divertirte tú sólo, olvidándote del lector? Pues nada de eso, te sigo, aquí voy contigo, me lleves donde me lleves.» Y desde luego, el premio se lo merece, pero repito que requiere un esfuerzo.

Castroforte de Baralla empieza por ser una ciudad que no se sabe si existe o no; por de pronto no consta en papeles, la Administración Central —y esto desasosiega y enardece a sus vecinos— se niega por unas razones o por otras a registrarla legalmente, frente a la entidad legal que le es reconocida a su rival y vecina Villasanta de la Estrella. Podría decirse que toda la novela no es sino un empeñado y prolijo proceso de husmeo acerca de la realidad y existencia de la villa como colectividad humana, como accidente geográfico, como comunidad de hablantes, como escenario de hechos históricos. Y así, a través de las discusiones y los comportamientos de los desorientados castroforteños —los cuales a su vez tampoco están muy seguros de existir como individualidades separadas—, a través de la revisión de una serie de mitos inherentes al pueblo y arraigados en él, a través de una puesta en cuestión de los métodos habituales de la filología, el materialismo dialéctico, el psicoanálisis y la investigación histórica, donde no se deja —burla burlando— títere con cabeza, Gonzalo Torrente Ballester nos va metiendo en el alma a este pueblo perdido y fantástico, grotesco y desvalido, testarudo, ávido de encontrar y perseguir su propia identidad.

Es muy curioso que un libro tan inverosímil y absurdo, donde no rige más norma que la confusión, donde ni el tiempo, ni el espacio, ni las personas son respetados, donde hasta un loro puede ser admitido por testigo, donde personajes históricos como Pedro Abelardo, Castelar o Valle-Inclán irrumpen en la narración como Pedro por su casa, pueda destilar, sin embargo, tanto realismo y actualidad, llegar a ser un trasunto tan fidedigno de ese patético afán por destacar, por disputarle a los demás un sitio; por encontrar un eco para la voz abocada al silencio, llegar a constituir, en fin, un retrato tan límpido y certero de una ciudad de provincias, tal vez incluso de la enorme ciudad de provincias que es España toda. Los chismes y emulaciones, la tristeza sin cuento de las solteronas, la desazón de las mozas, el estancamiento de la industria, la influencia implacable del clero local, los personajes solitarios paseándose por calles y plazas donde resuenan los pasos, las ensoñaciones y deseos fallidos, las piruetas verbales en la tertulia de hombres solos, todo eso forma como el *humus* de donde se alimenta esta disparatada saga, cuyas regocijantes frondas, por contraste, son el ritual del Palanganato, el acarreo del Cuerpo Santo Iluminado, la feroz pelea entre lampreas y estorninos y tantas otras invenciones literarias de primera calidad. Para mí (y no sé si también para el autor o *malgré lui*), en *La saga/fuga de J. B.* se presenta una muestra patente de aquello que Unamuno llamaba la intrahistoria, es decir, de ese cotidiano y trabajoso perdurar de los pueblos de espaldas y a contrapelo de sus gloriosos hechos de armas, vacíos de estímulos, obligados a apoyar su escaso aliento con el recurso de la adhesión ciega a unos mitos del pasado que se tienen por incontestable sustento de la propia esencia.

Desde un punto de vista estilístico, el libro se atiene a una técnica de deliberado desorden encaminada a hacer perder la noción del tiempo, es decir, a dar fe de la falacia e inoperancia del tiempo que transcurre en Castroforte, al mezclar sin solución de continuidad episodios remotos, presentes e incluso del futuro. En cuanto al expediente —tan clásico por otra parte— de introducir la narración dentro de la narración, está llevado a tal extremo de ramificaciones, que todo el libro no es sino un hojaldre de testimonios superpuestos, una rueda de consejas, canciones, leyendas y anécdotas traídas de boca en boca hasta las páginas que las acogen, un ciclo inacabable de historias contadas por quienes las oyeron contar, recontadas y transformadas luego por otros que las oyeron contar de manera distinta. Los protagonistas de la historia son otros tantos informantes y su fundación fundamental es la de aportadores de datos, la de subnarradores. Aunque también a su vez, claro, son receptores de la palabra ajena, que transforman y discuten. Uno de ellos, Reboiras, dice así en un determinado momento, hablando del desorden de uno de estos testimonios: «...La confusión con que lo ha contado corresponde a la confusión de los hechos mismos. No voy a entrar en una crítica de fondo, porque si aplicamos el sentido lógico a la realidad, o destruimos la realidad o el sentido lógico y a mí me va muy bien llevando a cada uno por su lado». Esta frase me parece bastante indicativa de la propia técnica de Torrente Ballester. Como consecuencia de esta confusión y desorden, el lector debe resignarse a ir al vaivén que le van imprimiendo entre unos informantes y otros. Y así cuando llega a tener memoria de Coralina Soto, del vate Barrantes o de cualquier otro de los personajes que en Castroforte se sacan continuamente a relucir, no puede estar seguro de haber apresado su perfil definitivo, lo siente como un dibujo conseguido a base de pasar muchas veces sobre él la goma de borrar, amenazado siempre de nuevas revisiones.

En cuanto a la invención más genuina del libro, la de la transmigración de personalidad, que ocupa por entero la última parte de él, hay que decir ante todo que ya el mismo Torrente Ballester, hace un puñado de años, en uno de sus mejores libros, el *Don Juan*, había ensayado con gracia y fortuna este recurso literario, aun cuando quizá no lo hubiese apurado tan hasta el fondo como en este viaje del conmovedor e inefable José Bastida a través de los cuerpos y las almas de todos sus paisanos ilustres, tocayos de inicial en nombre y apellido, es decir, a través de todos los J. B. de Castroforte, la dilucidación de cuya esencia es una preocupación constante del autor.

Es una novela, en suma, donde empezando por el tiempo y acabando por la identidad personal, se pone en tela de juicio absolutamente todo. Hasta la propia novela que se está escribiendo, que al final, hacia la página 563, toma un inesperado sesgo de reflexión sobre sí misma y se declara gratuita, casual, abierta, apta para ser rectificada, tachada, escrita de otro modo. Yo tengo para mí que en el fondo se trataba de una nostalgia del propio escritor al ver que se le acababa la diversión porque la estaba terminando y hubiera querido empezarla otra vez.

Para terminar diré que *La saga/fuga de J. B.*, al igual que otras novelas de Gonzalo Torrente Ballester, uno de los escritores más inteligentes de nuestra época, está contada en un castellano magistral y que su lectura constituye un auténtico gozo.

[*Cuadernos para el Diálogo*, núm. 118, julio de 1973.]

ROBERT C. SPIRES

EL PAPEL DEL LECTOR IMPLICITO EN LA NOVELA ESPAÑOLA DE POSGUERRA

La mayoría de los estudios de la novela española de posguerra la clasifica o como existencialista o social[1]. Tales clasificaciones —con sus variaciones y subdivisiones— sirven en parte para definir la trayectoria temática de la novela española de esta época, pero no explican satisfactoriamente la cuestión de las técnicas artísticas ni de la experiencia personal creada. El concepto del lector implícito es tal vez el mejor método para enlazar lo artístico con lo personal para añadir una nueva dimensión a nuestra concepción de la trayectoria de la novela española de posguerra.

Wolfgang Iser define el concepto del lector implícito del modo siguiente: «This term incorporates both the prestructuring oh the potential meaning by the text, and the reader's actualization of this potential through the reading process»[2]. O sea, una dimensión fundamental de cada obra literaria es la caracterización o explícita o

---

[1] Véase el excelente estudio de Gonzalo SOBEJANO, *Novela española de nuestro tiempo*, Madrid, Prensa Española, 2.ª ed., 1975. Véase también, Pablo GIL CASADO, *La novela social española*, Barcelona, Seix Barral, 3.ª ed., 1973; Gemma ROBERTS, *Temas existenciales en la novela española de postguerra*, Madrid, Gredos, 1973; M. GARÍA-VIÑÓ, *Novela española actual*, Madrid, Prensa Española, 2.ª ed., 1975; Antonio IGLESIAS LAGUNA, *Treinta años de novela española: 1938-1968*, Madrid, Prensa Española, 1970; Fernando MORÁN, *Novela y semidesarrollo*, Madrid-Taurus, 1971; José CORRALES EGEA, *La novela española actual (ensayo de ordenación)*, Madrid, Cuadernos para el Diálogo, 1971, y Eugenio G. DE NORA, *La novela española contemporánea*, Madrid: Gredos, 1970, III. Para una crítica de estos estudios y otros sobre la novela española contemporánea, véase Santos SANZ VILLANUEVA, *Tendencias de la novela española actual (1950-1970)*, Madrid, Cuadernos para el Diálogo, 1972, pp. 20-36.

[2] *The Implied Reader: Patterns of Communication in Prose Fiction from Bunyan to Beckett*, Baltimore, Johns Hopkins University Press, 1974, p. xii. Walter J. Ong, S. J., «The Writer's Audience Is Always a Fiction», *PMLA*, XC, January, 1975, 9-21, trata el concepto de un modo parecido. A mi modo de ver la mejor explicación de la base fenomenológica de este concepto es la de Félix MARTÍNEZ BONATI, *La estructura de la obra literaria*, Barcelona, Seix Barral, 2.ª ed., 1973, pp. 53-81.

16

implícita de un lector ideal y la naturaleza de esta caracterización determina nuestra participación en la obra. Aunque en algunas novelas el narrador caracteriza a su lector y el papel que debe hacer por medio de una comunicación directa con él —característica típica de la novela decimonónica por ejemplo— sobre todo en la novela contemporánea el proceso suele ser indirecto; el papel del lector es determinado por la estructura narrativa y ésta forma la clave no sólo a nuestro entendimiento de la obra sino a nuestra experiencia personal. Con un breve análisis de la estructura narrativa de novelas representativas de las tres décadas a partir de la guerra civil —*La familia de Pascual Duarte* (1942), *El Jarama* (1956) y *Tiempo de silencio* (1962)— espero demostrar cómo el papel del lector implícito cambia de una década a otra, y cómo refleja en cada caso no sólo un propósito existencialista o social, sino un modo distinto de aprehender la existencia humana.

El efecto de la estructura narrativa de *La familia de Pascual Duarte* es hacer que el lector se identifique con el protagonista en su enfrentamiento con el mundo de la posguerra inmediata[3]. La historia del narrador-protagonista Pascual —la cual es básicamente una explicación de cómo llegó a matar a su propia madre— tiene como marco estructural varios documentos adjuntados por un transcriptor ficticio. Mediante esta combinación de documentos e historia personal se crea para el lector una sensación estética idéntica a la experiencia del protagonista.

Tradicionalmente, el recurso de un editor que explica y documenta la autenticidad de un manuscrito sirve para crear confianza en el lector; se le invita a aceptar la ficción como realidad y a buscar clarificación o explicación en las palabras del editor. Camilo José Cela trastorna el efecto cuando emplea este recurso para crear dudas en el lector, lo cual forma la clave a la experiencia entera de la novela.

La implantación de dudas en el lector empieza con la nota introductora del transcriptor en que explica cómo encontró las memorias de Pascual y por qué las publica. Como parte de su explicación afirma su fidelidad como editor: «... no he corregido ni añadido ni

---

[3] Hay algo de una polémica sobre si esta novela es social o existencialista. Véanse por ejemplo, Gonzalo SOBEJANO, «Reflexiones sobre *La familia de Pascual Duarte*», *PSA*, XLVIII, enero 1968, 19-59; José María CASTELLET, «Iniciación a la obra narrativa de Camilo José CELA», *RHM*, XXVIII, abril-octubre 1962, 107-150; Alonso ZAMORA VICENTE, *Camilo José Cela: acercamiento a un escritor*, Madrid, Gredos, 1962; Paul ILIE, *La novelística de Camilo José Cela*, Madrid, Gredos, 1963; y Robert KIRSNER, *The Novels and Travel of Camilo José Cela*, Chapel Hill: The University of North Carolina Press, 1963.

una tilde, porque he querido respetar el relato hasta en su estilo»[4]. Pero entonces en la próxima frase nota: «He preferido en algunos pasajes demasiados crudos de la obra, usar de la tijera y cortar por lo sano» (p. 4). Esta declaración, junto con una explicación anterior de que tenía que traducir gran parte del manuscrito porque era punto menos que ilegible y de que él mismo tenía que poner en orden las páginas porque iban sin numerar, forman una violenta contradicción con su afirmación de la fidelidad del manuscrito. De modo que la última frase de esta nota. «Pero dejemos que hable Pascual Duarte, que es quien tiene cosas interesantes que contarnos» (p. 5), es un desafío directo a la credulidad del lector. No puede saber éste cuáles son las palabras de Pascual y cuáles las del transcriptor, y además tiene que sospechar de los motivos del transcriptor al presentar las memorias.

Las dudas creadas en el lector en cuanto a la fidelidad del transcriptor y del manuscrito se intensifican cuando el lector lee los documentos adjuntados. El testamento de don Joaquín, el recipiente original de las memorias, ofrece un ejemplo de cómo estos supuestos documentos añaden a la creación de dudas. Inmediatamente después de una frase en que don Joaquín le da al que descubra las memorias el derecho condicional de disponer de ellas, hay una línea de puntos suspensivos que borran la condición. Considerando el comentario del transcriptor sobre las tijeras, se supone que los puntos suspensivos indican pasajes censurados. Sin embargo, un testamento no debe contener materia ofensiva —que según el transcriptor es lo que eliminó— y así el lector tiene motivo de sospechar del derecho del transcriptor de publicar estas memorias y claro, de su propósito. Aunque aparentemente el transcriptor se ha quitado y le ha dado la palabra a don Joaquín, los puntos suspensivos son un inicio dramático de la influencia de este editor ficticio sobre todo lo que lee el lector.

De un modo igual las cartas que cuentan los últimos días de Pascual contribuyen al sentido de inseguridad del lector. La primera, escrita por un cura del presidio, alaba el sincero arrepentimiento de Pascual y su autor cita las últimas palabras del criminal, « ¡Hágase la voluntad del Señor! » (p. 127), como testimonio de su sinceridad. La segunda, escrita por un guardia, le da al lector una interpretación opuesta del carácter de Pascual. Este testigo de los últimos días de Pascual le considera un criminal típico y cita las mismas palabras finales como prueba de su hipocresía. Por yuxtaponer estas dos interpretaciones opuestas, el transcriptor otra vez le ha quitado

_____
[4] Camilo José CELA, *La familia de Pascual Duarte,* New York: Appleton-Century-Crofts, 1961, p. 4. Se indicará en paréntesis la página de todas las siguientes citas a esta obra.

al lector cualquier modo de formar un juicio sobre Pascual basado en evidencia extrínseca. Cuando el transcriptor comenta al final de las dos cartas, «¿Qué más podría yo añadir a lo dicho por estos señores?» (p. 130), sólo da énfasis a su función irónica a lo largo de la novela. En efecto ha destruido sistemáticamente el concepto de autoridad editorial como base de confianza y seguridad para el lector. La duda creada mediante este marco editorial complementa la creada por las memorias mismas.

El papel de Pascual como narrador de su propia vida también produce un efecto irónico. En una carta explicando a don Joaquín el motivo por escribir sus memorias, Pascual se disculpa humildemente por dirigirse a un hombre de la categoría de don Joaquín, y explica que las memorias representan un acto público de confesión y arrepentimiento. Sin embargo, su método de contar su historia contradice su declarado propósito. Por ejemplo, al principio de su historia Pascual, al hablar de su pueblo, explica: «Era un pueblo caliente y soleado, bastante rico en olivos y guarros (con perdón)» (p. 11). El uso de «con perdón» parece sugerir que Pascual teme ofender a su estimado lector don Joaquín con la palabra «guarros». Pero, un poco más tarde, al contar la tragedia que le ocurrió a su hermanito, Pascual dice: «...la suerte se volvió tan de su contra que, sin haberlo buscado ni deseado, sin a nadie haber molestado y sin haber tentado a Dios, un guarro (con perdón) le comió las dos orejas» (p. 34). El choque entre la exagerada cortesía del hablante al usar la palabra «guarro» y el tono impertinente al contar un hecho tan horrible, sugiere que se burla de don Joaquín, su destinatario aristocrático. Hay tantos casos irónicos de esta índole que llega a ser obvio que Pascual sí se burla de los valores de don Joaquín, y sólo al final se quita Pascual su máscara piadosa y admite que el matricidio fue una necesidad existencial: «Pensé cerrar los ojos y herir. No podía ser; herir a ciegas es como no herir, es exponerse a herir en el vacío. Había que herir con los ojos abiertos, con los cinco sentidos puestos en el golpe» (p. 121).

El efecto final de estos recursos sobre el lector es el de obligarle a compartir con Pascual una sensación de confusión debida a la destrucción de valores tradicionales. La duda creada por medio del marco editorial, y por medio de la ironía de Pascual mismo, destruye el concepto de autoridad y seguridad y de este modo crea para el lector una experiencia estética que refleja exactamente lo que experimenta Pascual en el mundo de posguerra. Así cuando Pascual da muerte a su madre con «los cinco sentidos puestos en el golpe» en un esfuerzo por imponerse sobre las circunstancias que dictan su existencia, el lector comparte la necesidad de este acto de autoafirmación existencial [5]. ¿Qué otro remedio tiene frente a un mundo absurdo de censura arbitraria e hipócritas contradicciones morales?

En contraste con la estructura narrativa de *La familia de Pascual Duarte* que sirve para hacerle al lector entrar en el mundo ficticio y compartir la experiencia del personaje, la de *El Jarama* sirve para hacerle al lector separarse de los personajes y elevarse sobre el mundo ficticio presentado [6]. La novela se divide en dos componentes estructurales: una documentación de la realidad de aquel entonces (los diálogos), y una interpretación poética de ella (las descripciones). La dinámica de la obra surge de la participación alternante del lector en estos dos planos miméticos, lo cual le revela la necesidad de trascender la realidad vulgar para enfrentarse con la cuestión de su propia existencia.

El lector se encuentra con esta dicotomía mimética desde el principio cuando el narrador presenta lo que observa uno de los clientes de la taberna donde ocurre parte de la acción: «En el rastrojo se formó un remolino de polvo de las eras, al soplo de un airecillo débil que arrancaba rastrero entre el camino y la tapia; un remolino que bailó un momento, como un embudo gigante, en el marco de la puerta, y se abatió allí mismo, dejando dibujada en el polvo su espiral. "Se ha levantado aire —dijo Lucio—"» [7]. La diferencia entre lo que siente el lector al leer la descripción («remolino», «embudo gigante» y «espiral» son todas imágenes siniestras que parecen representar una trampa) y la reacción del personaje («se ha levantado aire») forma el primer paso en la creación de distancia entre lector y personajes. Es una distancia basada en la yuxtaposición de la escasez expresiva por parte del personaje frente a la fuerza creativa del lenguaje descriptivo.

Tras una serie de imágenes descriptivas semejantes, el lector no puede menos de sentir la presencia de una fuerza amenazante dentro de la monotonía de este domingo veraniego. Con la llegada de unos jóvenes madrileños para pasar el día nadando en el río, el peligro se concreta para el lector pero Lucio se queda ciego a los signos afectivos de la naturaleza: «Lucio los vio perfilarse uno a

[5] J. S. BERNSTEIN, «Pascual Duarte and Orestes», *Symposium*, XXII, Winter 1968, ve el matricidio como un simbólico ataque sexual sobre la madre.

[6] Para más ideas sobre la estructura de esta novela véanse: Darío VILLANUEVA, «*El Jarama*» de Sánchez Ferlosio: estructura y significado, León, Universidad de Santiago de Compostela, 1973; Edmund RILEY, «Sobre el arte de Sánchez Ferlosio: Aspectos de *El Jarama*», *Filología*, IX, 1963, 211-221; José SCHRAIBMAN y William T. LITTLE, «La estructura simbólica de *El Jarama*», PQ, LI, January 1972, 329-342; y Michael THOMAS, «Myth and Archetype in the Contemporary Spanish Novel, 1956-1970: A Study of Changing Novelistic Techniques», unpbl. diss., University of Kansas, 1975.

[7] Rafael SÁNCHEZ FERLOSIO, *El Jarama*, Barcelona, Destino, 1967, p. 13. Se indicará en paréntesis la página de todas las siguientes citas a este texto.

uno a contraluz en el umbral y torcer a la izquierda hacia el camino. Luego quedó otra vez vacío el marco de la puerta; era un rectángulo amarillo y cegador. Se alejaron las voces» (p. 24). El verbo «perfilarse», el adverbio «a la izquierda» (con su raíz «siniestra») y el pretérito absoluto («se alejaron las voces») deben sugerir para el lector, ya atento a la expresividad del lenguaje descriptivo, lo transitorio y lo peligroso. En efecto el marco de la puerta llega a representar metafóricamente la temporalidad de la vida y cuando queda vacío dejando una luz amarilla y cegadora, el lector debe prever un fin trágico para estos madrileños. Pero el observador-personaje no comparte tal temple de ánimo: « ¡La juventud, a divertirse! —dijo Lucio—; están en la edad. Pero qué fina esta otra de pantalones; ésa sí que tiene sombra y buen tipo, para saber llevarlos» (p. 25). Lucio se queda tan inmerso en lo pedestre de su existencia que es incapaz de aprehender lo afectivo —lo verdaderamente humano— de la realidad que le rodea. El efecto sobre el lector es distanciarle del personaje y hacerle afirmar su propia sensibilidad frente a la insensibilidad de esta generación de gente resignada a su propia pequeñez.

A pesar de representar las víctimas potenciales de esta fuerza misteriosa, la falta de perceptibilidad de los jóvenes es igual a la de los pueblerinos. Mientras progresa la novela las imágenes se vuelven cada vez más amenazantes para el lector, pero los jóvenes, quienes observan las mismas escenas, se niegan a reconocer cualquier fenómeno sensible: «Ya sí que cae la noche —añadió [Daniel]—. Se echó encima de veras. Desde el suelo veía la otra orilla, los páramos del fondo y los barrancos ennegrecidos, donde la sombra crecía y avanzaba invadiendo las tierras, ascendiendo las lomas, matorral a matorral, hasta adensarse por completo: parda, esquiva y felina oscuridad, que las sumía en acecho de alimañas. Se recelaba un sigilo de zarpas, de garras y de dientes escondidos, una noche olfativa, voraz y sanguinaria, sobre el pavor de indefensos encames maternales; campo negro, donde el ojo de cíclope del tren brillaba como el ojo de una fiera» (p. 227). Lo que es sólo la caída de la noche para Daniel representa para el lector el acercamiento inexorable de un animal dañino o aun peor, de un monstruo. Además, la referencia a «indefensos encames maternales» le hace al lector pensar en las chicas, y más específicamente en Luci, ya caracterizada por los otros como «la más inocente de todas» (p. 72)[8]. Y es precisamente Luci la que reacciona primero a esta visión diciendo: «Bueno, cuéntame algo» (p. 227). La ceguera de Luci a la realidad afectiva que tiene por delante no sólo la condena a un accidente trágico (se aho-

---

[8] RILEY (op. cit., nota 6) señala esta conexión en su excelente análisis de la novela.

ga en el río), sino que refleja la trágica condición de todos los personajes atrapados en su existencia sin trascendencia. Así mientras la sucesiva muerte de Luci es una tragedia básicamente egoísta para sus compañeros o un suceso anecdótico para todos los pueblerinos menos uno —un ridículo tipo nombrado con el apodo «el hombre de los zapatos blancos» o sólo «el hombre de los z. b.», quien al oír la noticia vomita— [9] para el lector representa la universal tragedia del hombre temporal frente a las fuerzas atemporales del universo. Este contraste entre la reacción del lector y la de los personajes forma la culminación al proceso de distancia creada por la estructura de la novela.

Aunque se suele clasificar *El Jarama* como novela social, su verdadero valor consiste en su habilidad de hacerle al lector experimentar activamente la esencia de una sociedad estancada y buscar su propio remedio. Gracias a la yuxtaposición de los dos planos miméticos, el lector debe llegar a la conclusión de que a lo mejor la única defensa contra lo pedestre de la existencia es la capacidad sensible del ser humano.

Mientras la estructura narrativa de *La familia de Pascual Duarte* sirve para hacerle al lector compartir la experiencia de Pascual y la de *El Jarama* sirve para hacerle trascender la experiencia de los personajes, la estructura narrativa de *Tiempo de silencio* combina estos dos efectos [10]. Mediante la combinación de un narrador omnisciente y un narrador-personaje, el lector experimenta alternativamente la sensación de alejamiento y la de participación inmediata. El alejamiento le permite observar las fuerzas sociales que determinan el modo de ser del individuo, y la identificación le obliga a compartir en el nivel subconsciente el efecto de estas fuerzas sobre el individuo.

En contraste con la técnica de una cámara cinematográfica, la cual mejor define al narrador de *El Jarama,* el narrador de *Tiempo de silencio* no deja de interrumpir con su propia voz para comentar la situación. Su acto de comentar es un tipo de comunicación directa con el lector a fin de plantearle el problema en términos generales: «De este modo podremos llegar a comprender que un hombre es la imagen de una ciudad y una ciudad las vísceras puestas al revés

---

[9] RILEY ofrece una penetrante explicación de la función de este personaje como reflejo de la experiencia del lector.

[10] Para los mejores estudios analíticos de *Tiempo de silencio,* véanse Juan VILLEGAS, «La aventura en un mundo mitificadamente desmitificado: *Tiempo de silencio* de Luis Martín-Santos» en *La estructura mítica del héroe,* Barcelona: Planeta, 1973, pp. 204-230; José SCHRAIBMAN, «Notas sobre la novela española contemporánea», *RHM,* XXV, enero-abril 1969, 113-121; Juan Carlos CURUTCHET, «Luis Martín-Santos, el fundador», *Cuadernos de Ruedo Ibérico,* números 17, pp. 3-18 y 18, pp. 3-15, 1968; y Walter HOLZINGER, «*Tiempo de silencio*: An Analysis», *RHM,* XXXVII, 1972-73, 73-90.

de un hombre, que un hombre encuentra en su ciudad no sólo su determinación como persona y su razón de ser, sino también los impedimentos múltiples y los obstáculos invencibles que le impiden llegar a ser»[11]. Esta influencia de la sociedad sobre el individuo no sólo forma el tema principal de la novela, sino que refleja su estructura básica. El narrador omnisciente pinta un cuadro general de una sociedad inflexiblemente conformista y deshumanamente pseudo-técnica. El uso del protagonista como narrador primera persona convierte lo general en lo personal, haciéndole al lector partícipe en un proceso de desintegración psíquico-espiritual de un individuo de esta nueva sociedad española.

La novela empieza con una presentación directa del punto de vista del protagonista Pedro, investigador de cáncer en unos ratones importados de Illinois: «Sonaba el teléfono y he oído el timbre. He cogido el aparato. No me he enterado bien. He dejado el teléfono. He dicho: 'Amador'. Ha venido con sus gruesos labios y ha cogido el teléfono. Yo miraba por el binocular y la preparación no parecía poder ser entendida. He mirado otra vez: 'Claro, cancerosa'. Pero, tras las mitosis, la mancha azul se iba extinguiendo. 'También se funden estas bombillas, Amador'. No; es que ha pisado el cable. '¡Enchufa!' Está hablando por teléfono. 'Amador!' Tan gordo, tan sonriente. Habla despacio, mira, me ve» (p. 7). La índole confusa de este pasaje se debe al hecho de que Pedro parece ver todo como un ordenado sistema de causa y efecto. O sea, el lector, mirando por los ojos de Pedro, tiene la sensación de observar las actividades del laboratorio como si fueran mitosis vistas por un microscopio.

Pero cuando el asistente Amador declara que se han muerto todos los ratones —aparentemente éste ha sido el mensaje telefónico— el lector se enfrenta de repente con una nueva voz: «El retrato del hombre de la barba, frente a mí que lo vio todo y que libró al pueblo ibero de su inferioridad nativa ante la ciencia, escrutador e inmóvil, presidiendo la falta de cobayas. Su sonrisa comprensiva y liberadora de la inferioridad explica —comprende— la falta de crédito. Pueblo pobre, pueblo pobre. ¿Quién podrá nunca aspirar otra vez al galardón nórdico, a la sonrisa del rey alto, a la dignificación, al buen pasar del sabio que en la península seca, espera que fructifique los cerebros y los ríos. ...El terebrante husmeador de la realidad viva con ceñido escalpelo que penetra en lo que se agita y descubre allí algo que nunca vieron ojos no ibéricos» (pp. 7-8). El tono irónico y la índole conceptual de este pasaje contrastan con la sencillez mecánica del anterior. La clave está en la referencia al

---

[11] Luis MARTÍN-SANTOS, *Tiempo de silencio*, Barcelona: Seix Barral, 1969, página 16. Se indicará en paréntesis la página de todas las siguientes citas a este texto.

hombre barbudo. Por lo visto se refiere a Santiago Ramón y Cajal, el español que en 1906 ganó el premio Nobel por su estudio del sistema nervioso. Pedro, al mirar el retrato de este famoso investigador, parece proyectarse en él y se observa escépticamente a sí mismo como otra persona («el terebrante husmeador de la realidad viva»). La mezcla de las dos voces sugiere una división de la psique de Pedro: una parte es el científico mecánico que aspira a la gloria mientras la otra parte de su ser —revelada mediante la segunda voz— se burla de los esfuerzos de él y de sus compatriotas por imitar los éxitos científicos de países como los Estados Unidos. Al encontrarse con estas dos voces distintas, el lector comparte estéticamente la autoenajenación de que sufre Pedro[12].

Los acontecimientos que dan lugar a la encarcelación de Pedro —trató de darle atención médica a una chica pero fracasó y ella se murió— solamente corroboran su sensación de autoenajenación y de no existir. Es dentro de la cárcel donde Pedro por fin reconoce y acepta las dos facetas conflictivas de su ser. Tal como el caso del retrato de Ramón y Cajal, su psique se separa por medio de su contemplación de un objeto —en este caso una mancha de la pared que con su imaginación convierte en sirena: «Siempre he sido mal dibujante—. Tiene una cola corta de pescado pequeño. No es una sirena corriente. Desde aquí, tumbado, la sirena puede mirarme. Estás bien, estás bien. No te puede pasar nada. Se tienen que dar cuenta de que tú no has hecho nada. Está claro que tú no has hecho nada» (p. 176). El uso de la segunda persona refleja un cambio significativo dentro de Pedro. En vez de verse como otro —el uso de la tercera persona en el ejemplo del retrato de Ramón y Cajal— ahora se ve de un modo más íntimo y como consecuencia hay una falta de ironía. Pero mientras sigue mirando, la mancha se trastorna: «...va tomando forma semihumana y que acompaña porque llega un momento en que toma expresión, va llegando un momento en que toma forma y llega por fin un momento en que efectivamente mira y clava sobre ti —la sirena mal dibujada— sus grandes, húmedos ojos de muchacha y mira y parece que acompaña» (p. 177). La metamorfosis de la sirena en muchacha y la repetición de la frase «que acompaña» sugieren un reconocimiento de valores humanos y así le permiten al lector sentir la culpabilidad que Pedro ha suprimido hasta ahora. Aunque técnicamente inocente de la muerte de la chica, Pedro sí tenía la culpa de reducir a un ser humano

---

[12] Aunque HOLZINGER (op. cit., nota 10) también nota la relación narrador-personaje que he trazado, él ve menos complejidad en el carácter de Pedro: «Pedro's visión, however, is essentially limited to his scientific vocation and does not include himself within the scope of his own irony», p. 76.

a la categoría de una cobaya, pues su único motivo al tratar de ayudarla fue averiguar si se había contagiado de cáncer por su contacto con los ratones que su padre había robado al laboratorio. («¡Oh qué posibilidad apenas sospechada, apenas intuible, reverencialmente atendida de que una —con una bastaba— de las mocitas púberes toledanas hubiera contraído, en la cohabitación de la chabola, un cáncer inguinoaxilar totalmente impropio de su edad y nunca visto en la especie humana...», p. 29.) Este crimen contra la humanidad fue cometido por el científico vanaglorioso; se hizo posible el crimen mediante la distancia creada y mantenida por su escéptico ser contemplativo.

El reconocimiento de su culpa da lugar a un cambio en su actitud hacia la ciencia que adoraba: «...el laboratorio es como una gran cafetería sonriente donde el cáncer se descompone al tocarlo, como si fuera aicecrim con soda» (p. 178). El próximo paso es una afirmación de su libertad psíquica: «Ahora vivo más. La vida de fuera está suspendida con todas sus cosas tontas. Han quedado fuera. La vida desnuda. El tiempo, sólo el tiempo llena este vacío de las cosas tontas y de personas tontas. Todo tiene que resbalar, resbala sobre mí, no sufro, no sufro nada absolutamente. Cualquiera pensará que estaré sufriendo. Pero yo no sufro. Existo, vivo» (p. 179). Por lo visto se han fundido la tercera y segunda personas en un YO unificador [13]. Sin embargo, hay una nota forzada en la idea de libertad dentro de una cárcel y el YO afirmador se rinde otra vez a un nuevo TU cónico: «Tienes libertad para elegir el dibujo que tú quieres hacer porque tu libertad sigue existiendo también ahora. Eres un ser libre para dibujar cualquier dibujo o bien hacer una raya cada día que vaya pasando como han hecho otros, y cada siete días una raya más larga, porque eres libre de hacer las rayas todo lo largas que quieras y nadie te lo puede impedir... ¡Imbécil!» (p. 180). La apariencia de este TU cínico le hace al lector sentir lo absurdo de una libertad psíquica dentro de una sociedad dedicada a quitarle libertad al individuo. Así la novela termina con la dominación de este TU cínico que le manda a Pedro —libre ya de su encarcelación física pero capado espiritualmente— que vaya a un pue-

---

[13] Este proceso que hemos observado refleja esencialmente las etapas de una cura psicoanalítica explicada por MARTÍN-SANTOS en su estudio médico, *Libertad, temporalidad y transferencia en el psicoanálisis existencial*, Barcelona: Seix Barral, 1964. Para más sobre este aspecto de la novela, véanse Schraibman y Holzinger (op. cit., nota 10) y mi propio estudio, «Otro, tú, yo: la creación y destrucción del ser auténtico en *Tiempo de silencio*», *KRQ*, XXII, núm. 1, 1975, 91-110. Carlos Feal Deibe, «Consideraciones psicoanalíticas sobre *Tiempo de silencio* de Luis Martín-Santos», *RHM*, XXXVI, 1970-71, 117-127, no incluye una consideración del estudio médico del novelista en su interpretación de la novela.

blo a cazar perdices, a jugar a ajedrez, a diagnosticar prurito de ano y a casarse.

Por medio de las voces de Pedro, el lector ha experimentado personalmente un proceso de autoenajenación absoluta, momentánea unificación psíquica y un final desdoblamiento cínico. Desde el punto de vista sociológico es posible mantener que Pedro se ha curado de su neurosis [14]; pero lo que ha experimentado el lector es una corroboración definitiva del juicio del narrador de que el hombre encuentra en la ciudad «los impedimentos múltiples y los obstáculos invencibles que le impiden llegar a ser» (p. 16).

Como hemos visto en nuestros análisis, es casi imposible separar lo existencialista de lo social en cuanto a la experiencia creada. El proceso que hemos examinado en estas novelas claves sugiere una trayectoria de identificación en la novela de los 40 en que el lector se enfrenta directamente con la hipócrita sociedad española de la posguerra inmediata; *Nada* de Carmen Laforet y *La sombra del ciprés es alargada* de Miguel Delibes son dos novelas prominentes de esta década que crean el mismo efecto. La novela de los 50 presenta una sociedad estancada de que el lector se aleja, buscando identificación con la voz del narrador anónimo; *La colmena* de Camilo José Cela, *La noria* de Luis Romero, *Los bravos* de Jesús Fernández Santos, *Fiesta al noroeste* de Ana María Matute y *Duelo en el Paraíso* de Juan Goytisolo son unas de las más destacadas novelas de esta época que reflejan un proceso semejante. En los 60 se combinan los dos efectos: un examen desde lejos del carácter deshumanizador de la nueva sociedad española de consumo creada por el turismo y las inversiones extranjeras, y a la vez un enfrentamiento directo con sus consecuencias sobre el nivel más profundo de la psique del individuo; *Señas de identidad* de Juan Goytisolo, *Volverás a Región* de Juan Benet y *Ultimas tardes con Teresa* de Juan Marsé son tres novelas de esta época que tratan de la búsqueda de identidad del individuo en una sociedad que ha perdido la suya. De modo que la novela de cada década ofrece su propia visión de la existencia humana, una visión que es existencial en cuanto a su efecto sobre el lector, pero que se basa en la realidad social en que fue creada la obra. El problema con clasificaciones temáticas es que

---

[14] SCHRAIBMAN parece aceptar tal interpretación al decir: «... nos ofrece lo que parece ser una cura positiva del personaje que metiéndose de lleno en la sociedad corrompida logra llegar al auto-conocimiento, y parece entrar en la faceta de responsabilidad ética...», p. 120. José ORTEGA, «La sociedad española contemporánea en *Tiempo de silencio*», *Symposium,* XXII, Fall, 1968, 256-260, comparte el juicio de Schraibman: «Su último acto —renuncia a la carrera y huida al pueblo— no constituye una deserción (existencia inauténtica), sino la resultante de la evidente incompatibilidad entre la sociedad y el héroe», p. 259.

tienden a traducir lo dinámico de la experiencia literaria en lo estático de ideas o conceptos, y así se pierde el valor personal que es, a fin de cuentas, la esencia misma de la literatura.

[*Revista Hispánica Moderna*, Nueva York, año XXXVIII, núms. 3-4, pp. 94-102.]

BIBLIOGRAFIA

A. *LIBROS Y ARTICULOS SOBRE LA NOVELA ESPAÑOLA DE POSTGUERRA*

1. ALBÉRÈS, R. M., «La renaissance du roman espagnol», *La Revue de Paris*, 68, 1961, pp. 81-91.
2. ALBORG, Juan Luis, *Hora actual de la novela española*, Madrid, Taurus. Tomo I, 2.ª ed., 1962; tomo II, 2.ª ed., 1963.
3. AMORÓS, Andrés, «Notas para el estudio de la novela española actual (1939-1968)», *Vida Hispánica*, XVI, 1968, pp. 7-13.
4. — *Introducción a la novela contemporánea*, Salamanca-Madrid, Anaya, 1971.
5. AYALA, Francisco, «Nueva divagación sobre la novela», *Revista de Occidente*, 54, 1967, pp. 294-312.
6. BAQUERO GOYANES, M., «La novela española de 1939 a 1953», *Cuadernos Hispanoamericanos*, 67, 1955, pp. 81-95.
7. — «La guerra española en nuestra novela», *Ateneo*, 1 de marzo de 1957.
8. — *Estructuras de la novela actual*, Barcelona, Planeta, 1970.
9. BARRAL, Carlos, «Reflexiones acerca de las aventuras del estilo en la penúltima literatura española», *Cuadernos para el Diálogo*, XIV, 1969, páginas 39-42.
10. BOSCH, A. y M. GARCÍA-VIÑÓ, *El realismo y la novela actual*, Publicaciones de la Universidad de Sevilla, 1973.
11. BOSCH, Rafael, «The Style of the New Spanish Novel», *Books Abroad*, Winter, 1965, pp. 10-14.
12. BOUSOÑO, Carlos, «La novela española en la postguerra», *Revista Nacional de Cultura*, XIX, 1957, pp. 157-167.
13. BUCKLEY, Ramón, *Problemas formales en la novela española contemporánea*, Barcelona, Península, 1973.
14. — «Del realismo social al realismo dialéctico», *Insula*, núm. 326, 1974, páginas 1, 4.
15. CASTELLET, José María, «Tiempo de destrucción para la literatura española», *Imagen*, Caracas, 15, VII, 1968.
16. — *Notas sobre literatura española contemporánea*, Barcelona, Laye, 1955.
17. — *La hora del lector*, Barcelona, Seix-Barral, 1957.

18. — «La novela española, quince años después (1942-1957)», *Cuadernos,* número 33, 1958.

19. CELA, Camilo José, «Dos tendencias de la nueva literatura española», *Papeles de Son Armadans,* XXVII, 1962, pp. 3-20.

20. — «Dos tendencias de la nueva literatura española», *P.S.A.,* núm. 89, 1962, pp. 1-20.

21. CIENFUEGOS, S., «Le roman en Espagne (1920-1957)», *Europe,* números 345-346, 1958, pp. 17-29.

22. CIRRE, J. F., «El protagonista múltiple y su papel en la reciente novela española», *P.S.A.,* núm. 98, 1964, pp. 159-170.

23. CLOTAS, S. y GIMFERRER, Pere, *Treinta años de literatura en España,* Barcelona, Kairós, 1971.

24. COINDREAU, M.-E., «Homenaje a los jóvenes novelistas españoles», *Cuadernos del Congreso para la libertad de la cultura,* 33, 1958, pp. 44-47.

25. CORRALES EGEA, J., *La novela española actual: Ensayo de ordenación,* Madrid, Edicusa, 1971.

26. — *La novela española actual,* Madrid, Cuadernos para el Diálogo, 1971.

27. COUFFON, Claude, «Las tendencias de la novela española actual», *Revista Nacional de Cultura,* XXIV, 1962, pp. 14-27.

28. CURUTCHET, J. C., *Introducción a la novela española de postguerra,* Montevideo, Alfa, 1966.

29. DELIBES, Miguel, «Medio siglo de novela española», *Comprende,* números 17-18, 1957, pp. 242-247.

30. — «Notas sobre la novela española contemporánea», *Cuadernos del Congreso para la libertad de la cultura,* 63, 1962, pp. 34-38.

31. DOMINGO, J., *La novela española del siglo XX,* vol. II: «De la postguerra a nuestros días», Barcelona, «Nueva Colección Labor», vol. 149, 1973.

32. DUNCAN, Bernice G., «Three Novelists from Spain», *Books Abroad,* XXXIX, núm. 2, 1965.

33. FERNÁNDEZ-CAÑEDO, J. A., «La guerra en la novela española (1936-1947)», *Arbor,* 37, 1949, pp. 60-68.

34. FERRER, Olga P., «La literatura española tremendista y su nexo con el existencialismo», *Revista Hispánica Moderna,* XXII, 1956, París, Ediciones Hispanoamericanas, 1970.

35. FERRERAS, J. I., *Tendencias de la novela española actual 1931-1969,* París, Ediciones Hispanoamericanas, 1970.

36. GARASA, Delfín L., «La condición humana en la narrativa española contemporánea», *Ateneo,* CLXII, 1966, pp. 109-139.

37. GARCÍA-VIÑÓ, M., *Novela española de postguerra,* Madrid, Publicaciones Españolas, 1971.

38. — *Novela española actual,* Madrid, Guadarrama, 1967.

39. GIL CASADO, Pablo, *La novela social española,* Barcelona, Seix Barral, 2.ª edición, 1973.

40. GIRONELLA, José María, «Uber den spanischen Roman», *Stimmen der Zeit,* Freibur, 169, 1961-62, pp. 92-109.

41. GÓMEZ MARÍN, J. A., «Literatura y política. Del tremendismo a la nueva narrativa», *Cuadernos Hispanoamericanos,* LXV, núm. 193, 1966, páginas 109-116.

42. GOYTISOLO, Juan, *Problemas de la novela,* Barcelona, 1959.

43. — «La nueva literatura española», *Boletín de Informaciones,* México, IV, 1959, pp. 6-8.

44. — *El furgón de cola (Ensayos),* París, Ruedo Ibérico, 1967.

45. — «La novela española contemporánea», *Libre,* París, núm. 2, 1971-72, páginas 33-40.

46. GULLÓN, Ricardo, «The Modern Spanish Novel», *The Texas Quarterly,* Spring, 1961, pp. 79-96.

47. HORRENT, J., «La jeune littérature romanesque espagnole», *Revue des Langes Vivantes,* 1955, pp. 143-155.

48. IGLESIAS LAGUNA, A., *Treinta años de novela española (1938-1968),* vol. I, Madrid, Prensa Española, 1969.

49. IZCARAY, J., «Reflexiones sobre la novela española actual», *Nuestras Ideas,* Bruselas, II, 1961, pp. 44-61.

50. LAMANA, M., *Literatura de postguerra,* Buenos Aires, Nova, 1961.

51. MALLO, Jerónimo, «Caracterización y valor del tremendismo en la novela española contemporánea», *Hispania,* XXXIX, 1956, pp. 49-55.

52. MANCINI, G., «Sul romanzo contemporaneo», *Miscellanea di Studi Ispanici,* Università di Pisa, 1965, pp. 246-329.

53. MANCISIDOR, J., «La literatura española bajo el signo de Franco», *Cuadernos Americanos,* 1952, pp. 26-48.

54. MARCO, Joaquín, *La nueva literatura en España y América,* Barcelona, Lumen, 1972.

55. — «En torno a la novela social española», *Insula,* núm. 202, 1963, p. 13.

56. MÍGUEZ, A., «Le roman espagnol: entre la frustration et la censure», *Nouvelles Littéraires,* 8-14, 1972, pp. 3-4.

57. MONTERO, I., «Los premios, o treinta años de falsa fecundidad», *Cuadernos para el Diálogo,* XIV, 1969, pp. 73-84.

58. MORÁN, F., *Explicación de una limitación: la novela realista de los años cincuenta en España,* Madrid, «Cuadernos Taurus», núm. 106, 1971.

59. NORA, Eugenio de, *La novela española contemporánea,* Madrid, Gredos, 3 volúmenes, 29.ª edi., 1973.

60. OGUIZA, T., «Del realismo al testimonio», *P.S.A.,* LXV, 1972, pp. 257-276.

61. OLMOS GARCÍA, F., «La novela nueva: su presente y su porvenir», *Boletín de Informaciones,* México, núm. 14, 1961, pp. 33-38.

62. ORTEGA, José, «Novela y realidad en España», *Mundo Nuevo,* núm. 44, 1970, pp. 83-86.

63. — *Ensayos de la novela española moderna,* Madrid, J. Porrúa Turanzas, 1974.

64. PAREARD, R., «Romanciers et conteurs espagnols actuels», *Mercure de France,* núm. 1.123, 1957, pp. 530-537.

65. PALLEY, Julián, «Existentialist Trends in the Modern Spanish Novel», *Hispania,* XLIX, 1961, pp. 21-26.

66. PÉREZ MINIK, Domingo, *Novelistas españoles de los siglos XIX y XX,* Madrid, Guadarrama, 1957.

67. PONCE DE LEÓN, J. L. S., *La novela española de la guerra civil (1936-1939),* Madrid, Insula, 1971.

68. RICO, E. G., *Literatura y política (En torno al realismo español),* Madrid, Edicusa, 1971.

69. ROBERTS, Gemma, *Temas existencialistas en la novela española de postguerra,* Madrid, Gredos, 1973.

70. Rojas, Carlos, «Problemas de la nueva novela española», *La nueva novela europea*, Madrid, Guadarrama, 1968, pp. 121-135.
71. Rossi, A., «I giovani di Spagna: verso un realismo ma quale?», *Paragone*, Firenze, núm. 136, 1961, pp. 147-164.
72. Rubio, R., *Narrativa española, 1940-1970*, Madrid, Epesa, 1970.
73. Sanz Villanueva, Santos, *Tendencias de la novela española actual (1950-1970)*, Madrid, Cuadernos para el Diálogo, 1972.
74. Schraibman, José, «Notas sobre la novela española contemporánea», *Revista Hispánica Moderna*, XXXV, 1969, pp. 113-121.
75. Senabre, Ricardo, «La novela del *realismo crítico*», *Eidós*, Madrid, número 34, 1971, pp. 3-18.
76. Serrano Poncela, Segundo, «La novela española contemporánea», *La Torre*, I, 1953, pp. 105-128.
77. Sobejano, Gonzalo, «Sobre la novela picaresca contemporánea», *Boletín Informativo de Derecho Político*, Univ. de Salamanca, núm. 31, 1964, páginas 213-225.
78. — «Notas sobre lenguaje y novela actual», *P.S.A.*, XL, 1966, pp. 125-140.
79. — *Novela española de nuestro tiempo*, 2.ª ed., Madrid, Prensa Española, 1975.
80. Soldevila-Durante, Ignacio, «La novela española actual. Tentativa de entendimiento», *Revista Hispánica Moderna*, N. Y., XXXIII, núms. 1-2, 1967, pp. 89-108.
81. Terterjan, Ivan, *Sovremennyi ispanskij roman, 1939-1969*, Moscú, Xudozest-vennaja Literatura, 1972.
82. Torre, Guillermo de, «Afirmación y negación de la novela española contemporánea», en *El espejo y el camino*, Madrid, Prensa Española, 1968, pp. 69-109.
83. Torrente Ballester, Gonzalo, *Panorama de la literatura española contemporánea*, Madrid, Guadarrama, 1961.
84. Tovar, Antonio, *Novela española e hispanoamericana*, Madrid-Barcelona, Alfaguara, 1972.
85. Werrie, P., «La nouvelle vague espagnole», *La Table Ronde*, núm. 225, 1966, pp. 146-152.
86. Yndurain, Francisco, «Novelas y novelistas españoles 1936-1952», *Revista di Letterature Moderne*, Firenze, X, 1952, pp. 279-284.

B. LIBROS Y ARTICULOS SOBRE LOS NOVELISTAS INCLUIDOS EN ESTA COLECCION

1. Abrams, Fred, «Tremendismo and Symbolic Imagery in Cela's 'Marcelo Brito': An Analysis», *Romance Notes*, 14, pp. 439-444.
2. Amorós, Andrés, «Camilo José Cela: *San Camilo, 1936*», *Revista de Occidente*, núm. 87, 1970.
3. Bernstein, J. S., «Pascual Duarte and Orestes», *Symposium*, vol. 22, 1968, pp. 301-318.
4. Busette, Cedric, «Dos novelas tremendistas: *La familia de Pascual Duarte* y *Fiesta al Noroeste*», *Duquesne Hispanic Review*, Pittsburgh, 9, 1970, pp. 13-29.

5. CANO, José Luis, «Carta de España: Cela y su nueva novela *San Camilo, 1936*», *Asomante*, 26, pp. 75-77.

6. CARENAS, Francisco, «*La colmena*: Novela de lo concreto», *P.S.A.*, 61, páginas 229-255.

7. CASTELLET, José María, «Iniciación a la obra narrativa de Camilo José Cela», *Revista Hispánica Moderna*, XXVIII, 1962.

8. FOSTER, David W., «Social Criticism, Existentialism and Tremendismo in Cela's *La familia de Pascual Duarte*», *Kentucky Romance Quarterly*, 13 (1967), pp. 25-33.

9. — «La estética de la 'nueva novela': Acotaciones a Camilo José Cela», *Revista de Ideas Estéticas*, 108, 1969, pp. 325-334.

10. FRANZ, Thomas R., «Cela's *La familia del héroe*, The *Nouveau roman*, and the Creative Act», *Modern Language Notes*, 88, pp. 375-377.

11. HENN, David, «Cela's Portrayal of Martin Marco in *La colmena*», *Neophilologus*, Groningen, 55, 1971, pp. 142-149.

12. — «*La colmena*: An oversight on the part of Cela», *Romance Notes*, 13, páginas 414-418.

13. HENN, David, «Theme and Structure in *La colmena*», *Forum for Modern Language Studies*, St. Andrews, 8 (1972), pp. 304-319.

14. IGLESIAS, Ignacio, «Diálogos con Camilo José Cela», *Cuadernos*, número 43 (julio-agosto, 1960), pp. 73-76.

15. ILIE, Paul, *La novelística de Camilo José Cela*, Madrid, Gredos, 1963.

16. KIRSNER, Robert, «Cela's Quest for a Tragic Sense of Life», (*La familia de Pascual Duarte*), *Kentucky Romance Quarterly*, 17, 1970, pp. 259-264.

17. McPHEETERS, D. W., *Camilo José Cela*, New York, Twayne, 1967.

18. ORTEGA, José, «El sentido temporal en *La Colmena*», *Symposium*, XIX, páginas 115-122.

19. PREDMORE, R., «La imagen del hombre en la obra de Camilo José Cela», *La Torre*, IX, 1961, pp. 81-102.

20. SOBEJANO, Gonzalo, «Reflexiones sobre *La familia de Pascual Duarte*», *P.S.A.*, XLVIII, 1968, pp. 19-58.

21. SPIRES, Robert C., «Systematic Doubt: The Moral Art of *La familia de Pascual Duarte*», *Hispanic Review*, 40, pp. 283-302.

22. — «Técnica y tema en *La familia de Pascual Duarte*: Tres incidentes claves», *Insula*, 26 (septiembre), pp. 1, 13.

23. — «Cela's *La colmena*: The Creative Process as Message», *Hispania*, 55, páginas 873-880.

24. STEEL, Brian D., «Two Recurring Structures in Cela's *Prólogos*», *Revista de Estudios Hispánicos*, 6, pp. 249-264.

25. TORRES RÍOSECO, Arturo, «Camilo José Cela, primer novelista español contemporáneo», *Revista Hispánica Moderna*, XXVIII, 1962.

26. TUÑÓN DE LARA, Manuel, «La circunstancia histórica de la novela, *San Camilo, 1936*», *P. S. A.*, 69, pp. 229-252.

27. URIARTE, Fernando, «Apuntes sobre *San Camilo, 1936*», *P. S. A.*, 59, páginas 323-335.

28. ZAMORA VICENTE, Alonso, *Camilo José Cela: Acercamiento a un escritor*, Madrid, Gredos, 1962.

29. EOFF, Sherman, «*Nada* by Carmen Laforet: a Venture in Mechanistic Dynamics», *Hispania*, XXXV, 1952, pp. 207-211.

17

30. DeCoster, Cyrus C., «Carmen Laforet: A Tentative Evaluation», *Hispania*, XL, 1957, pp. 187-191.

31. Horrent, J.,«L'oeuvre romanesque de Carmen Laforet», *Revue des langues vivantes*, XXV, 1959, pp. 179-187.

32. Palomo, M. del P., «Carmen Laforet y su mundo novelesco», *Monteagudo*, núm. 22, pp. 7-13.

33. Ullman, Pierre, «The Moral Structure of Carmen Laforet's Novels». Melvin J. Friedman, ed. *The Vision Obscured*, New York, Fordman University, pp. 201-209.

34. Vázquez Zamora, Rafael, «Appearance of Carmen Laforet on the Spanish Literary Scene», *Books Abroad*, XXX, 1956, pp. 394-396.

35. Berrettini, Celia, «Ana María Matute, la novelista pintora», *Cuadernos Hispanoamericanos*, núm. 48, 1961, pp. 405-412.

36. Couffon, Claude, «Una joven novelista española: Ana María Matute», *Cuadernos del Congreso por la Libertad de la Cultura*, núm. 54, 1961, páginas 52-55.

37. Díaz, Janet W., «La 'Comedia dell'arte' en una novela de Ana María Matute», *Hispanófila*, 40, pp. 15-28.

38. — «The Autobiographical Element in the Works of Ana María Matute», *Kentucky Quarterly Review*, 15, 1968, pp. 139-148.

39. — *Ana María Matute*, New York, Twayne, 1971.

40. Domingo, José, «Análisis de una sociedad conformista», *Insula*, 24, septiembre 1969, p. 7.

41. Hornedo, Rafael María de, «El mundo novelesco de Ana María Matute», *Razón y Fe*, 162, 1960, pp. 329-346.

42. Jones, Margaret W., «Antipathetic Fallacy: The Hostile World of Ana María Matute's Novels», *Kentucky Romance Quarterly*, 13, 1967, páginas 5-16.

43. — «Religious Motifs and Biblical Allusions in tre Works of Ana María Matute», *Hispania*, vol. LI, núm. 3, 1968, pp. 416-423.

44. — *The Literary World of Ana María Matute*, University of Kentucky, 1970.

45. Martínez Palacio, Javier, «Una trilogía novelística de Ana María Matute», *Insula*, XX (CXIX), pp. 1, 6.

46. Spires, Robert C., «Lenguaje-técnica-tema y la experiencia del lector en *Fiesta al noroeste*», *P. S. A.*, 70, pp. 17-36.

47. Wythe, George, «The World of Ana María Matute», *Books Abroad*, 40, núm. 1, 1966, pp. 17-28.

48. Bacarisse, Salvador, «Rafael Sánchez Ferlosio: Literature *Sub Specie Ludi*». [Sobre *Industrias y andanzas...*], *Forum for Modern Language Studies*, St. Andrews, Scotland, 7, pp. 52-59.

49. Berraquero, José, «Los objetos». (*El Jarama*), *Cuadernos Hispanoamericanos*, 263-264, pp. 561-571.

50. Castellet, José María, «Notas para una iniciación a la lectura de *El Jarama*», *P. S. A.*, I, 2, 1956, pp. 205-217.

51. Gullón, Ricardo, «Recapitulación de *El Jarama*», *Hispanic Review*, 43, núm. 1, 1975, pp. 1-23.

52. Jiménez Martínez, Luis, «El tiempo y *El Jarama*», *Cuadernos Hispanoamericanos*, XXVIII, 81, 1956, p. 188.

53. Montes Huidobro, Matías, «Réquiem en *El Jarama*», en *Proceedings: Pacific Northwest Conference on Foreign Languages, 21st Annual Meeting*, vol. 21, ed. Ralph W. Baldner, 1970, Victoria, Columbia Británica, Canadá, pp. 150-158.

54. Rey, Alfonso, «Una nueva aproximación a *El Jarama*», *P. S. A.*, LXXVII, número 231, pp. 283-286.

55. Schraibman, José, y William, T. Little, «La estructura simbólica de *El Jarama*», *Hispanic Studies in Honor of Edmund de Charca*, Iowa, páginas 329-342.

56. Toledo Silva, Mónica R., «El adjetivo de 'color' en Rafael Sánchez Ferlosio», *Boletín de Filología Española*, 40-41 (1971), pp. 3-8.

57. Villanueva, Darío, «*El Jarama*, de Sánchez Ferlosio. Su estructura y significado», Universidad de Santiago de Compostela, 1973.

58. Carlisle, Charles R., «Amos and Haggai: Sources of Thematic Motif and Stylistic Form in Ignacio Aldecoa's *Con el viento solano*», *Bulletin of the Rocky Mountain Modern Language Association*, 26, pp. 83-88.

59. Díaz, Janet W., «The Novels of Ignacio Aldecoa», *Romance Notes*, 11, páginas 475-481.

60. Fernández Almagro, Melchor, «Reseña de *Con el viento solano*», *A B C*, Madrid, 9 de julio, 1956.

61. Fernández Santos, Jesús, «Ignacio y yo», *Insula*, 25 (Mar.), p. 11.

62. García Pavón, F., «Semblanzas españolas: Ignacio Aldecoa», *Indice*, Madrid, núm. 146, 1961, p. 4.

63. García-Viñó, Manuel, «Los cuentos de Ignacio Aldecoa», *Arbor*, 335, páginas 133-135.

64. González López, Emilio, «Las novelas de Ignacio Aldecoa», *Revista Hispanica Moderna*, XXVI, 1960, pp. 112-113.

65. Rosa, J. M. de la, «Notas para un estudio sobre Ignacio Aldecoa», *Cuadernos Hispanoamericanos*, 241, pp. 188-196.

66. Gaínza, Gastón, «Vivencia bélica en la narrativa de J. Fernández Santos», *Estudios Filológicos*, 3 (1967), pp. 91-125.

67. López-Egea, Rafael G., «*El libro de las memorias de las cosas*», *Arbor*, 305, pp. 101-106.

68. Martín Gaite, Carmen, «15 años después de *Los bravos*», *La Estafeta Literaria*, 1 de agosto, 1969.

69. Núñez, Antonio, «Encuentro con Jesús Fernández Santos», *Insula*, 24 (octubre-noviembre 1969), p. 20.

70. Atienza, J. C., «*Tiempo de silencio*», *Cuadernos del Congreso por la Libertad de la Cultura*, París, núm. 63, 1962, pp. 88-89.

71. Cabrera, Vicente, «*Tiempo de silencio*», *Duquesne Hispanic Review*, 10, 1971, pp. 31-47.

72. Caviglia, John, «A Simple Question of Symetry: Psyche as Structure in *Tiempo de silencio*», *Hispania*.

73. Curutchet, Juan Carlos, «Luis Martín-Santos, el Fundador», *Cuadernos de Ruedo Ibérico*, núm. 17, 1968, pp. 3-18.

74. Chantraine de Van Pragg, Jacqueline, «Un malogrado novelista contemporáneo», *Cuadernos Americanos, México*, XXIV, núm. 5, 1965, páginas 269-275.

75. Dennis, Ward, «*Tiempo de silencio*», *Revista Hispánica Moderna*, Nueva York, XXXII, 1966, p. 110.

76. Díaz, Janet W., «Luis Martín-Santos and the Contemporary Spanish Novel», *Hispania*, LI, núm. 2, 1968, pp. 232-238.
77. Domenech, Ricardo, «Ante una novela irrepetible», *Insula*, Madrid, número 187, 1962, p. 4.
78. Duque, Aquilino, «Realismo pueblerino y realismo suburbano: Un buen entendedor de la realidad», *Indice*, Madrid, núm. 185, 1964, pp. 9-10.
79. Eoff, Sherman y José Schraibman, «Dos novelas del absurdo: L'Etranger y Tiempo de silencio», P. S. A., LVI, núm. 168, pp. 215-241.
80. Feal Deibe, Carlos, «Consideraciones sicoanalíticas sobre *Tiempo de silencio*, de Luis Martín-Santos», *Revista Hispánica Moderna*, XXXVI, 2 (1970-71), pp. 117-127.
81. Garciasol, Ramón de, «Un español malogrado: Luis Martín-Santos», *Cultura Universitaria*, Caracas, XCII, 1966.
82. Georgescu, P. A., «L'actuel et L'actualisation dans *Tiempo de silencio*», *Le Réel dans la littérature et dans la langue*, ed. Paul Vernois, París, 1967.
83. Grande, Félix, «*Tiempo de silencio*», *Cuadernos Hnspanoamericanos*, Madrid, núm. 158, 1963, pp. 337-342.
83 bis Gullón, Ricardo, «Mitos órficos y cáncer social», *El Urogallo*, Madrid, núm. 17, septiembre-octubre, 1973, pp. 80-84.
84. Hernández, Tomás, «Anotaciones al vocabulario de *Tiempo de silencio*», *Cuadernos de Filología* (1971), pp. 139-149.
85. Holzinger, Walter, «*Tiempo de silencio*: An Analysis», *Revista Hispánica Moderna*, XXXVII (1972-73), pp. 73-90.
86. Ortega, José, «Realismo dialéctico de Martín-Santos en *Tiempo de silencio*», *Revista de Estudios Hispánicos*, V, III, núm. 1, 1969, páginas 33-42.
87. — «La sociedad española contemporánea en *Tiempo de silencio*, de Martín-Santos», *Symposium*, V, XXI, núm. 3, 1968, pp. 256-260.
88. Ortega, Julio, «Compromiso formal de Martín-Santos en *Tiempo de silencio*», *Hispanófila*, 37, 1969, pp. 23-30.
89. Seale, Mary L., «Hangman and Victim: An Analysis of Martín-Santos *Tiempo de silencio*», *Hispanófila*, núm. 44, 1972, pp. 45-52.
90. Spyres, Robert C., «Otro, tú, yo: creación y destrucción del ser auténtico en *Tiempo de silencio*», *Kentucky Romance Quarterly*, pp. 91-110.
91. Villegas, Juan, «Luis Martín-Santos», *La estructura mítica del héroe*, Barcelona, 173, pp. 203-230.
91 bis Azúa, Félix, «El texto invisible», *Cuadernos de la Gaya Ciencia*, número 1, Barcelona, mayo 1975, pp. 9-21.
92. Domingo, José, «Una meditación de Juan Benet», *Insula*, 25 (mayo), página 7.
93. Durán, Manuel, «Juan Benet y la nueva novela española», *Cuadernos Americanos*, CXCV, 1974, pp. 193-205.
94. Gimferrer, Pere, «Sobre Juan Benet», *Plural*, México, pp. 13-16.
95. Gullón, Ricardo, «Una región laberíntica que bien pudiera llamarse España», *Insula*, núm. 319, pp. 3-10.
— «Esperando a Core», *Revista de Occidente*, núm. 145, abril 1975, páginas 16-36.
96. Marín Morales, J. A., «*Puerta de tierra*, de Juan Benet», *Arbor*, números 295-296, 1970, pp. 135-138.
97. Núñez, Antonio, «Encuentro con Juan Benet», *Insula*, 24 (abril), p. 4.

98. Ortega, José, «Estudios sobre la obra de Juan Benet», *Cuadernos Hispanoamericanos*, núm. 284, 1974.

99. Rodríguez Padrón, Jorge, «Volviendo a región», *Camp de l'Arpa*, 7, páginas 37-38.

100. Villanueva, Darío, «La novela de Juan Benet», *Camp de l'Arpa*, 8, páginas 9-16.

101. Alonso de los Ríos, César, *Conversaciones con Miguel Delibes*, Madrid,, Magisterio Español, 1970.

102. Alonso García, M., «Sobre la última novela de Delibes», *Cultura Hispanoamericana*, Madrid, XX, núm. 57, 1955, pp. 392-395.

103. Bayo, M. J., «La última interpretación de Avila», *Cultura Hispanoamericana*, Madrid, XXV, núm. 72, 1955, pp. 327-334.

104. Caballero Bonald, J. M., «La integridad narrativa de Miguel Delibes», *P. S. A.*, núm. XVII, 1957, pp. 209-211.

105. Cano, José Luis, «*La sombra del ciprés es alargada*», *Insula*, 15 de julio 1948.

106. — «*El camino*», *Insula*, núm. 63, p. 6.

107. — «*Mi idolatrado hijo Sisí*», *Insula*, núm. 97, p. 6.

108. Carbonell, Reyes, «Miguel Delibes como narrador en su novela *Las ratas*», *La Torre*, 60, 1968, pp. 248-262.

109. Díaz, Janet W., «*Miguel Delibes*», New York: Twayne, 1971.

110 — «Miguel Delibes' Vision of Castilla», *South Atlantic Bulletin*, 36, III, páginas 56-63.

111. Domingo, José, «Una parábola de Miguel Delibes», *Insula*, 24 (diciembre 1969), p. 7.

112. Ewing, Dorothy, «The Religious Significance of Miguel Delibes' *Las ratas*», *Romance Notes*, II, pp. 492-497.

113. González del Valle, Luis, «Semejanzas en dos novelas de Miguel Delibes» (*El camino* y *Cinco horas con Mario*), *Cuadernos Hispanoamericanos*, 270, pp. 545-551.

114. Gullón, Ricardo, «Carta de España: Dos novelas recientes», *Realidad*, Buenos Aires, IV, núm. 10, 1948, pp. 75-80.

115. Hickey, Leo, *Cinco horas con Miguel Delibes*, Madrid, Ed. Prensa Española, 1968.

116. — «Un auténtico dilema del novelista español», *Hispanófila*, 45, pp. 59-72.

117. López Martínez, Luis, *La novelística de Miguel Delibes*, Murcia, 1973.

118. Marra López, José R., «*Diario de un emigrante*», *Insula*, núm. 149, p. 6.

119. Matilla, Alfredo, «La toma de conciencia de Miguel Delibes», *La Torre*, 65, 1969, pp. 83-95.

120. Pauk, Edgar, *Miguel Delibes: Desarrollo de un escritor (1947-1974)*, Madrid, Gredos, 1975.

121. Ponce de León, Luis, «*Siestas con viento sur*», *Cuadernos Hispanoamericanos*, núm. 94, 1957, pp. 115-116.

122. Rey, Alfonso, *La originalidad novelística de Delibes*, Universidad de Santiago de Compostela, 1975.

123. Sobejano, Gonzalo, «Los poderes de Antonia Quijana» (*Cinco horas con Mario*), *Revista Hispánica Moderna*, 35 (1969), pp. 106-112.

124. Vivanco, José Manuel, «El Premio Nadal, 1947», *Cuadernos Hispanoamericanos*, VII, 1949, pp. 223-224.

125. AERTS, Luc, «De moderne Spaanse roman: Juan Goytisolo, *Rouw in het Paradijs*», *De Vlaamse Gids,* 54, 1970, p. 2.

126. BENSOUSSAN, Albert, «Un mythoclaste espagnol: *Don Julián* de Goytisolo», *Les Langues Modernes,* 66, pp. 67-69.

127. BUSETTE, Cedric, «Goytisolo's *Fiestas:* A Search for Meaning», *Romance Notes,* 12, pp. 270-273.

128. CAMPBELL, Federico, «Juan Goytisolo o la literatura como droga», *Vida Literaria,* 19, pp. 14-19.

129. CASTELLET, José María, «Juan Goytisolo y la novela española actual», *La Torre,* enero-marzo, 1961.

130. DURÁN, Manuel, «Vindicación de Juan Goytisolo: *Reivindicación del Conde Don Julián*», *Insula,* 26 (Jan.), pp. 1, 4.

131. GILES, Mary E., «Juan Goytisolo's *Juego de manos:* An Archetypal Interpretation», *Hispania,* 56, pp. 1021-1029.

132. GLENN, Kathleen, «*Duelo en el Paraíso:* A Study of the Spanish Civil War», *Canadian Modern Language Review,* 30, pp. 62-66.

133. GOULD LEVINE, Linda, «*Don Julián:* Una 'Galería de espejos' literarios», *Cuadernos Americanos,* 188, pp. 218-230.

134. LA ROSA, J. M. de, «Juan Goytisolo o la destrucción de las raíces», *Cuadernos Hispanoamericanos,* 237, pp. 779-784.

135. MARTÍNEZ CACHERO, J. M., «El novelista Juan Goytisolo», *P.S.A.,* XXXII, pp. 125-160.

136. ORTEGA, José, *Alienación y agresión en Juan Goytisolo: «Señas de identidad»* y *«Reivindicación del Conde Don Julián»,* New York, Eliseo Torres, 1972.

137. ROBERTS, Gemma, «El auto-engaño en *Juegos de manos* de Juan Goytisolo», *Hispanic Review,* vol. 43, núm. 4, 1975, pp. 393-405.

138. RODRÍGUEZ PUÉRTOLAS, Julio, «Las reivindicaciones de Juan Goytisolo», *Estudios Filológicos,* 7, 1971, pp. 251-260.

139. SCHWARTZ, Kessel, «Juan Goytisolo: Cultural Constraints and the Historical Vindication of Count Julian», *Hispania,* 54, pp. 960-66.

140. — *Juan Goytisolo,* New York, Twayne, 1970.

141. SILVA, Ribeiro da, «*Reivindicaçao* de Goytisolo», *Brotéria,* 96, pp. 209-214.

142. VILUMARA, Martín, «El desafío de Torrente Ballester», *Camp de l'Arpa,* 5, pp. 27-28.

ESTE LIBRO SE TERMINO DE IMPRIMIR,
SOBRE PAPEL DE TORRAS HOSTENCH, S. A.,
DE BARCELONA, EL DIA 12 DE NOVIEMBRE
DE 1976, EN LOS TALLERES
DE VELOGRAF, TRACIA, 17
MADRID-17